L'AMOUR D'UNE SŒUR

Georgia Bockoven

L'AMOUR D'UNE SŒUR

Traduction de Vassoula Galangau

Roman

Titre original : *An Unspoken Promise*

© Georgia Bockoven, 1997
Edition originale : HarperCollins, New York
© Presses de la Cité, 2000, pour la traduction française.

ISBN 2-258-04891-5

*Ce roman est dédié à toutes ces femmes
et ces hommes dévoués
qui ont adopté des enfants et les ont élevés avec amour.
Et plus spécialement à ceux qui ont formé ma propre
famille nombreuse.*

Un grand merci à Dixie Reid pour ses conseils perspicaces sur le métier de reporter.

1

Diana s'efforçait d'oublier les muscles douloureux de ses jambes en attendant que la minuterie lui indique qu'elle était libre de quitter le vélo d'appartement avant de s'attaquer au rameur. Lorsque, enfin, la sonnerie retentit, elle descendit de l'appareil et saisit une serviette pour y enfouir son visage en feu.

Au même moment, un bruit fracassant explosa en provenance de la cuisine, suivi de la voix furieuse de Stuart.

— Ah! la garce!

Elle ne se posa aucune question sur l'origine de cet éclat. Après deux ans de vie commune, elle s'était habituée aux sautes d'humeur de son compagnon. A cette heure-ci, vraisemblablement, la raison de sa hargne devait résider dans le journal, dont il épluchait la rubrique financière tous les matins... Une raison qui, pour une fois, n'allait pas dégénérer en conflit. Diana se sentit le courage d'affronter l'humeur de Stuart sans broncher. Mieux encore, voyant là l'occasion d'améliorer leurs rapports, qui n'avaient cessé de se dégrader ces derniers mois, elle décida d'aller lui remonter le moral.

Elle le trouva penché sur le pot de sa précieuse plante verte, des touffes de feuilles brillantes, fragiles et menues éparpillées autour de lui sur le carrelage. Il s'agenouilla et son peignoir marron s'entrouvrit sur ses longs mollets athlétiques, bronzés aux ultraviolets. D'un geste nerveux, il referma le pan de soie, puis détacha une branche cassée qu'il jeta en direction de l'évier.

Le regard de Diana erra dans la pièce, notant le désordre au passage : le journal froissé dans un coin, le marc de café sur le plan de travail, la chaise renversée près de la table... Cela paraissait plus grave que les emportements habituels de Stuart, brusques accès de rage auxquels il suffisait de prêter une oreille compatissante pour les apaiser. Aujourd'hui, si on en jugeait par ses yeux furibonds, il n'allait pas décolérer de la journée. Diana se dit qu'elle aurait mieux fait de poursuivre son entraînement physique.

Elle s'apprêtait à amorcer une prudente retraite vers la salle de gymnastique, quand Stuart leva les yeux vers elle. La force de sa colère la stoppa net.

— Cette fois-ci, elle est allée trop loin!

L'emphase, le ton haineux de sa voix ne permettaient pas de penser que l'objet de son ressentiment était une personne étrangère... Non. Il s'agissait sûrement de quelqu'un qui le touchait de près.

— Mais de quoi s'agit-il? demanda Diana.

Stuart détacha une seconde branche brisée et la lança dans la même direction que la première.

— Si un collègue s'en aperçoit, tout le bureau sera au courant en moins de trente secondes, grommela-t-il. Bon sang! Rien que d'y penser, ça me rend malade.

— Je n'ai ni le temps ni l'envie de jouer aux devinettes avec toi, Stuart. Ou tu m'expliques de qui tu parles, ou je m'en vais prendre une douche.

Ce calme eut le don de porter l'exaspération de Stuart à son paroxysme.

— Arrête de jouer les idiotes! cria-t-il. Qui d'autre, à part ta maudite sœur, me mettrait dans cet état?

Une énorme vague de fatigue submergea soudain Diana.

— Amy? Quel crime a-t-elle encore commis? fit-elle.

— Cette traînée a été arrêtée hier soir.

— Je t'interdis de l'insulter! (Il lui fallut quelques secondes de plus pour réaliser ce qu'il venait de dire.) *Arrêtée?* répéta-t-elle. Mais pourquoi?

Stuart marqua une pause, ménageant le suspense.

— Pour racolage.

L'incrédulité de Diana se mua en indignation. Stuart adorait la mener en bateau.

— Je ne te crois pas!

Il réprima un sourire de satisfaction perverse.

— A ta guise. Tout est dans le journal. Absolument tout, jusqu'à l'historique de ton illustre famille. Non contente de se détruire, Amy essaie de vous entraîner tous avec elle dans la boue!

— Il doit y avoir une erreur. Amy n'aurait jamais...

— Il n'y a pas d'erreur. (Il redressa la chaise et la remit à sa place.) Elle a fait des avances à un flic de la mondaine.

— Entre avances et racolage...

— Elle lui a indiqué un prix.

— Cela ne veut pas dire...

— Non? Eh bien, qu'est-ce qu'il te faut! hurla-t-il en ramassant le journal et en le jetant à la figure de la jeune femme. Tu n'as qu'à lire toi-même, puisque tu es si sceptique.

Tant qu'elle n'aurait pas l'article sous les yeux, elle pourrait toujours nier. Invoquer une erreur. La police aurait arrêté quelqu'un d'autre... Ce serait une coïncidence. Une homonymie. Certes, Amy n'avait rien d'une petite fille modèle, mais de là à tomber sous le coup de la loi...

— Eh bien? insista Stuart.

Il prenait un malin plaisir à retourner le couteau dans la plaie.

Après avoir lissé le journal froissé, Diana étudia les titres.

— En bas, à gauche, fit-il.

Elle lui décocha un regard noir.

— Ce n'est pas la peine de te réjouir.

— N'essaie pas de me faire porter le chapeau, ma belle. L'ennemi, ce n'est pas moi. Tu te trompes de cible.

— Excuse-moi. La cible, c'est Amy, bien sûr...

Le sordide fait divers se trouvait exactement là où il l'avait indiqué. Etalé sur trois colonnes. « LA FILLE D'UN ÉMINENT MÉDECIN DES TWIN CITIES [1] ARRÊTÉE POUR PROSTITUTION. »

Mon Dieu ! Pourquoi, imprimée, la chose paraissait-elle encore plus obscène ? Plus abjecte ?

— Je vois que tu as trouvé... dit Stuart.

Diana parcourut rapidement les deux premiers paragraphes, survola le reste... Une fois de plus, Amy s'était distinguée par une de ses provocations stupides, à ceci près que cette fois, comme Stuart avait eu l'amabilité de le lui faire remarquer, elle était allée trop loin. La pensée que sa sœur se vendait au premier venu lui sembla aussi incongrue que si elle s'était retirée dans un couvent.

— Encore heureux qu'ils n'aient pas cité ton nom ! grogna Stuart. Un ponte comme ton père ne risque pas de perdre sa place à l'hôpital. Tandis que moi, je ne donnerais pas cher de ma peau si ce renard d'Ellsworth faisait le rapprochement.

La compagnie qui employait Stuart avait été citée à comparaître pour fraude plus d'une demi-douzaine de fois ces cinq dernières années.

Diana retint un rire moqueur.

— Si Gerry Cutter, qui n'hésitait pas à détourner les fonds de vos clients, est toujours en liberté, il n'y a pas de danger que tu sois mis à la porte à cause de ma sœur !

— Justement ! Vu que Gerry a été accusé de malversation, on doit rester irréprochables.

— Personne ne songera à te mêler à cette triste affaire, Stuart. Comment voudrais-tu...

1. Villes jumelles : Minneapolis et Saint Paul. *(N.d.T.)*.

14

— Nom d'un chien!... ce que tu peux être agaçante, par moments! J'ai rencontré la moitié de ma clientèle grâce à ton père.

Diana jeta un coup d'œil à la pendule murale.

— Il est presque sept heures. Si je me rends à la prison maintenant, j'éviterai de perdre ma journée.

— Non, mais je rêve! Tu n'as pas encore compris la leçon?

— C'est ma sœur. Je ne l'abandonnerai pas. Je suis sûre que tu agirais de même si John avait besoin de toi.

— Sauf que mon frère ne m'appellerait jamais au secours. Amy, elle, ne cesse pas de te lancer des S.O.S. Et pour cause! Elle sait que, quoi qu'il arrive, elle peut compter sur toi. Tu l'as toujours tirée de tous les mauvais pas.

— Faux! (Diana chercha frénétiquement un argument en béton.) Par exemple je n'ai rien à voir avec sa cure de désintoxication. Elle a accompli les démarches toute seule, comme une grande.

— La poudre aussi, elle la sniffait toute seule, comme une grande, ricana-t-il.

C'était une vieille dispute, que Diana s'efforçait toujours d'éviter... Elle avança vers la porte, lorsqu'il demanda :

— Et vos parents? Il est grand temps de penser aussi un peu à eux, tu ne crois pas? Et au choc qu'ils ont dû éprouver en voyant leur nom dans les journaux par la faute d'Amy.

Les parents! Ce n'était pas le moment de s'apitoyer sur leur sort. Leur père arriverait en trombe à la maison, fou de rage, tandis que leur mère serait couchée, un linge humide sur le front, prétextant une migraine épouvantable.

— Amy n'y est pour rien si les noms de Papa et de Maman figurent dans ce torchon.

— Ouvre donc les yeux, Diana! Qui, à ton avis, a

15

fourni aux reporters tous ces renseignements si ce n'est Amy elle-même ?

— La délation n'est pas sa tasse de thé.

— Oh que si ! Elle adore vous mettre tous dans le pétrin. Une façon comme une autre de se venger.

Diana hésita une fraction de seconde ; Stuart en profita pour semer le doute dans son esprit.

— Est-ce que tu comprends maintenant pourquoi je refuse que tu ailles la voir ? fit-il. Elle s'arrangera pour t'attirer les pires ennuis.

— Je ne t'ai pas demandé ton autorisation, répondit Diana froidement.

— Diana, ne me pousse pas à bout ! cria-t-il. Ecoute-moi, pour une fois, au nom du ciel.

— Amy est en prison, Stuart. Tu n'as pas le droit de me demander de la laisser tomber.

— Une nuit ou deux derrière les barreaux lui feraient le plus grand bien, rétorqua-t-il d'une voix venimeuse. Rien d'autre n'a jamais marché. Si elle continue à accumuler les bêtises, elle finira à la morgue, et tu le sais.

Oui, elle le savait. Combien de nuits blanches n'avait-elle pas passé, hantée par cette peur atroce ? Mais elle ne céderait pas aux injonctions de Stuart. Elle ne trahirait pas la confiance d'Amy.

Diana se dirigea vers la salle de bains.

— Je vais prendre une douche.

— Veux-tu que je te conduise à ton bureau ? J'ai rendez-vous avec un client dans ton quartier, ce matin.

Subtil ! pensa-t-elle, toisant Stuart d'un air sarcastique.

— Chéri, je te vois venir avec tes gros sabots, ce dont j'ai une sainte horreur. Si tu veux savoir quels sont mes projets, pose-moi plutôt franchement la question.

— Peut-être n'ai-je pas été assez clair, Diana. Je n'ai pas l'intention de sombrer en même temps que ta sœur.

Elle se tourna de nouveau vers la pendule.

— Nous finirons cette discussion plus tard.

— Que comptes-tu faire, maintenant ?

— Je ne sais pas encore.

Elle mentait.

— Je t'aurai prévenue, dit-il d'un ton étrangement calme.

Depuis qu'ils vivaient ensemble, elle ne connaissait que trop bien ces menaces sournoises, presque nonchalantes, par lesquelles Stuart mettait un terme à leurs disputes. Au début, elles l'avaient déstabilisée. Plus maintenant.

— D'accord, tu m'auras prévenue, répondit-elle.

— C'est Amy ou moi.

Comme toujours, elle chercha un moyen de l'amadouer.

— Ecoute... allons dîner ce soir chez *Charlie*. Nous aurons tout le temps de discuter.

— J'ai d'autres projets pour le dîner.

Il ne se donna pas la peine de préciser lesquels. Le silence retomba comme une chape de plomb.

— Alors, je te verrai quand tu rentreras à la maison.

Une heure plus tard, Diana appela sa secrétaire sur le téléphone de sa voiture. Elle serait en retard, expliquat-elle, ce qui décalerait ses premiers rendez-vous.

Combien de temps fallait-il pour sortir quelqu'un de prison ? Elle n'en avait pas la moindre idée. Son cercle d'amis — tous des rejetons de bonne famille — n'abordait jamais ce genre de sujet.

Elle crispa ses mains sur le volant, oscillant entre la colère et la pitié. Une fois de plus, Amy s'était mise dans une situation impossible, mais ses souffrances morales ne la rendaient que plus attachante. Plus vulnérable. Diana devinait parfaitement les raisons profondes de ses agissements. Toute sa vie, Amy s'était entendu reprocher son incapacité à égaler les aptitudes de sa grande sœur. On ne peut pas toujours se contenter de donner la réplique au premier rôle... Amy s'était alors forgé le sien, un rôle de méchante fille, dans lequel elle excellait.

Diana savait où se trouvait la maison d'arrêt de la ville — elle avait grandi dans la région de Minneapolis et

Saint Paul —, mais c'était la première fois qu'elle allait y entrer. Elle sortit de sa voiture pour franchir la porte réservée aux visiteurs, sur la défensive. Dès l'instant où elle pénétra dans les lieux, elle dut combattre une envie irrationnelle de se mettre à crier que sa sœur était innocente, qu'elle avait été arrêtée par erreur, qu'aucun membre de sa famille n'avait jamais eu de démêlés avec la justice.

Elle se mit à faire la queue devant le bureau des cautions pour découvrir alors seulement que quelqu'un avait déjà payé et qu'Amy était partie depuis une heure.

Grâce au mystérieux bienfaiteur d'Amy, elle n'aurait donc pas à donner son nom et son adresse à la police. Pourtant, elle ne ressentit aucune reconnaissance. Seulement de la suspicion. Personne ne s'était montré quand l'alcoolisme mondain d'Amy s'était mué en alcoolisme tout court, pas plus que quand la jeune femme avait troqué ses cigarettes de marijuana contre des drogues dures. Alors, pourquoi maintenant?

Diana ressortit dans la rue. Le ciel était couvert mais elle chaussa ses lunettes noires. Levant les yeux, elle aperçut, sur le trottoir d'en face, Frank Pechacek, un vieil ami de son père. Flûte! Il s'apprêtait à traverser. S'il la voyait, il ne manquerait pas de se poser des questions. La prison n'était pas précisément l'endroit où l'on avait une chance de rencontrer la fille de Carl et Eileen Winchester. Puis elle comprit. Frank n'était pas seulement un « ami » de son père, c'était aussi son avocat et l'associé senior dans l'un des cabinets juridiques les plus célèbres du Minnesota... Ainsi, Carl avait dépêché son homme de loi au secours d'Amy.

Il y avait des lustres que M. et Mme Winchester avaient cessé toute relation avec l'enfant rebelle qu'ils avaient adoptée des années auparavant. Ils lui auraient peut-être rendu visite à l'hôpital si elle avait été à l'agonie — et encore! Mais jamais dans une prison.

Diana fit semblant d'ajuster ses lunettes avant d'emprunter la direction opposée à Frank. Trop tard!

— Diana? appela-t-il.

Elle se retourna à contrecœur, forçant un sourire sur ses lèvres.

— Ah... Frank, je ne vous avais pas vu.

— Voyons, Diana! Je comprends parfaitement pourquoi vous êtes ici. Et pourquoi vous avez essayé de m'éviter. Je ne vous jetterai pas la pierre.

— Vous êtes au courant pour Amy, n'est-ce pas?

— L'incident fait la une de tous les journaux, Diana, et nous autres avocats, nous lisons la presse.

— En avez-vous parlé avec Papa?

— Non... Je n'ai pas osé, à vrai dire.

— Et moi qui ai cru que vous étiez venu pour la soutenir, murmura Diana, le gratifiant d'un sourire rapide. Quand je me trompe, c'est pour de bon.

— J'aurais été heureux d'aider votre sœur, bien que son cas ne m'inspire aucun souci. C'est la première fois qu'elle est prise la main dans le sac. Qu'est-ce qu'elle risque? Une condamnation avec sursis.

La main dans le sac! Une bouffée de colère embrasa les pommettes de Diana. Depuis sa plus tendre enfance, Amy était taxée de culpabilité par son entourage. S'il manquait un fond de lait, c'était naturellement Amy qui l'avait bu. Si le chien était sorti, c'était, bien sûr, Amy qui avait laissé la porte ouverte... A l'école, quand Jimmy Randall avait déclaré qu'on lui avait dérobé son argent de poche, la maîtresse avait questionné Amy en premier... Amy figurait toujours en tête de la liste des suspects. Et lorsque le véritable coupable se démasquait — celui qui avait oublié de fermer la porte, le voleur du porte-monnaie de Jimmy, etc. —, personne ne songeait à présenter des excuses à Amy.

— Qu'entendez-vous par « première fois », Frank? protesta Diana d'un ton véhément. C'est une erreur colossale, vous voulez dire. A la place d'Amy, je n'hésiterais pas à intenter à la mondaine un procès en diffamation... Je ne comprends pas comment une chose pareille a pu se produire. (Elle poursuivit en baissant la voix, car les passants se retournaient.) Amy a dû plaisanter avec un policier, et cet idiot l'aura prise au sérieux. Elle n'était même pas ivre, puisqu'elle ne boit plus. Je suis sûre qu'il s'agit d'un malentendu... d'un...

Elle s'interrompit, voyant l'expression gênée de Frank.

— Diana, je suis navré. Je croyais que vous étiez au courant.

Une sensation de froid l'enveloppa.

— Au courant de quoi? demanda-t-elle.

— Du réseau.

Il lui fallut admettre qu'elle n'en savait rien.

— Quel réseau? Je ne comprends pas.

Mal à l'aise, l'avocat ouvrit la bouche pour dire quelque chose, puis se ravisa.

— Posez la question à votre sœur. C'est à elle de vous en parler. Pas à moi.

— Elle m'en aurait parlé si elle l'avait jugé nécessaire.

Un silence suivit. Frank ne semblait pas convaincu.

— Je vous en prie, murmura Diana. Comment voulez-vous que je puisse l'aider si je ne sais rien?

— Il y a deux mois, Darren Harris — vous vous souvenez de lui, c'était le président du Fordham Club l'année où votre père en était le trésorier, mais peu importe... Bref, Darren recevait deux gros clients de sa société. Ils lui ont demandé d'organiser une petite sauterie avec des filles et il s'est adressé à un « ami »... lequel a passé quelques coups de fil et...

Il aspira une goulée d'air, espérant qu'elle devinerait la suite.

— Et?... insista-t-elle.

— ... Et Amy était parmi les call-girls qui sont arrivées peu après.

Elle le regarda comme elle l'aurait fait s'il avait prétendu qu'il n'y aurait pas de fleurs au printemps.

20

— Qu'est-ce qui lui permet d'affirmer qu'il s'agissait vraiment d'Amy? fit-elle.

— J'ai posé exactement la même question à Darren. Il m'a répondu que sa propre fille et Amy faisaient partie de la même équipe de natation au lycée.

Frank détourna le regard, redoutant la réaction de Diana. Mais elle demeura silencieuse. Songeuse. Et triste. Si elle s'était éclipsée cinq minutes plus tôt, si ses pas n'avaient pas croisé ceux de Frank, elle aurait pu passer le reste de la matinée à croire à l'innocence d'Amy... A présent, mille questions se bousculaient dans sa tête. Et elle n'était pas sûre de vouloir connaître les réponses.

2

Après sa brève rencontre avec Frank Pechacek, Diana prit la direction de son bureau. Elle avait été tentée de prendre celle de l'appartement d'Amy mais s'était ravisée... à tort, elle le savait. Si les deux sœurs ne se revoyaient pas très vite, le temps creuserait entre elles un fossé difficile à combler. Mais Diana se sentait incapable pour le moment d'affronter la situation. Elle avait besoin de reprendre ses esprits, de digérer la nouvelle, de puiser en elle la force de déguiser sous un sourire avenant sa déception, sa répulsion, de ne pas se laisser trahir par l'amertume de sa voix.

Pourquoi Amy avait-elle fait une chose pareille?

Comme un gros caillou qui dégringole une pente en écrasant l'herbe sur son passage, la question roula à toute vitesse dans son esprit enfiévré, une question défiant toute logique. Elle écarta d'emblée l'argent. L'héritage de leur grand-mère équitablement partagé entre elles avait mis Amy à l'abri du besoin. Alors quoi? D'une certaine manière, Diana avait mieux compris son penchant pour l'alcool et pour la drogue : la curiosité de connaître les paradis artificiels, le désir de goûter aux fruits défendus. L'attrait de la nouveauté. Dès le lycée, Amy avait montré une fâcheuse tendance à se faire remarquer.

Mais la prostitution? Cela ne pouvait pas être un coup de tête, un caprice passager. Vendre son corps supposait

22

une sorte de préméditation, un mépris de soi. Ce comportement lui paraissait aberrant.

Diana avait aperçu une fois ou deux ces papillons de nuit tapis sous des porches, à l'affût du client, alors qu'elle traversait en voiture les bas quartiers de la ville. Elle s'était vaguement demandé quel effet cela leur faisait de se donner à un inconnu, puis elle n'y avait plus pensé. Il lui était arrivé aussi de lire un article sur tel acteur qui avait loué les services d'une call-girl ou qui avait été surpris avec une professionnelle dans sa voiture... « Oh, Amy ! » pensa-t-elle. Elle n'arrivait pas à croire que sa propre sœur exerçait ce métier dégradant.

Elle emprunta la contre-allée du building de *Sander's Food*. L'immeuble était luxueux, la façade rutilante. Mais elle n'eut pas le cœur de gagner son bureau. Plus tard, lorsqu'elle se serait recomposé une attitude froide et digne, peut-être parviendrait-elle à supporter les regards pleins de sous-entendus de ses collègues. Mais pas aujourd'hui. Lire la commisération dans leurs yeux serait au-dessus de ses forces. Et si jamais l'un d'eux osait lui exprimer sa sympathie, elle risquait de l'envoyer carrément sur les roses.

Elle enclencha la marche arrière et fit demi-tour. Peu après, elle débouchait sur l'artère principale, sans destination précise, la tête vide. Une heure plus tard, elle dépassait Stillwater et continuait vers le nord, s'arrêtant juste pour acheter un sandwich.

Il n'y avait pratiquement pas de touristes dans le parc où elle vint prendre son déjeuner ; on n'était qu'au début du mois de mai, en milieu de semaine, et la météo avait annoncé un orage en fin d'après-midi... Elle jeta les restes de son sandwich dans une poubelle — elle avait à peine avalé deux bouchées — avant de longer à pied la rive du fleuve. Un canot glissait sur l'eau miroitante. Un couple y était assis. Lui ramait avec force et elle le regardait avec l'admiration béate que l'on témoigne à un champion olympique. Des amoureux. Des amoureux perdus dans un univers fait de baisers et de rires, où personne d'autre n'a le droit de pénétrer... Tout en leur enviant leur gaieté, Diana se demanda si elle et Stuart avaient jamais connu cet état de grâce. Son regard se porta sur le cadeau de fiançailles de Stuart, énorme solitaire flamboyant à son annulaire... Elle l'aurait volontiers échangé contre une promenade en canot sur le fleuve. La pointe empoisonnée de l'envie lui écorcha le cœur, elle détourna les yeux du couple, qui poursuivait son voyage idyllique.

Jusqu'alors, Diana n'avait jamais manqué de ressource. Toute petite, elle s'évadait de son parc en empilant ses jouets de manière à enjamber les barreaux... Avec Amy, c'était pareil. Elle s'était toujours trouvée au bon endroit, au bon moment pour résoudre ses problèmes. Dans sa profession, Diana Winchester passait pour une battante. « Elle possède l'art et la manière de contourner les obstacles », disait-on à son sujet. Pour Stuart, c'était une manipulatrice. Elle-même préférait se définir comme quelqu'un de créatif.

Hélas ses multiples talents se révélaient vains aujourd'hui. Sa sœur s'était bel et bien fourrée dans une situation inextricable ; un piège d'où personne, si doué fût-il, ne pourrait la sortir indemne. Un frisson parcourut Diana. Pas étonnant qu'elle ait éprouvé le besoin de quitter la ville plutôt que de faire face à Amy. En fait, elle avait fui sa propre impuissance.

Elle prit le chemin du retour, répétant mentalement dans sa voiture les phrases qu'elle dirait tout à l'heure à sa sœur. Mais, à mesure qu'elle approchait de sa destination, les mots se dérobaient, ses beaux discours se muaient en une démonstration stérile, dépourvue de sens. Les doutes revinrent à la charge... Lorsqu'elle se gara, elle resta un long moment assise, immobile, presque prostrée. Surtout garder son calme... dissimuler son ressentiment et sa frustration ; ne pas dire quelque chose qu'elle regretterait par la suite... Elle aurait cependant du mal à cacher sa déception. Son amertume. Son chagrin. Et Amy avait besoin de tout sauf d'un cours de morale.

Son acharnement à épargner une scène pénible à sa petite sœur procédait, lui sembla-t-il soudain, d'un égoïsme forcené plutôt que d'un esprit de sacrifice.

Mais depuis quand était-elle devenue aussi lâche?

Elle descendit de la voiture. La brise s'était changée en un vent âpre et violent. L'orage ne tarderait pas à éclater. Amy aimait la pluie. « Lorsqu'il pleut, les gens restent au chaud », disait-elle. « Ils ne sont pas pressés de repartir. »

Diana traversa la rue, pénétra dans l'immeuble, gravit une volée de marches. Elle sonna à l'appartement d'Amy. Pas de réponse. « Tant mieux! » songea-t-elle, envahie par une sensation de soulagement. Machinalement, elle sonna de nouveau, afin de s'assurer que sa sœur était bien absente. La porte s'ouvrit.

— Je croyais que c'était le livreur de pizzas, lança Amy, visiblement mécontente de découvrir son aînée sur le palier.

A part les cernes sombres sous ses yeux, elle était la même qu'une semaine plus tôt. Elle portait un chandail sur un jean — et aucune mini-jupe de cuir écarlate assortie de bas résille, comme Diana se l'était imaginé.

— Je t'ai dit mille fois d'installer un judas, dit-elle.

— Qu'est-ce qui me vaut l'honneur de ta visite?

— Depuis quand dois-je avoir une bonne raison pour venir te voir? demanda Diana.

Elle s'était donné un mal de chien pour déguiser son agressivité et y était parvenue de manière satisfaisante... Pourtant, son apparition avait mis Amy sur ses gardes.

— A cette heure-ci, tu devrais être à ton bureau, non? demanda celle-ci.

— Je peux entrer?

Au lieu de s'effacer pour la laisser passer, Amy appuya son épaule contre le chambranle de la porte.

— Je ne crois pas que ce soit une bonne idée. Pas aujourd'hui, en tout cas.

— Pourquoi? Tu n'es pas seule?

Chargée d'un sens nouveau à l'insu de Diana, cette question ne fit qu'augmenter leur gêne mutuelle.

— Si tu me laisses entrer, nous partagerons la pizza, reprit-elle. Pense à toutes les calories que ça te fera en moins.

— Mon Dieu! Serais-tu prête à me sacrifier ta minceur de liane, sœurette?

— Arrête, Amy!

— Arrêter quoi?

— Ton ironie. Je ne suis pas venue pour me disputer avec toi.

— Non? Tu es venue pour m'infliger un de tes sermons, alors. Merci, je préfère m'en passer.

Elle recula, prête à lui claquer la porte au nez.

— Cesse de te comporter comme une idiote et laisse-moi entrer, dit Diana. Je t'en prie...

Amy sourit malgré elle.

— Si tu me prends par les sentiments...

Contrairement aux expressions contrôlées de Diana, celles d'Amy transformaient entièrement son visage. Son sourire lui gonflait les joues et creusait des ridules au coin de ses yeux. C'était un sourire communicatif, irrésistible. Elle et Diana étaient censées se ressembler mais, en dépit des efforts désespérés d'Eileen Winchester, elles avaient autant de choses en commun qu'une Volvo et une Maserati peintes de la même couleur... Les cheveux noirs d'Amy, coupés court, rebiquaient dans tous les sens et lui tombaient sur le front. Excessive, elle affectionnait les boucles d'oreilles géantes en toc, les jupes mini ou maxi, les chaussures à talons ou à semelles compensées qui rallongeaient son mètre cinquante-huit. Diana, elle, portait ses cheveux bruns mi-longs. Pas une mèche ne dépassait de sa coiffure. Sa garde-robe se composait de tailleurs de haute couture, de pantalons de laine taillés sur mesure, de trois ou quatre jeans pour un éventuel week-end à la campagne. Elle se parait de sobres boucles d'oreilles en or.

Pour Eileen Winchester, ces différences constituaient un étonnement de tous les instants. Comment une enfant si soigneusement choisie et élevée pour devenir la dame de compagnie de sa chère petite fille avait-elle pu tourner aussi mal? C'était incompréhensible. Et Mme Winchester se méfiait comme de la peste de tout ce qu'elle ne comprenait pas.

L'arrivée du livreur de pizzas ôta à Diana l'occasion de répondre... Il avait dépassé depuis des lustres l'âge de la retraite, mais arborait avec panache la chemise bleue barrée de rouge de sa société. Il présenta à Amy un large paquet ficelé.

— C'est vous qui avez passé la commande?

— Oui. Un instant, je vais vous régler.

— Laisse! coupa Diana. (Elle sortit de son sac un billet de vingt dollars.) Gardez tout, dit-elle au livreur.

— Ça fait vingt et un dollars et quatre-vingts cents, dit-il en lui remettant la facture.

Diana regarda Amy.

— Qu'est-ce que tu as commandé? Du caviar?

— Je ne m'en souviens plus.

Diana pêcha encore dix dollars dans son sac... Le vieil homme les enfouit dans sa poche avant de tendre le paquet à Amy.

— Et ma monnaie? protesta Diana, alors qu'il s'apprêtait à tourner les talons.

Il la scruta d'un air ahuri.

— Oh, j'oubliais... dit-elle en souriant. Gardez tout.

Il disparut dans l'escalier.

— Quelle générosité! lança Amy en s'esclaffant.

— Il faut encourager les vocations. Devenir livreur de pizzas à cent douze ans mérite un petit pourboire.

Diana suivit Amy à l'intérieur. Les persiennes closes, les rideaux fermés ménageaient une pénombre lugubre dans l'appartement tout en verts, mauves, fleurs et rayures... Diana alluma une lampe dans le living. En vain. Le charme qui d'habitude régnait dans les lieux s'était volatilisé. Comme si le caractère, le cachet, l'originalité de cet appartement émanaient de la maîtresse de maison et non de la décoration. Sans l'étincelle, l'humour, la bonne humeur d'Amy, le canapé capitonné, croulant sous les coussins, et les tables laquées semblaient ternes, sans vie. Mais ici, de toute façon, Diana se sentait plus à l'aise que chez elle où l'ambiance reflétait les goûts aseptisés de Stuart. Chacun dans le couple avait ses responsabilités, et si l'entretien et le choix des articles utilitaires incombaient à Diana, le reste, y compris le mobilier, portait l'empreinte de Stuart. Il avait choisi lui-même leur appartement ainsi que les meubles, faits de cuirs rares, de verre, de bois exotiques, qui avaient coûté « la peau des fesses », comme il se plaisait à le souligner. L'effet obtenu, aussi impressionnant que les plus belles pages d'*Architectural Digest*, manquait cependant singulièrement de chaleur. On eût dit une vitrine, un lieu d'exposition dans les règles classiques de l'art décoratif plutôt qu'un véritable foyer.

En revanche, l'appartement d'Amy — bric-à-brac d'objets hétéroclites dénichés aux puces, chez des brocanteurs ou dans des ventes aux enchères — invitait à la détente. Cela allait de la pendule rococo, qui avait appartenu à leur grand-mère, à la cuisine des années cinquante tout en chrome et Formica.

La pendule représentait l'un des joyaux les plus prestigieux du patrimoine familial. Selon Eileen — qui l'avait en vain réclamée à cor et à cri —, Catherine la Grande l'avait offerte à un arrière-grand-oncle. C'était une pièce de musée qui coûtait une fortune; mais Amy se fichait éperdument de son prix. Elle accordait une valeur sentimentale aux choses. Pour rien au monde elle ne se serait séparée de cette pendule car, à part Diana, grand-mère Mary, douairière de la branche allemande de la famille, était la seule personne qui l'avait acceptée et aimée sans réserve. Dans chaque génération, quelqu'un était choisi pour devenir le gardien de la pendule et Amy éprouvait une grande fierté d'avoir été choisie par la vieille dame.

— Il y a de la citronnade dans le réfrigérateur, dit-elle tandis que Diana lui emboîtait le pas vers la cuisine. Ou de la bière, si tu préfères.

— Comment? De la...

Diana s'interrompit mais trop tard. Elle s'était pourtant juré de ne plus jamais formuler une quelconque réflexion à propos de ce sujet épineux. Combien de fois, sachant qu'Amy se rendait à une réception où l'alcool coulerait à flots, sans parler de la cocaïne, ne s'était-elle pas mordu la langue pour s'empêcher de la mettre en garde... Elle avait presque toujours réussi à tenir parole. Sauf aujourd'hui.

— De la bière?... acheva Amy à sa place.

— Désolée. Ma langue a fourché.

— Encore heureux que tu en conviennes. Un bon point pour toi, déclara Amy en ouvrant le placard d'où elle sortit deux assiettes.

— Tu as dû m'en distribuer, des bons points, chaque fois que je n'ai pas ouvert la bouche...

— Et moi j'aurais dû gagner carrément le prix du mérite, à l'époque où j'étais prête à tuer pour boire un verre et que je me suis retenue.

— De tuer ou de boire? demanda Diana, malicieuse.

— Tu peux plaisanter maintenant, mais c'était drôlement dur.

Amy posa la boîte contenant la pizza sur la table, souleva le couvercle, contempla le contenu un long moment. Un rire lui échappa.

— Je n'y crois pas! fit-elle.

Diana leva les yeux du tiroir à couverts.

— Une mauvaise surprise?

— Regarde toi-même.

Diana s'exécuta. Un pain rond occupait le centre du carton. Dans un coin s'amoncelaient fromage, olives, piments, champignons et autres condiments.

— Qu'est-ce que c'est ? Un nouveau genre de pizza ?

— Oui, je présume.

Après avoir observé l'étrange recette un instant, Diana émit un gémissement.

— J'aurais dû m'en douter !... As-tu vu la façon dont il tenait le paquet sous le bras ?

Amy prit une olive. Renversant la tête, elle laissa ensuite couler entre ses lèvres un filet de fromage fondu.

— Tu es dégoûtante ! fit sa sœur.

— Hé, ce n'est pas mal... Essaie.

A contrecœur, Diana grignota un champignon. Oui, pas mal... Croquant, avec un merveilleux goût de forêt... Elle goûta un morceau de piment, puis un autre.

— C'est moins mauvais que ça en a l'air, décréta-t-elle.

Amy poussa une assiette vers Diana, qui lui tendit une fourchette.

— Bon appétit.

Elles s'attaquèrent au pain, qui résistait. Munies de couteaux, elles s'efforcèrent de couper un morceau de pâte. Sans résultat. Elles redoublèrent d'efforts. En vain. Amy s'escrimait à entamer sa part avec une sorte de détermination farouche, qui déclencha l'hilarité de sa sœur.

Elle lui sourit.

— On dirait des lions s'acharnant sur leur proie.

— Ou tonton Pete et tante Rosy se disputant la dernière part de tarte aux pommes !

Elles s'esclaffèrent. Comme si leurs nerfs avaient lâché d'un seul coup, comme si la tension les avait brusquement quittées, elles étaient secouées d'un rire irrépressible. Chaque fois que l'une faisait mine de s'arrêter, l'autre pouffait et ça repartait de plus belle. Appuyée sur la table, luttant pour retrouver son souffle, Diana s'essuya enfin les yeux avec une serviette en papier. Elle avait ri aux larmes... sauf qu'un pincement au cœur lui fit comprendre qu'elle pleurait maintenant pour de bon.

Amy, qui avait cessé de rire elle aussi, la regarda d'un air sérieux.

— Excuse-moi, fit Diana. J'aurais dû me contrôler.

Amy abaissa d'un geste sec le couvercle de carton sur la pizza.

— Te contrôler... Bon sang, Diana, pourquoi faut-il toujours que tu sois parfaite? Pourquoi ne m'as-tu pas traitée de tous les noms comme n'importe quelle personne normale l'aurait fait, et qu'on en finisse?

— Je ne t'ai jamais insultée.

— Eh bien, mieux vaut tard que jamais!

— Qu'est-ce que ça changerait? s'écria Diana.

Amy avait réussi à la mettre en colère. Elle en avait assez de s'entendre qualifier de parfaite par ses parents, ses professeurs, ses amis. Et ce compliment dans la bouche de sa sœur l'exaspérait.

— Qu'est-ce que tu veux, à la fin, Amy? demanda-t-elle.

— Qu'on me laisse tranquille.

— Maintenant?

— Tout le temps. Pourquoi n'arrives-tu pas à te mettre ça dans la tête?

L'argument porta.

— Je ne me mêle jamais de ta vie, se défendit Diana.

— Ah oui? J'ai pourtant l'impression que tu n'arrêtes pas.

— Tu es injuste.

Amy posa ses mains à plat sur la table, leva les yeux au plafond. Le tonnerre roula quelque part dans le lointain.

— Bon, d'accord, fit-elle. Pardonne-moi. Je suis injuste.

Diana ne put se retenir plus longtemps. La question qui lui brûlait les lèvres depuis le début fusa :

— Oh! Amy... Pourquoi?

— Pourquoi quoi?

— Pourquoi t'es-tu donc prostituée? Et à si bon marché? Il n'y a pas un homme sur terre qui pourrait payer le prix que tu vaux.

— Tu ne me demandes pas d'abord si c'est vrai? Tu ne m'accordes plus le bénéfice du doute?

Diana s'essuya de nouveau les yeux.

— Darren Harris t'a vue, dit-elle.

Amy se recroquevilla sur son siège. Elle croisa les bras, s'étreignant la poitrine comme si le tonnerre qui grondait au-dehors menaçait de l'emporter.

— Qui te l'a dit? demanda-t-elle enfin d'une voix blanche.

— Je suis tombée sur Frank Pechacek devant la prison ce matin. Il m'a raconté que Darren Harris t'a aperçue dans un hôtel. Tu étais avec... un groupe... de...

— J'aurais dû me douter que ce brave M. Harris aurait cafardé, marmonna Amy avec un véritable chagrin de petite fille.

Ni véhémente ni combative, sa voix s'éteignit. C'était à mille lieues de l'explosion de révolte à laquelle Diana s'était attendue. On eût dit qu'Amy était encore à l'école élémentaire, et que le père de sa meilleure amie l'avait surprise en train de voler des bonbons et dénoncée.

— Je ne sais pas à qui d'autre il en a parlé, reprit-elle. Pas à Papa, en tout cas, sinon il se serait manifesté.

— Peu importe. A présent, il est au courant.

— Sans blague! s'exclama Amy en attrapant l'emballage de la pizza et en le mettant dans la poubelle. De toute façon, les parents s'en fichent, alors...

Lorsque Amy avait été renvoyée pour la deuxième fois du collège, Carl Winchester lui avait signifié clairement que pour lui elle ne faisait plus partie de la famille. Eileen s'était empressée d'ajouter son grain de sel : elle non plus ne voulait plus jamais revoir sa fille cadette. Amy ne s'était pas pliée au verdict... Elle se rendait à toutes les soirées, toutes les fêtes de charité, toutes les premières où elle était sûre de rencontrer ses parents... qui feignaient de ne pas la remarquer. Diana l'avait interrogée sur ce

« comportement masochiste » et Amy avait répondu qu'elle voulait juste « voir la tête qu'ils feraient en la voyant » ; qu'elle cherchait à les dérouter. Mais Diana savait bien que la seule chose que sa sœur cherchait, et qu'elle ne trouverait jamais, c'était leur affection.

— Je ne crois pas qu'ils s'en fichent, dit Diana prudemment. Quoi qu'il arrive, ils sont toujours ta mère et ton père.

— Mais non, tu le sais bien. Ils ne l'ont jamais été.

Cette constatation, Amy la portait en elle comme une blessure secrète.

— Etait-ce une manière d'attirer leur attention, quand tu as... quand tu es devenue...

— Une putain?

— Amy, je t'en prie! Je n'ai jamais pensé que tu étais une putain.

— C'est pourtant la vérité. Pas à plein temps, d'accord. Par intermittence. Aussi souvent que possible...

Elle s'était exprimée sur un ton provocant, comme si elle mettait Diana au défi de creuser un peu plus la question.

— Pourquoi? demanda cette dernière, la gorge serrée. Pour l'argent? Je t'aurais dépannée, même d'une grosse somme.

— J'ai de l'argent, répondit Amy froidement.

— Quelqu'un t'a forcée à travailler? Est-ce qu'on t'a fait du chantage?

— Tu as toujours eu un goût pour le mélodrame, ma chère sœur. Désolée, mais ça n'a rien à voir.

Diana perdit son sang-froid.

— Tu t'es vendue par bêtise, alors? Comment as-tu pu tomber si bas?

Un silence suivit, pendant lequel Amy chercha fébrilement une réponse.

— Je ne sais pas, dit-elle finalement.

— Non?... Pourtant personne ne fait le trottoir pour s'amuser, il me semble.

— Peut-être.

— Si tu ne sais pas « pourquoi », reprit Diana d'une voix redevenue calme, essaie de me raconter « comment ».

— Cela ne t'apporterait rien.

— Je m'efforce de comprendre. De te comprendre.

Amy se moucha dans sa serviette en papier.

— J'ai rencontré un type dans un bar. Il m'a proposé de me payer. (Elle haussa les épaules.) Je me suis dit : pourquoi pas ? Ensuite, j'ai renouvelé l'expérience. Qui me convenait parfaitement : pas d'engagement, pas de faux espoirs, pas de déceptions.

Diana n'en crut pas un mot.

— Et les maladies ?

— Tu lis trop les journaux.

— Mais le sida...

Main levée, Amy l'interrompit.

— Je ne suis pas idiote. Je me protège.

Diana serra les poings. Si elle s'écoutait, elle casserait tout dans la cuisine... Elle infligerait à sa sœur une scène qu'elle ne serait pas près d'oublier. Mais son éducation bourgeoise reprit le dessus. Selon Eileen, perdre contenance était un défaut impardonnable.

— Qui t'a sortie de prison ? reprit-elle.

— Un ami.

— Qui ?

— Ce n'est pas ton affaire.

— Ton souteneur ?

— Je crois que tu devrais partir, maintenant, fit Amy. Non, pas question ! Pas comme ça.

— Je suis désolée, murmura Diana.

Pendant un long moment, Amy regarda fixement le sol en silence. Lorsqu'elle leva enfin les yeux, des larmes y brillaient.

— Moi aussi, fit-elle.

La colère de Diana fondit comme neige au soleil. De tout temps, elle avait été incapable d'en vouloir à Amy plus de cinq minutes. Même lorsque celle-ci avait écrasé la Mercedes neuve de leur père contre un arbre — elle n'avait alors que treize ans —, Diana avait endossé la responsabilité de l'accident à sa place.

Avec un soupir, elle enlaça sa petite sœur.

— Je t'aime, tu sais.

— Oui, je le sais. Mais je ne m'explique pas pourquoi.

Diana resta chez sa sœur jusqu'à dix heures du soir. Elles parlèrent de tout, sauf de l'arrestation d'Amy et de ses conséquences. Ensemble elles remontèrent le cours du temps, se replongeant dans les réminiscences de leur enfance, évoquant leurs souvenirs communs. Comme le jour où Amy était rentrée trop tard de l'école parce qu'elle avait dû s'arrêter en route pour faire réparer sa bicyclette. En guise de punition, les parents étaient partis en vacances sans elle. La gouvernante avait téléphoné à Diana à l'université. Celle-ci était revenue à la maison pour tenir compagnie à sa sœur... et s'était attiré les foudres de leur mère.

Une pluie battante cinglait à présent les vitres; elle cessa au moment où Diana reprit sa voiture. La jeune femme actionna les essuie-glaces pour balayer le pare-brise, puis traversa la ville pour rejoindre son propre immeuble.

Dans l'ascenseur, elle pria pour que Stuart se soit endormi. Elle ne se sentait pas la force de l'affronter une nouvelle fois. Une dispute éclaterait inévitablement le lendemain matin, mais d'ici là, elle n'aspirait qu'au repos. Les discussions matinales se terminaient toujours faute de combattants, quand Stuart, de crainte de se mettre en retard, s'en allait furieux à son travail.

La porte de l'ascenseur coulissa sur le palier mal éclairé. Deux ampoules du plafonnier étaient grillées. Diana l'avait signalé au gardien, qui ne les avait pas encore remplacées. Visiblement, il avait d'autres priorités... Bah, elle s'en occuperait elle-même ce week-end, plutôt que de rester plantée là à écouter les jérémiades de Stuart.

L'immeuble, construit quatre ans plus tôt, était encore à moitié vide. D'après le syndic, il y avait des chances pour que les deux appartements qui donnaient sur ce palier soient vendus dans un mois ou deux. Sans Stephanie Gorham, sa voisine du dessous, devenue aussi une amie, Diana aurait eu l'impression de vivre dans un hôtel abandonné.

Elle ouvrit sans bruit la porte du duplex. Il faisait noir à l'intérieur. Stuart, qui avait dû se coucher en colère, avait certainement éteint exprès la lumière du vestibule, afin de l'obliger à tâtonner pour rallumer, en guise de punition. Sa main rampa le long de la cloison vers l'interrupteur, sur lequel elle appuya. Rien ne se produisit. Elle entrouvrit la porte qui donnait sur le palier afin de laisser passer un filet de lumière dans l'entrée. La lampe, qui normalement aurait dû s'allumer, n'était plus à sa place, pas plus que la table où elle trônait d'habitude... Diana se glissa dans le salon; son doigt pressa le bouton qui commandait les appliques. Rien. Elle se dirigea vers la fenêtre et ouvrit les stores. Incrédule, son regard se promena alors dans l'espace vide.

Pas le moindre meuble dans la pièce. Aucun livre, bibelot ou statuette n'agrémentait plus les niches autour de la cheminée. Même le tapis ruineux que Stuart avait commandé pour l'assortir au Pollock accroché au mur était parti — le tableau aussi, d'ailleurs.

Ils avaient été cambriolés !

Elle passa dans la cuisine. Les placards et les tiroirs bâillaient, complètement vides. Il ne restait même plus un paquet de céréales... De nouveau, Diana jeta autour d'elle un regard effaré. S'était-elle trompée d'étage? Etait-elle en train d'errer dans un appartement étranger? Mais non, bien sûr. Le papier mural vert et or de la cuisine, choisi par Stuart, en témoignait.

Le cœur battant à tout rompre, elle se précipita à

l'étage. Mais ce n'était plus la peur qui la taraudait. Lorsque l'interrupteur du haut ne fit jaillir aucune lumière, elle ne sursauta pas de surprise. Elle tira lentement les rideaux. La clarté de la pleine lune ruissela dans la chambre. Il ne restait plus que les marques du lit et de la coiffeuse sur la moquette.

Diana ouvrit les penderies. Les vêtements de Stuart avaient disparu. Les siens étaient en place. Le reste gisait pêle-mêle au sol : bas, sous-vêtements, chemises de nuit.

La vision de la salle de bains lui confirma l'évidence. Ses produits de beauté n'avaient pas bougé; ceux de Stuart s'étaient volatilisés. Le shampooing manquait dans la cabine de la douche, tout comme le savon français... Elle était sur le point de ressortir quand elle remarqua une feuille de papier collée sur le miroir du double lavabo. Elle s'approcha pour déchiffrer les mots, dans le clair de lune.

« J'ai essayé de te prévenir mais tu ne m'as pas écouté. Je crois que je n'avais pas d'autre choix. Décidément, nous ne sommes pas faits l'un pour l'autre. »

Un long moment, Diana resta face à ce qui lui semblait être un rebondissement dans une mauvaise série télévisée... Elle attendit patiemment qu'une réaction en elle se manifeste. Un sentiment d'abandon, de peine, de déception. Rien ne vint. Soit parce qu'elle était trop fatiguée, trop engourdie, ou peut-être tout simplement sous le choc. Ou encore parce qu'elle se fichait éperdument de Stuart... Elle n'éprouvait même pas un semblant de colère.

Puis, peu à peu, une émotion l'envahit. Au début, elle fut incapable de la définir. Ensuite, elle comprit ce que c'était.

Du soulagement!

La perspective d'un petit déjeuner calme, sans avoir à endurer de vitupérations, fit éclore un petit sourire sur ses lèvres... Elle ne serait plus obligée de se coucher tôt, afin de ne pas déranger Stuart, qui lui imposait ses propres horaires. Le sourire de la jeune femme s'élargit. Même l'idée de rentrer tous les soirs dans son antre solitaire n'arriva pas à ternir l'espèce de joie sournoise qui flambait soudain en elle.

Elle ne sut s'il fallait rire ou pleurer... Rire d'avoir retrouvé sa liberté, ou pleurer sur les années perdues dans une relation vouée à l'échec.

3

Depuis quand était-elle assise sur cette marche? Elle avait perdu la notion du temps. Quelqu'un prononça son nom. Elle se rappela qu'elle avait laissé la porte de son appartement ouverte.

— Diana? Es-tu là? appela la voix de Stephanie Gorham.

— Oui, ici.

Diana prit appui sur le mur dans l'intention de se redresser puis, réflexion faite, ne bougea pas.

Stephanie apparut au bas des marches. Elle abaissa l'interrupteur de l'escalier, le seul que Diana n'avait pas essayé. Comme par un fait exprès, trois ampoules de soixante watts illuminèrent l'endroit.

— J'aurais voulu arriver avant toi mais j'ai été retenue, expliqua-t-elle.

— Pourquoi? Tu savais ce qui s'est passé?

Ses fonctions de reporter au *Star Tribune* avaient doté Stephanie, aux yeux de Diana, d'un flair infaillible, sorte de pouvoir mystérieux, inaccessible au commun des mortels. Rien ne devait échapper à son fameux sens de l'observation.

— A midi, je suis rentrée déjeuner et j'ai vu les déménageurs. Nul besoin d'être Sherlock Holmes pour deviner le reste.

Elle se tenait toujours au pied de l'escalier, la main sur la rampe.

— J'ai essayé de te joindre à ton bureau mais tu as été absente toute la journée.

— Je m'efforçais d'échapper à la curiosité malsaine de mes collègues.

Stephanie hocha la tête. Elle n'avait pas besoin de plus amples explications.

— Tu crois que Stuart est parti à cause d'Amy?

— C'était la bonne excuse. Notre relation se détériorait chaque jour un peu plus. Il en a profité pour me quitter.

— Je suis navrée.

Diana lui adressa un sourire espiègle. Stephanie ne pouvait pas supporter Stuart et c'était réciproque.

— A d'autres! fit-elle.

— Bon, d'accord. Disons que son départ ne me plonge pas dans un gouffre de désespoir... Ce sera pareil pour toi dans une semaine... Sept jours de dépit, d'interrogations et de peine, juste un mauvais moment à passer.

— Je ne pense pas que l'épreuve durera aussi longtemps, répliqua Diana.

— Non, c'est vrai? s'étonna sa voisine et amie.

— Stuart a tout pris, Stephanie... y compris le tube entamé de dentifrice. Il n'a laissé que mes habits et mon fond de teint.

— Même les instruments de torture qu'il t'a offerts à Noël?...

Diana n'avait pas songé à inspecter la salle de gymnastique.

— Quand même, j'espère que non! C'était un cadeau.

Stephanie alla vérifier *de visu*.

— Erreur! cria-t-elle.

— Tu es sûre?

Sortie brutalement de sa torpeur, Diana dégringola les marches. Sur le seuil de la pièce, elle se figea. L'espace était aussi vide que le jour où ils avaient emménagé, elle

40

et Stuart. Il ne restait plus que des trous dans le mur, là où il avait fixé autrefois les miroirs.

— Oh... L'ordure!

Stephanie éclata de rire.

— Réjouis-toi. Tu as suffisamment pesté contre cette machine infernale... comment s'appelait-elle, déjà?... Le nageur?

— Le rameur. Non, c'est une question de principe. Stuart avait le droit de tout emporter, mais ce qu'il y avait dans cette pièce m'appartenait.

Diana fit demi-tour, furieuse, et mit le cap sur la cuisine.

— Qu'est-ce que tu vas faire? demanda Stephanie en lui emboîtant le pas.

— Chercher où il est allé... En téléphonant à tous ses amis.

— Diana! Il est deux heures du matin.

— Tant mieux. Je les aurai par surprise.

Elle contourna le plan de travail comme une tornade, poussa la porte ouverte d'un placard, fonça vers l'endroit où devait se trouver le téléphone mural... La prise y était, mais pas l'appareil.

— De mieux en mieux, fit-elle.

— Il a même pris le téléphone? s'exclama Stephanie derrière son dos. Tu veux dire qu'il a tout embarqué? Rien n'était à toi dans cette maison?

Diana secoua la tête.

— Quand on a décidé de vivre ensemble, Stuart a décrété que nous devions renoncer à tous les objets qui nous rappelaient notre passé. Il voulait que l'on reparte de zéro, tu comprends? (Elle se mit à refermer bruyamment les portes des placards vides.) Il m'a persuadée d'acheter l'appartement. Quant à lui, il s'était attribué la charge de la décoration intérieure.

— Autrement dit, tu hérites des traites et de l'hypothèque, et lui des meubles, des bibelots... et du tube de dentifrice.

41

— Oh Seigneur, j'ai du mal à croire que j'aie pu être aussi stupide.

— Moi aussi, marmonna Stephanie.

— Et tu n'as pas tort.

— Tu sais, ton histoire pourrait constituer un sujet d'article formidable. Il existe un tas de femmes dans ton cas, qui du jour au lendemain...

— Je crois que le nom des Winchester a suffisamment été cité dans les journaux ces derniers jours...

Stephanie écarquilla les yeux.

— Mon Dieu, c'est par les journaux que tu as su pour Amy?

— Pas directement. Stuart l'a vu en premier. Ç'aurait été plus facile si je l'avais découvert moi-même.

— Je m'en doute.

Ce qui était agréable avec Stephanie, c'était qu'elle comprenait toujours à demi-mot.

— Au début, j'ai cru à une erreur.

— J'aurais pensé la même chose s'il s'était agi de ma sœur.

Diana émit un soupir. L'énergie qu'elle venait de déployer cédait soudain le pas à un morne abattement.

— Je ne sais pas comment l'aider, murmura-t-elle. Avant, je me disais que le jour où Amy construirait sa propre vie, loin des parents, elle irait mieux. Mais depuis ce qui s'est passé hier, je me pose un tas de questions.

— As-tu envisagé la possibilité de l'adresser à... quelqu'un avec qui elle pourrait évoquer ses problèmes?

— Un psychiatre? (Diana regarda machinalement la serrure de la porte coulissante en verre qui donnait sur la terrasse, oubliant qu'il n'y avait plus rien à voler.) Amy a commencé une thérapie pendant son séjour à l'hôpital, dit-elle en appuyant son front brûlant sur le verre froid, les yeux fixés vers l'horizon, où l'orage lançait ses ultimes éclairs. Je croyais qu'un soutien psychologique l'aiderait... Mais non. Elle a arrêté après quelques séances.

— Et toi?

Diana se retourna, comme pour vérifier si son amie plaisantait. Elle était sérieuse.

— Moi? Ai-je l'air d'avoir besoin d'un psy?

— Pas forcément. Mais de quelqu'un à qui parler.

— Je n'ai pas le temps... rétorqua Diana en ébauchant un ample geste en direction du vide. Il va falloir que je remplace le mobilier, la vaisselle, la literie...

— Et comme les boutiques et les grands magasins sont fermés à cette heure-ci, je te propose de passer la nuit chez moi. Le canapé est un peu dur, mais certainement moins que ton parquet.

— Merci, mais...

— Mais quoi?

Diana avait décliné l'invitation sans réfléchir, la peur de s'imposer... de déranger. Hélas, elle n'avait pas le choix. Si elle passait la nuit dans son duplex désert, le lendemain s'annonçait difficile. Pas de serviette de bain, ni de dentifrice, ni de sèche-cheveux... Et rien à se mettre sous la dent pour le petit déjeuner. Elle n'avait qu'une alternative : ou elle dormait chez Stephanie, ou elle louait une chambre d'hôtel.

— Un instant, dit-elle. Je prends ma chemise de nuit et mes vêtements, et je descends.

— Tiens, fit Stephanie, je me souviens d'un type qui s'occupait de gosses qui avaient fait une ou plusieurs fugues. J'ai son nom quelque part. Il pourrait t'aider.

Quand Stephanie avait une idée en tête, il était inutile de discuter. Cela, c'était l'aspect le moins agréable de son caractère. Se ranger à son opinion valait parfois mieux qu'essayer de résister.

— J'ignore si quelqu'un qui travaille avec de jeunes fugueurs me serait d'une quelconque utilité, mais... D'accord, donne-moi son nom et son numéro de téléphone, on ne sait jamais.

Stephanie haussa un sourcil.

— Excuse-moi. J'ai été trop directive... Je n'insisterai pas.

— Mais non...

— Mais si! La preuve : tu as cédé presque tout de suite.

— Je suis trop fatiguée pour discuter, admit Diana de guerre lasse. D'ailleurs, tu dois avoir raison. J'ai sûrement besoin de parler à quelqu'un.

Stephanie prit son amie par les épaules.

— Allez, viens! Chez moi nous attendent une glace énorme et deux cuillères...

Diana eut un sourire plein d'humour.

— Exactement ce qu'il me faut maintenant que Stuart a emporté mon rameur!

La semaine suivante, installée à son bureau, Diana se penchait sur un rapport du département des ventes de *Sander's Food*, quand son assistante l'appela sur sa ligne intérieure.

— Oui?

— M. Kennedy sur la deux.

Allons bon! Cinq minutes plus tôt encore, Diana aurait parié son salaire annuel qu'après le mot d'adieu scotché sur le miroir de la salle de bains, Stuart ne donnerait plus jamais de ses nouvelles. L'espace d'une seconde, elle oscilla entre l'envie de l'envoyer paître et la curiosité. Cette dernière l'emporta.

— O.K., je prends la communication. (Elle décrocha.) Que se passe-t-il? Tu as oublié quelque chose à l'appartement? demanda-t-elle d'une voix suave.

Stuart ne sembla pas remarquer son ironie.

— Dis-lui de s'en aller, tu m'entends? Tu auras tout ce que tu veux, si tu arrives à la convaincre de me laisser tranquille!

D'habitude, Stuart pratiquait l'intimidation. Aujourd'hui, il paraissait excédé.

— Mais... qui? demanda-t-elle.

— Diana, trêve de plaisanteries. Tu sais parfaitement

de quoi je parle, dit-il d'une voix étouffée comme s'il avait recouvert le récepteur de sa paume. Amy ne se serait pas amusée à m'importuner sans que tu sois au courant.

Diana réprima un sursaut de frayeur, comme chaque fois que l'on prononçait le nom de sa sœur.

— Je ne suis pas responsable de ses agissements, dit-elle.

— Je m'en fiche! Il faut que tu la fasses partir d'ici, et tout de suite, tu m'entends?

— Je ne comprends pas.

— Diana, écoute-moi bien, je n'ai pas l'intention de le répéter deux fois... (Stuart s'interrompit un instant; sa voix devint faussement chaleureuse, comme si quelqu'un s'était approché, puis il reprit, plus agressif que jamais, après un bref silence :) Elle vient à mon bureau tous les jours depuis que j'ai déménagé. J'ai tout tenté pour la raisonner, mais elle ne veut rien entendre. Alors, ou tu fais en sorte qu'elle ne remette plus les pieds ici, ou je te jure que je...

— Pas de menaces, Stuart! Tu n'es qu'une crapule et je n'ai pas l'habitude de négocier avec des individus de ton espèce.

Diana respira profondément, étonnée du plaisir que lui procurait la sensation d'écraser enfin Stuart de son mépris. Elle aurait dû s'accorder ce luxe des mois plus tôt.

— Désolé si tu le prends sur ce ton, fit-il. Je n'ai jamais voulu te blesser.

Le monstre! Quelle satisfaction de l'entendre s'excuser!

— D'où m'appelles-tu? De ton bureau?

— Oui.

— Et Amy est avec toi?

— Oui.

Diana hésita. Elle ignorait les véritables motivations de sa sœur.

— Passe-la-moi, dit-elle finalement.

— Tu n'as rien compris, ma pauvre chérie. Je ne veux pas que l'on sache qu'elle est ici pour moi.

Elle décela le sombre sarcasme dans la voix de Stuart, et sa main se crispa sur l'écouteur.

— Comment veux-tu que je la persuade de te laisser tranquille si je ne peux pas lui parler?

— Parle-lui-en ce soir.

— Je ne te promets rien. Tu la connais aussi bien que moi. Amy n'écoute les autres que quand ça l'arrange. Il n'y a pas plus sourd que celui qui ne veut pas entendre.

— Pardon? Est-ce que tu essaies de me faire peur, par hasard?

— Je ne m'y risquerais pas, mon cher. Je crois que tu te fais peur tout seul.

Il devenait paranoïaque.

— Qu'est-ce que tu veux? fit-il. Les meubles de la chambre à coucher? Je te les enverrai la semaine prochaine.

— Surtout pas.

Elle n'avait pas besoin du lit où ils s'étaient aimés tant de fois. Non, aucun besoin de souvenirs.

— Alors quoi? La salle à manger? Tu ne l'as jamais trouvée à ton goût, alors pour quelle raison la voudrais-tu maintenant? Pourquoi fais-tu cela, Diana? Pour me punir? Tu as décidé de me priver de tout ce à quoi j'accorde une certaine valeur, c'est ça?

— Stuart, j'ai du travail.

— Qu'est-ce que tu veux, Diana? Tu n'as qu'à le dire et tu l'auras.

Il ne plaisantait pas. Il ne feignait pas. Il était au bord de la crise de nerfs.

— Je ne peux pas t'aider, répondit-elle. Seule Amy peut t'éclairer sur ses intentions.

— Diana, je ne suis pas parti comme un voleur. Je t'avais prévenue.

46

Il essayait de se justifier. La jeune femme réprima une furieuse envie de rire.

— Mon pauvre lapin! Et moi qui ai oublié de te remercier!

— Je t'en prie! Ne sois pas garce.

— Au revoir, Stuart.

Elle raccrocha sans lui accorder la chance de répondre.

Elle composa et recomposa le numéro d'Amy tout l'après-midi. Elle tombait invariablement sur le répondeur. En rentrant le soir, elle fit un détour par sa rue. Sa voiture n'était nulle part, donc elle n'était pas rentrée. Et son portable ne fonctionnait pas, parce qu'elle avait certainement oublié de le recharger.

Après le coup de fil de Stuart, Diana avait eu toutes les peines du monde à se concentrer. Elle avait assisté à une réunion sur des repas basses calories — des muffins et des cakes allégés qu'ils voulaient lancer — mentalement absente. *Sander's Food* se mettait à la page. Il leur fallait gagner la dure compétition avec les chaînes d'alimentation concurrentes s'ils tenaient à s'imposer sur le marché. La campagne publicitaire commencerait dans huit mois, tombant à la date à laquelle la folie des régimes qui précède les vacances d'été s'empare chaque année de la population. L'équipe dirigée par Diana, responsable du marketing, aurait du pain sur la planche jusqu'à ce que les nouveaux produits aient envahi les rayons des supermarchés.

Elle avait la chance d'être entourée d'hommes et de femmes qui savaient prendre des initiatives. Depuis une semaine, ils s'étaient parfaitement débrouillés sans leur responsable... qui avait la tête ailleurs. Cela ne pouvait plus durer. Il fallait qu'elle trouve le moyen de se reprendre, de reprendre sa vie en main. Et son appartement. Elle s'était procuré le strict nécessaire, dormait sur un futon emprunté à Stephanie, se nourrissait de plats congelés réchauffés au micro-ondes, qu'elle avalait debout.

Elle détestait le shopping. Contrairement aux autres maîtresses de maison, qui possèdent plus ou moins le don d'assembler des formes et des couleurs, Diana ne ressentait aucune affinité pour la décoration. Alors, l'appartement restait vide.

Elle pénétra dans le parking de son immeuble. En sortant de sa voiture, elle aperçut la Pinto vermillon d'Amy parquée à l'une des places réservées aux visiteurs. Elle poussa un soupir. Elle se rendit compte soudain qu'elle avait été morte d'inquiétude toute la journée. Afin de s'assurer que la voiture était bien celle d'Amy, elle jeta un coup d'œil de plus près... Les bouteilles d'eau minérale vides à l'arrière, les vieux magazines et les cassettes qui jonchaient le sol la rassurèrent. Il n'y avait pas deux guimbardes identiques dans tout le Minnesota. Pour une raison incongrue, Amy entretenait méticuleusement son appartement alors qu'elle avait transformé sa voiture en poubelle ambulante.

Arrivée au duplex, Diana dut contourner un monceau de boîtes en carton et de sacs qui encombraient l'entrée.

— Nous sommes dans la cuisine! fit la voix d'Amy.

Les sacs contenaient des objets divers, casseroles, serviettes, draps... Diana trouva en effet dans la cuisine Amy, assise par terre parmi les papiers d'emballage, et Stephanie, debout, un journal fripé à la main.

— D'où ça sort, tout ça? s'exclama-t-elle.

Amy adressa à Stephanie un clin d'œil conspirateur.

— Nous avons réuni quelques petites choses utiles que tu semblais incapable d'acheter toi-même. Certes, tu aurais pu te joindre à nous, mais tu ne nous en voudras pas de ne pas t'avoir attendue.

— Oh non, au contraire.

Diana jeta un regard circulaire dans la pièce. Bols, tasses, assiettes, verres, ainsi qu'un toasteur rutilant s'entassaient sur le plan de travail. Stephanie, qui défaisait un paquet après l'autre, sortit un plat que Diana effleura du bout des doigts.

— J'adore ces motifs. J'en ai eu un comme ça autrefois... en porcelaine.

— Tu *n'en as pas* eu, la coupa Amy avec satisfaction. Tu *l'as* toujours. Et l'autre aussi. Je te les ai gardés.

— Les... deux?

— Exact! sourit Amy. Le reste, comme tu peux le constater, est flambant neuf. Cadeau de courtoisie de M. Stuart Layton Kennedy.

Diana ne parut pas partager l'enthousiasme de sa sœur.

— Stuart? Il a payé tout ça?

— Et plus encore, déclara Amy. Demain, on te livre ta nouvelle chambre à coucher, ta nouvelle salle à manger, un canapé, des fauteuils, et de nouveaux appareils de gymnastique.

— Comment as-tu... (Diana s'interrompit. Elle attendrait qu'elles soient seules. A son comportement extraverti, Amy associait parfois un penchant pour le secret...) Non, laisse tomber. Je préfère ne pas savoir.

— Tu devrais, dit Stephanie en empilant les assiettes dans l'évier. C'est un bel exemple de justice.

Diana lança un regard interrogateur à Amy, dont le sourire s'était effacé.

— Aie un peu confiance, grande sœur.

— Désolée.

Diana se tut, ne sachant plus quoi dire. Stephanie tenta de faire diversion.

— J'ai une idée géniale! Diana, monte te changer. Quand tu redescendras, nous aurons une surprise pour toi.

— Encore?

Son amie la prit par les épaules, la fit pivoter vers la porte.

— Allez! Quand on aura fini, Amy et moi, tu penseras que ta rupture avec Stuart est la meilleure chose qui te soit arrivée ces dix dernières années.

Diana rit.

— Vous êtes un peu en retard, les filles! Je ne cesse de me le répéter depuis qu'il est sorti de ma vie.

— J'ai remarqué que tu ne portes plus ta bague de fiançailles. Est-ce que tu la lui as renvoyée?

— Pour le moment, elle est dans le cendrier de ma voiture. Je n'arrive pas à me décider...

Stephanie la poussa légèrement vers l'avant.

— Donne-nous dix minutes.

Diana baissa les yeux sur son bracelet-montre. Du regard, elle consulta Amy. Celle-ci haussa les épaules.

— Si Stephanie le dit...

Le temps que Diana enfile un tee-shirt sur un jean, se fasse une queue de cheval et se démaquille, les dix minutes s'étaient écoulées.

— Que vous soyez prêtes ou pas, je descends! cria-t-elle par-dessus la rampe de l'escalier.

Amy, dans la cuisine, disposait des couverts en argent sur un plateau.

— Où est Stephanie? demanda Diana.

— Envolée. Son rédacteur en chef l'a appelée, complètement paniqué. Un article censé paraître demain est à réécrire, si j'ai bien compris. Elle va peaufiner son style, avant de l'envoyer par e-mail au journal. Elle dit que cette corvée ne devrait pas poser trop de problèmes.

— Je peux t'aider?

— Il y a du champagne dans le réfrigérateur. Tu n'as qu'à le mettre dans le seau à glace et le porter sur la terrasse.

— Qu'est-ce qu'on fête?

— Ta liberté. C'est une idée de Stephanie.

Ce disant, Amy fit coulisser la porte vitrée avec son coude et sortit. Diana la suivit, le seau à glace entre les mains. Sur la terrasse, plusieurs boîtes de carton rassemblées et recouvertes d'une nappe damassée faisaient office de table. Un petit pot d'azalées blanches décorait cette table improvisée ainsi que des bougies dans des verres à pied, qui tenaient lieu de candélabres.

Amy posa un plat de canapés au saumon.

— Diana, demanda-t-elle, est-ce que tu es sincère quand tu prétends que le plus beau jour de ta vie, c'est quand Stuart t'a quittée?

— Absolument. Bizarre, n'est-ce pas? Tu sais ce que j'ai ressenti? Du soulagement. Une réaction dont j'ai été la première étonnée.

— Mais tu étais amoureuse folle de lui, protesta Amy.

— L'amour est aveugle... J'ai recouvré la vue et j'ai découvert son vrai visage.

Amy disposa sur la table les assiettes, les couverts et les serviettes.

— Tu veux dire que tu n'as pas été blessée par son attitude? Ni révoltée? Ou furieuse? Comment peux-tu l'affirmer?

— Oooh!... Je sens que tu essaies de me faire admettre que je te cache quelque chose.

— Il est tout de même parti par ma faute.

— Comment en es-tu arrivée à cette conclusion? demanda Diana avec prudence.

— Voyons, Diana! Je fais la une des journaux et le même jour, Stuart déménage. Il faudrait être idiote pour ne pas s'en rendre compte.

Diana prit un canapé qu'elle grignota délicatement.

— Si tu cherches une bonne raison pour te sentir coupable, dit-elle, je peux t'en fournir une excellente: pourquoi ne m'as-tu pas délivrée plus tôt de ce fumier?

Amy haussa les épaules.

— Parce que personne n'est infaillible. Pas même toi. Chacun de nous a son lot d'erreurs. Stuart représentait le tien... Naturellement, le fait que tu sois restée quatre ans avec lui, dont deux sous le même toit, aggrave ton cas. Il va falloir que tu sois plus attentive à l'avenir.

— Amy, dis-moi comment tu t'y es prise... (Elle s'était juré de ne pas demander d'explications, mais, comme une arête de poisson qui serait restée coincée au fond de sa gorge, la question l'étouffait.) Comment es-tu arrivée à le persuader de remeubler cet appartement à ses frais?

— Je suis allée m'asseoir sur une chaise devant son bureau — tu sais bien, sous le grand panneau où sont affichées les valeurs boursières —, et je me suis contentée de le regarder fixement.

Il manquait quelque chose. Quelque chose que Diana ne parvenait pas à saisir.

— Et tu n'as pas dit un mot?

— Pas le moindre. C'était inutile.

— Alors comment a-t-il accepté de...

— Réfléchis une seconde, Diana, dit Amy d'une voix soudain enrouée. (Elle toussota pour s'éclaircir la gorge.) Qu'est-ce qui pouvait pousser Stuart à capituler, mieux que la vue d'une prostituée notoire installée du matin au soir dans son bureau?

Il manquait bien quelque chose; la douleur qui transperça brusquement le cœur de Diana. Et cette sensation n'avait aucun rapport avec Stuart. C'était la peine qu'elle éprouvait pour Amy. Amy qui avait utilisé sa honte comme une arme contre l'injustice.

Au cours de leur longue histoire, chaque fois qu'elle avait essayé de démêler leur relation si compliquée, Diana s'était toujours crue la plus forte. La plus apte à redresser les torts.

Elle s'était lourdement trompée.

4

— Je me suis amusée comme une folle! s'exclama
Amy tandis que Diana engageait sa voiture dans le garage
de la jeune femme. J'ai passé une journée formidable avec
toi.

Elle s'efforçait de paraître joyeuse, comme quand on
exprime à une amie son bonheur de l'avoir revue après
une longue séparation. Mais dans sa voix perçait son
immense besoin de tendresse. Elle était comme un chiot
en manque d'affection et qui frotte passionnément son
nez contre une main indifférente.

— Ça faisait une éternité que nous n'étions pas allées
nous balader ensemble, pas vrai?

Ce qui voulait dire : « Tu ne t'occupes pas assez de
moi », genre de phrase qui avait le don de raviver la
culpabilité de Diana.

— Remarque, je ne te jette pas la pierre, poursuivit
Amy. Nous nous sommes perdues de vue ces deux dernières années, et j'en suis largement responsable. Je n'ai
fait aucun effort pour gagner la sympathie de Stuart. Tu
étais tiraillée entre nous deux et je n'ai pas levé le petit
doigt pour te rendre la vie plus facile. Mais la prochaine
fois...

— Il n'y aura pas de prochaine fois, coupa Diana.
Enfin, pas comme avec Stuart. (Elle gara sa Volvo à côté
de la Pinto vermillon d'Amy, éteignit le moteur puis se

tourna vers sa passagère.) En ce qui concerne les hommes, ce sera clair et net dès le début : « Qui m'aime aime ma sœur », point final.

Amy se pencha, ramassa son sac et ses paquets pour tenter de dissimuler son émotion.

— Ta devise est un peu tirée par les cheveux, non ?

Diana éclata de rire.

— Pas du tout ! Ils n'auront qu'à bien se tenir.

— Ne t'inquiète pas... Ton prochain fiancé sera fier de ta sœur. Je tenterai l'impossible pour l'apprivoiser. Nous formerons une vraie famille, nous passerons ensemble Noël, Pâques et le reste... (Elle sautait du coq à l'âne, elle ne pouvait plus s'arrêter :) Je sais, je sais, se reprit-elle, Noël et Pâques, tu les passes chez Papa et Maman. Mais la date importe peu. Ce qui compte, c'est de célébrer ensemble une fête, tu ne crois pas ? Et puis un jour, quand tu auras des enfants, je serai la meilleure tante du monde.

— Si jamais je tombe amoureuse de quelqu'un... alors tu n'auras aucun effort à faire, ma chérie.

Amy secoua la tête en signe de protestation.

— Je parle sérieusement, reprit Diana. Si je ramène un homme à la maison, soit il t'apprécie comme tu es, soit il prend la porte.

— Réfléchis avant d'imposer à ton prochain soupirant ce marché... Tu ne peux pas exiger d'un homme digne de toi de se réjouir à la perspective de m'avoir comme belle-sœur.

— A propos de soupirants, qu'est devenu Larry ? Je l'aimais bien, ce garçon.

— Nous avons rompu il y a deux mois. (Amy avait eu deux autres amants depuis, mais sa sœur l'ignorait.) On ne s'est vraiment pas beaucoup vues, cette année, Diana.

Diana posa doucement la main sur le bras d'Amy.

— Et j'en suis désolée. Cela n'arrivera plus, je te le promets.

Ce geste de tendresse donna à Amy le sentiment

qu'elle était aimée, même si elle le devait à une sordide aventure d'un soir, commencée dans un bar et terminée au commissariat.

— Si j'avais su que les derniers événements nous rapprocheraient, fit-elle, je me serais fait arrêter plus tôt...

La main de Diana resserra son étreinte.

— Ne dis pas ça... Plus jamais!

— Seigneur! Tu es parfois si péremptoire!

Un lourd silence suivit, que Diana finit par briser.

— Amy, je sais que tu n'as pas envie d'en parler, je t'ai d'ailleurs promis de ne plus évoquer ce sujet, mais je ne peux pas... As-tu pensé à ce qui risque de t'arriver? As-tu contacté au moins un avocat?

Amy lui décocha un regard où brûlait une lueur d'avertissement. Trop tard. Diana explosa.

— Ne prends pas cet air détestable, s'il te plaît! Je m'inquiète pour toi.

— Il ne faut pas.

Diana baissa la tête. Quand apprendrait-elle enfin à se taire?

— Je peux parfaitement m'occuper de moi, reprit Amy. Si les journalistes ne s'en étaient pas mêlés, tu n'aurais rien su.

— Cette histoire ne tient pas debout.

— Ecoute, Diana. Tu n'es pas ma tutrice. Je suis une grande fille, maintenant.

— Est-ce que ça veut dire qu'il faut que je cesse de me soucier de toi? D'être concernée par ce qui t'arrive? s'écria Diana. (Elle posa ses mains sur le volant.) Si tel est ton désir, très bien. Mais il va falloir que tu m'expliques comment.

— Tu peux t'intéresser à moi, bien sûr. A condition de m'épargner tes sermons.

— Même si je me rends compte que tu es en train de faire quelque chose qui te nuira?

Amy regarda fixement les paquets sur ses genoux.

— Est-ce que moi je t'ai avertie que Stuart n'était pas l'homme qui te convenait?

— Ce n'est pas la même chose.

— Non? Et pourquoi?

— On ne peut pas expliquer aux gens qu'ils se sont impliqués dans une mauvaise relation. Mieux vaut les laisser le découvrir tout seuls.

— Tu m'as pourtant expliqué que Bobby Fender m'utilisait et que je devais rompre avec lui, oui ou non?

— Pour l'amour du ciel, Amy... Tu étais encore à l'école.

— Et tu me considères encore comme une écolière! Je ne veux pas que tu t'occupes de moi, Diana. Je veux seulement être ton amie.

— Je ne sais pas ce que je deviendrais s'il t'arrivait quelque chose. Pour la paix de mon esprit, j'ai besoin de savoir que tu vas bien.

La boucle était bouclée. Amy poussa la portière et sortit du véhicule.

— Je n'ai aucune envie de parler de la nuit où la police m'a arrêtée. Je te l'ai déjà dit. L'incident est clos.

— Il n'est pas clos du tout, puisque...

— Diana, arrête!

— Toujours la stratégie du silence... Le silence est ton bouclier. Il serait tellement plus facile d'en parler.

— Alors parles-en avec Stephanie. Mieux encore, demande conseil à Stuart. Il trouvera sûrement une solution.

Amy claqua la portière et se dirigea d'un pas rigide vers la cage d'escalier. Diana baissa la vitre.

— Tu veux toujours venir avec moi demain? cria-t-elle.

La plupart du temps, leurs disputes se terminaient ainsi. Diana se mettait en colère, puis elle quémandait une trêve. Un compromis. Elle s'efforçait de calmer la tempête, au risque de s'y perdre... Amy se retourna.

— Je ne sais pas, répondit-elle. Appelle-moi demain matin.

— Je t'aime, Amy.

Ces deux mots avaient la faculté de radoucir sa sœur. D'abattre ses défenses. Amy revint sur ses pas, la face pâle d'émotion.

— Moi aussi, je t'aime. Et... oui, j'ai pris un avocat. Il les a convaincus d'abandonner le chef d'accusation.

— Comment?

— En leur faisant remarquer que l'affaire ressemblait étrangement à un coup monté.

— Pourquoi tu ne me l'as pas dit?

— Oh, Diana, cette histoire me rend malade. Je voudrais tout oublier. Absolument tout.

— Je me morfondais et tu le savais. Tu n'avais qu'un mot à prononcer... (Diana s'interrompit.) Bon, assez. L'important, c'est que tu te portes bien. (Elle sourit.) A demain.

— A demain... Pas trop tôt, d'accord?

Une fois chez elle, Amy abandonna ses paquets sur un fauteuil avant d'aller chercher une canette de thé glacé dans le réfrigérateur. Elle se sentait épuisée, une sensation rare, presque réconfortante. D'ordinaire elle était constamment sur les nerfs. Mais ces derniers jours à courir les grands magasins afin de meubler correctement l'appartement de Diana avaient pompé toute son énergie. Diana détestait faire du shopping. Elle était incapable de porter un jugement sur tel objet ou tel meuble. Elle s'exprimait juste par la négative, lorsqu'elle estimait que quelque chose n'aurait pas plu à Stuart. Amy s'était investie à fond dans le choix des tissus d'ameublement, autre corvée pour Diana.

Elle sortit un plat cuisiné du congélateur, le mit dans le micro-ondes, revint au salon où elle fit défiler la bande enregistreuse du répondeur. Elle attendait un message de son ancien professeur d'anglais au lycée. Il s'était proposé de lui faire une lettre de recommandation au cas où elle voudrait s'inscrire à l'université. Elle ne songeait pas vraiment à retourner sur les bancs de l'école, sauf peut-être pour faire plaisir à Diana... et pour apaiser ses inquiétudes constantes à son sujet.

Le petit voyant rouge clignotait et l'écran du répondeur affichait cinq messages. Mais Amy n'eut pas le temps d'appuyer sur le bouton de lecture car la sonnette de la porte retentit... Diana, sans doute, qui avait changé d'avis. Tant pis pour le plat au micro-ondes. Elles commanderaient un festin chez le traiteur chinois et passeraient la soirée à regarder des cassettes vidéo tout en bavardant, comme du temps où elles étaient petites.

Amy se précipita vers la porte, poussa le loquet.

— Tu as oublié quelque chose? demanda-t-elle en ouvrant.

Ce n'était pas Diana. Ses doigts se crispèrent sur la poignée. Instinctivement, elle recula d'un pas derrière la porte, comme si cette barrière de bois pouvait la protéger.

— Maman? Qu'est-ce que tu fais là?

Eileen balaya d'un regard froid la salle de séjour.

— Tu attendais quelqu'un? s'enquit-elle finalement, après un silence qui parut affreusement long à Amy.

— Diana vient de partir. J'ai pensé qu'elle... Oh, ça n'a pas d'importance.

Sa raison l'avertissait que ce n'était pas l'esprit de réconciliation qui avait incité sa mère à venir. Pourtant, une lueur d'espoir continuait de briller, une flamme minuscule qu'Amy refusait de sacrifier à la logique.

— Je peux entrer? dit Eileen.

C'était plus une critique adressée à son impolitesse qu'une question.

— Oui, bien sûr. Excuse-moi, mais tu m'as prise de court.

Elle était surprise, et à juste titre. Depuis six ans qu'elle vivait seule, sa mère ne lui avait jamais rendu visite. Pas une seule fois. Amy s'effaça pour la laisser passer.

Eileen se dirigea vers le milieu du salon et s'arrêta

devant l'unique fauteuil, occupé. Elle attendit, debout, jusqu'à ce que sa fille vienne débarrasser le siège de son sac et des paquets qu'elle y avait empilés un peu plus tôt.

— Tu veux boire quelque chose ? demanda Amy.

— Si mes souvenirs sont exacts, Diana nous a dit que tu ne buvais plus.

Eileen s'assit, droite, le dos rigide, à peine posée sur le siège. Son tailleur-pantalon de lin beige semblait sortir tout droit du pressing. Eileen Winchester était toujours impeccable. Elle ne souffrait jamais du froid ni de la chaleur, ne transpirait jamais, son rouge à lèvres avait toujours le même éclat et le vent le plus violent ne parvenait pas à déranger sa coiffure : ses cheveux flottaient dans tous les sens, puis chaque mèche reprenait sa place initiale... Sa distinction, son élégance paraissaient innées, au même titre que le bleu glacial de ses yeux, qui considéraient les moins favorisés sans aucune compréhension, aucune indulgence.

— « Boire » ne s'applique pas seulement à l'alcool, dit Amy. En fait, je t'offrais du café.

Elle ne savait si elle devait ou non se réjouir de ce que Diana ait parlé à leurs parents de ses progrès.

— Cela ne sera pas nécessaire, fit Eileen. Je ne resterai pas longtemps.

— Vraiment ? Je me demande pourquoi cela ne m'étonne pas.

Amy prit place sur le bras du canapé, sachant pertinemment que cette attitude agacerait sa mère. Selon Eileen, les vraies dames ne se vautraient pas, ne se perchaient pas, ne s'affalaient pas mais s'asseyaient tout simplement.

— Je n'ai pas de temps à perdre, dit celle-ci. Aussi, je préfère entrer tout de suite dans le vif du sujet : le but de ma visite.

Ses longues mains manucurées caressèrent le sac en croco qui reposait sur ses genoux. Son regard effleura

Amy très brièvement avant de se fixer sur une reproduction de Manet punaisée au mur en face d'elle.

— Merci de me demander comment je me porte, Maman... Je vais bien.

— Crois-tu? fit Eileen, irritée. Ce n'est pas l'impression que tu me donnes. Et à Carl non plus.

Elle avait dit « Carl » et pas « ton père », signe que les règles du jeu — le petit jeu cruel qu'ils imposaient à leur fille cadette depuis des années — avaient changé. Amy sentit son courage vaciller.

— Toi, en revanche, tu as l'air en forme, tenta-t-elle dans l'espoir d'une trêve. Est-ce que tu joues toujours au tennis?

Elle trouvait gênant d'ignorer un détail aussi anodin de la vie de sa propre mère. Mais il était inutile de faire semblant d'avoir avec elle une intimité qui n'existait pas.

— Pourquoi me le demandes-tu? fit Eileen.

— Pour rien... Parce que... oh, ça n'a pas d'importance.

Eileen examinait la pendule rococo.

— En fait, il ne s'agit pas d'une visite de courtoisie, Amy. Je ne suis pas venue chez toi pour te demander comment tu allais ou te donner de mes nouvelles et des nouvelles de ton p... euh... de Carl.

« Je vais reprendre mes études », aurait voulu crier Amy, mais les mots se gelèrent au fond de sa gorge. « Bientôt, vous pourrez être fiers d'avoir une fille comme moi. »

Elle dit :

— Bon, d'accord, alors passons sur les préambules de politesse. Je t'écoute : pourquoi es-tu venue?

Pour la première fois, Eileen laissa paraître des signes de nervosité : elle fit bouffer ses cheveux, toussota pour s'éclaircir la voix.

— J'ai une proposition à te faire — et elle est lucrative.

Elle marqua une pause, toussota encore une fois.

— Je ne crois pas me tromper si j'affirme que, compte tenu de ta façon de vivre, tu as besoin d'argent?

Amy ignora l'insinuation. Accorder une quelconque attention à cette déclaration équivalait à admettre qu'il neige en hiver dans le Minnesota.

— Tu veux me donner de l'argent? dit-elle. Mais pourquoi?

— Voilà : je... nous... Carl et moi, après mûre réflexion, avons conclu que la meilleure solution pour nous tous serait que tu quittes les Twin Cities. Tu peux t'installer où tu veux, le plus loin possible, naturellement. Nous assurerons les frais de ton déménagement... et le reste.

— Le reste? répéta Amy prudemment, comme si chaque mot lui écorchait les lèvres.

Cela n'aurait pas dû faire aussi mal! La déception, la peine, le dépit n'auraient pas dû la submerger comme une lame de fond. Durant son enfance et son adolescence, Eileen avait cent fois, mille fois dit ce genre de chose blessante.

— Nous sommes prêts à t'accorder une grande quantité d'argent, la moitié tout de suite, l'autre moitié quand tu te seras installée dans la région de ton choix. De plus, tu recevras chaque année une somme supplémentaire. A une seule condition, souligna Eileen afin de préciser qu'ils n'avaient pas l'intention de discuter cette clause du contrat : que tu ne reviennes plus jamais. Pas même pour une journée.

Comme Amy ne soufflait mot, Eileen reprit :

— Je comprends parfaitement que tu souhaites réfléchir pendant un jour ou deux. C'est une vraie rente, Amy. Une somme énorme, bien plus que tu ne pourrais gagner... de quelque manière que ce soit.

Elle ouvrit son sac, en extirpa un chèque.

— Je n'en veux pas, dit Amy.

Eileen posa le chèque sur la table basse, puis se redressa.

— Tu changeras sûrement d'avis quand tu liras le montant, tout à l'heure. (Sa voix devint tout sucre, tout miel :) Si tu ne le fais pas pour ton père et moi, fais-le pour Diana. Quand tu ne seras plus là, elle sera libre de se consacrer à Stuart et à son travail. Elle devrait avoir une famille depuis des années, mais comme on dit, on ne peut pas être au four et au moulin. Elle s'occupe trop de toi. Elle te donne toute l'attention qu'elle aurait accordée à ses enfants.

— Diana ne veut pas d'enfants.

En essayant de se défendre, Amy prêtait le flanc à une nouvelle attaque.

— Comment veux-tu qu'il en soit autrement? rétorqua Eileen. Elle est bien consciente des soucis qu'ils causent à leurs parents... Voilà pourquoi il faut que tu partes, Amy. Diana a besoin de fréquenter des gens normaux. De se familiariser avec le spectacle de ses amies qui ont toutes fondé un foyer. Il n'y a pas de joie plus profonde que de mettre au monde un bébé que l'on a porté pendant neuf mois.

Cette dernière phrase fit à Amy l'effet d'un coup de poignard. Elle se sentit vaciller.

— Je crois qu'il vaut mieux que tu t'en ailles, maintenant, Maman.

— Réfléchis. Ensuite, passe un coup de fil à Frank Pechacek, qui te fera signer les papiers.

— Quels papiers?

Eileen lissa sa veste, effaçant sous ses paumes des plis invisibles.

— J'ignore les termes juridiques.

— Explique-le-moi avec tes propres mots.

— En acceptant cet arrangement, tu t'engages *grosso modo* à renoncer à toute revendication future.

— Des revendications sur quoi?

— Sur le nom des Winchester. Sur moi, Carl et Diana.

Elle avait prononcé le dernier nom avec une détermination glaciale. Amy la suivit dans le vestibule.

— Comment dois-je considérer cet « arrangement »,
Maman? Comme un pot-de-vin destiné à vous débarrasser de moi? Comme une avance sur héritage? C'est une
attention très délicate de votre part...

— C'est une façon comme une autre de t'éloigner de
Diana. Et de sauvegarder ses droits pendant que nous
sommes encore là pour la protéger.

Amy n'avait plus qu'une hâte. Voir sa mère déguerpir.
Elle ouvrit en grand la porte d'entrée.

— Va-t'en, maintenant, fit-elle.

— Encore une chose. J'aimerais récupérer la pendule
de ma mère avant que tu quittes la ville.

Amy soutint son regard.

— Il n'en est pas question.

— Tu refuses juste pour me contrarier. Cette pendule
ne signifie rien pour toi.

— Oh que si! Je l'ai fait expertiser.

Eileen se raidit.

— Evidemment! J'aurais dû m'en douter.

— Bonne nuit, Maman.

— Combien veux-tu? J'augmenterai de dix pour cent
le prix de l'expert.

Elle était sortie sur le palier mais se tournait à présent
vers Amy. Celle-ci claqua la porte. L'entretien était terminé. Pendant un instant, la jeune femme attendit stu-
pidement que sa mère revienne. Mais rien ne se produisit. La sonnette resta muette. Eileen ne reparut pas pour
lui présenter ses excuses ou pour implorer son pardon.
Amy attendit encore. En vain. Et pourtant, en emprun-
tant le couloir menant à sa chambre, elle se mit à répéter
mentalement les phrases qu'elle débiterait quand sa mère
reviendrait.

Elle refusait de croire que ses parents ne l'aimaient pas.
Quelque part dans un coin de leur cœur, il y avait sûrement une place réservée à l'enfant qu'ils avaient choisi.
Malgré tous les malentendus, les déchirements et les disputes, Amy était quand même leur fille, et cela seul

comptait. Qu'éprouvaient donc, au fond, des parents adoptifs? Elle l'ignorait. Mais un jour, le fil invisible qui les reliait à elle deviendrait solide. Sa grand-mère l'avait aimée. Diana aussi. Il n'y avait aucune raison que cela n'arrive pas à Eileen et à Carl. Peut-être l'accepteraient-ils mieux lorsqu'elle reprendrait ses études. Ou lorsqu'elle fonderait une famille. Il suffisait d'attendre. C'était une question de temps. Quelque chose se passerait, qui les ferait changer d'avis.

Mais pas ici. Et pas ce soir. Amy se sentit étouffer. Après la scène qu'elle venait de vivre, impossible de rester à la maison sans sombrer dans la dépression. Elle avait besoin de monde, de bruit, d'oubli. S'éloigner du téléphone relevait de l'urgence. En éteignant le répondeur. Sinon, comment pourrait-elle se convaincre que sa mère avait essayé de la joindre?

— Comme d'habitude? demanda le barman noir.
Amy hocha la tête.
— Oui. Avec du citron. Et sans soda.
— Un petit changement de temps à autre ne fait pas de mal, pas vrai?
L'homme sourit, prit un verre, y jeta quelques glaçons, le remplit d'une boisson sans alcool.
— Y a un moment que t'es pas venue.
— J'aidais ma sœur à s'installer, dit Amy.
Son voisin jeta un billet d'un dollar sur le comptoir avant de s'en aller; elle se déplaça sur l'escabeau resté vide et s'adossa au mur, ce qui lui permettait d'avoir une vue globale de la salle.
— Je m'attendais pas à te revoir de sitôt, après ce qui s'est passé la dernière fois, dit le barman en pressant un demi-citron dans le verre d'Amy et en le faisant glisser vers elle.
— Ce que j'ai pu être bête! s'exclama la jeune femme.

C'est tout juste s'il y avait pas marqué « flic » sur le front de ce type.

En fait elle aurait été incapable de distinguer un agent de la mondaine d'un expert-comptable, mais le problème n'était pas là. Les clients du *Dimwitty's* la prenaient pour une prostituée et elle n'avait jamais rien tenté pour les en dissuader. Au début, elle s'était coulée dans son nouveau rôle pour s'amuser. Elle était allée jusqu'à suivre une vraie professionnelle, la nuit où le dénommé Darren Harris l'avait reconnue à l'hôtel. Ce que M. Harris n'avait pas remarqué, c'était qu'Amy s'était éclipsée discrètement dix minutes plus tard... Elle se fichait de sa réputation mais estimait qu'elle était la seule à fixer les règles du jeu.

Cela lui donnait une raison de fréquenter le *Dimwitty's*, n'ayant nulle part ailleurs où aller. Elle avait bien couché avec quelques-uns des hommes qu'elle avait dragués, mais avait abandonné la plupart au coin de la rue. Celui qui appartenait à la police avait constitué un défi. Elle l'avait relevé. Elle avait joué et elle avait perdu.

— Est-ce que les journalistes disent vrai? s'enquit le barman tout en rinçant des verres dans l'évier. Ces gens-là sont-ils vraiment tes parents?

Avec un sourire, Amy lui décocha un clin d'œil.

— Si j'avais un papa aussi riche, tu crois que j'exercerais le plus vieux métier du monde?

— Ma foi, non... Dis, il a dû grincer des dents, le monsieur, en découvrant son nom en première page. Nul doute qu'il va traîner en justice le journal.

— Et comme l'argent va à l'argent, nul doute qu'il gagnera le procès.

Elle se tortilla sur l'escabeau, laissant errer un regard blasé sur la salle enfumée. Etaient présents les piliers habituels — bourgeois entre deux âges qui éclusaient le même verre de vin toute la soirée et sautaient sur tout ce qui bouge, jeunes loups assis dans la pénombre en attendant que les filles viennent à leur rencontre. Le tableau de chasse d'Amy se composait de représentants et autres businessmen de passage, qui élisaient domicile dans des hôtels du centre-ville; ceux qui ne restaient jamais plus de deux jours; ceux sur lesquels elle ne pouvait rien investir. Des compagnons d'une nuit qui ne vous rappellent pas le lendemain, pour la seule raison que vous ne leur avez même pas donné votre numéro de téléphone. Amy ne connaissait rien de pire qu'attendre un coup de fil qui ne vient pas.

— Qui est le type en costume bleu? demanda-t-elle.

— Je n'en ai pas la moindre idée, répondit le barman. C'est la première fois qu'il vient ici.

— Il est seul?

— Apparemment.

Elle arrangea son maquillage dans le miroir derrière le bar.

— Eh bien, il ne l'est plus maintenant.

Elle se dirigea vers la table de l'homme à pas lents, ondoyants, s'assurant qu'il l'avait remarquée bien avant qu'elle s'approche. Si seulement sa chère mère avait pu la voir!

— Salut, susurra-t-elle. Vous ne vous sentez pas seul, ce soir? (Elle soutint son regard interrogateur.) Voudriez-vous un peu de compagnie?

— Oui, sûr... répondit-il en se levant pour lui avancer une chaise. Ce serait formidable. Je déteste boire tout seul.

Elle lui tendit la main.

— Amy Winchester.

— Matt Carpenter.

Elle pencha la tête sur le côté avec un air de coquetterie, faisant semblant de l'étudier.

— Vous n'êtes pas d'ici, n'est-ce pas? Ce n'est pas le soleil du Minnesota qui vous a donné ce magnifique bronzage...

— Je joue beaucoup au hand-ball. (Il se tapota le ventre.) Un sport qui maintient en forme.

— Et vous jouez où, au hand-ball?

— A Abilene... Kansas, précisa-t-il.

Elle avait tourné sa chaise face à lui avant de s'asseoir. A quoi cela servirait-il de porter une jupe aussi courte si ses jambes restaient cachées sous la table?

— Vous êtes chez nous pour affaires? reprit-elle.

Il acquiesça.

— Je suis dans les assurances.

— Vous vendez ou vous achetez?

La quarantaine fatiguée, ou la cinquantaine bien conservée, pensa-t-elle. Des cheveux clairsemés sur le dessus du crâne, des lunettes, des pattes d'oie au coin des yeux. Il ne cachait pas son excitation d'avoir été accosté par une jeune et jolie femme.

— En fait, ni l'un ni l'autre, répondit-il. Je suis ici pour recruter du personnel.

— Et vous avez de la chance?

Elle avait détourné les yeux exprès, feignant de regarder quelqu'un qui venait d'entrer dans l'établissement. Lorsqu'elle se tourna de nouveau vers lui, il admirait ses jambes. Un sourire lent, encourageant fleurit sur les lèvres d'Amy.

— Oh... Pardon, murmura-t-il. Qu'est-ce que vous avez dit?

— Je vous demandais si vous aviez de la chance... avec le recrutement, précisa-t-elle tandis qu'il la scrutait sans comprendre.

— Ah... Non, non, pas vraiment. Personne ne semble prêt à déménager. Remarquez, on ne peut pas blâmer les gens. Si j'habitais votre région, je ne voudrais pas partir non plus.

— Revenez en hiver quand il fait moins cinquante. Vous aurez sûrement moins de mal à les convaincre.

Elle prit un morceau de pop-corn dans un bol et le mit sur le bout de sa langue.

— Puis-je vous offrir un verre?

Il avait levé la main pour appeler la serveuse.

Amy posa la sienne sur son bras.

— C'est plutôt bruyant ici, vous ne trouvez pas? On ne s'entend plus.

— Comment? Oui, c'est vrai... Si le bruit vous dérange, nous pourrions changer de crémerie.

— J'aimerais bien. Un endroit tranquille, de manière que nous puissions faire connaissance.

Il avala nerveusement sa salive.

— Le bar de mon hôtel? suggéra-t-il. Il n'y avait presque personne quand je suis parti tout à l'heure.

Amy se leva. Sa main descendit sur le devant de sa jupe, afin d'en effacer les plis. L'image de sa mère esquissant le même geste lui traversa l'esprit. Telle mère, telle fille, se dit-elle avec un sourire moqueur. A ceci près qu'Eileen n'apprécierait pas du tout sa tenue trop courte, trop provocante.

— Je voulais dire un endroit *vraiment* tranquille, fit-elle.

L'attitude de l'homme changea du tout au tout. Il avait enfin saisi la situation. Se levant à son tour, il vida son verre d'un trait avant d'extirper de sa poche un billet fripé qu'il laissa sur la table.

— T'as intérêt à peaufiner ta méthode, ma poule. Tu envoies des messages pas clairs. (Il lui enlaça la taille et l'entraîna vers la sortie.) Si tu avais annoncé tout de suite la couleur, on aurait pas perdu tout ce temps.

Ils franchirent ensemble la porte battante. Une fois dehors, il saisit à pleine main le sein d'Amy, pétrissant la chair douce.

— Je n'aurais pas deviné rien qu'en te regardant, souffla-t-il, de plus en plus excité. Tu ne corresponds pas vraiment aux critères...

Il s'interrompit brutalement et la scruta.

— Que se passe-t-il? demanda-t-elle.

Oh, mon Dieu, pourvu qu'elle ne soit pas tombée encore sur un policier! Pas une fois de plus, en si peu de temps. Des arguments se mirent à défiler à toute allure

68

dans son esprit enfiévré... Elle n'avait indiqué aucun prix, n'avait pas précisé ce qu'ils feraient quand ils seraient dans la chambre d'hôtel. Elle essaya de libérer son bras, mais l'homme resserra l'étau de ses doigts jusqu'à ce qu'elle lâche un petit cri de douleur.

— Reste tranquille, dit-il. Je veux vérifier que tu n'es pas un travesti.

Amy retint un rire. Le soulagement se déversa dans ses veines comme une ligne de cocaïne. Elle se frotta contre lui.

— Tu sens quelque chose d'anormal? s'enquit-elle d'une voix rauque.

— Je n'en sais rien. J'en ai entendu de belles.

Après avoir jeté autour d'eux un regard afin de s'assurer qu'ils étaient seuls, il releva le bustier tricoté d'Amy, dévoilant la double coupole de ses seins.

— Superbes! haleta-t-il en passant sa langue sur ses lèvres. Des nichons comme ceux-là ne peuvent pas appartenir à un homme.

Elle s'écarta de lui, rabaissa son corsage. Lorsqu'il voulu la caresser de nouveau, elle lui assena une tape sur les mains.

— Sois pas vache, protesta-t-il. Laisse-moi toucher encore une fois.

— Je ne travaille pas en public.

Il éclata de rire.

— Cette blague! Une putain avec des principes!

Amy passa son bras sous le sien, se demandant si sa mère trouverait la scène à son goût.

5

Si la chambre de Matt Carpenter reflétait son statut au sein de sa compagnie, on était en droit de conclure, sans risque de se tromper, que ses patrons pouvaient parfaitement se passer de ses services... Un lit à deux places faisait face à une petite table ronde munie d'une chaise, une coiffeuse en Formica et un poste de télévision perché sur une étagère d'angle. Plusieurs crochets manquaient aux rideaux à rayures orange et vertes, fermés en permanence. La moquette de laine, claire sur les bords, accusait une teinte marron sale au milieu. Deux chemises et un pantalon étaient suspendus dans la penderie dont la porte était restée ouverte; un attaché-case en plastique trônait sur la table.

Amy avait déjà vu des chambres aussi minables dans des films, jamais dans la réalité. Ce monde, elle ne le connaissait pas. Elle n'aimait pas ce décor... Elle coula un regard vers Matt et décida qu'il ne lui plaisait pas non plus.

— Plutôt moche, hein? admit-il en desserrant le nœud de sa cravate. Mais je ne vois pas l'intérêt d'engraisser le Hilton juste pour passer une nuit ou deux.

— Surtout si ta compagnie paie et que tu empoches la différence.

— Exact! Ils se fichent éperdument des frais de déplacement à condition que le travail soit fait. Tiens, à propos, on n'a pas fixé de prix, ajouta-t-il après une hésitation.

C'était sa seule chance, pensa-t-elle. Il suffirait qu'elle annonce une somme qu'il trouverait exorbitante, après quoi elle serait libre de s'en aller.

— Deux cents dollars.

Il la regarda sans broncher.

— Et qu'est-ce que j'obtiens pour mon argent?

— Le truc classique, avec préservatif. Si tu veux des fantaisies, l'addition augmente en conséquence.

— Pourquoi vais-je débourser deux cents dollars pour quelque chose que je peux avoir gratuitement à la maison?

— Parce que. C'est à prendre ou à laisser.

— On dirait que tu es nouvelle dans le métier, ma belle.

Il lui pinça cruellement le bout du sein. Agacée, elle le repoussa. Il empoigna son bustier en tricot qu'il se mit à tortiller jusqu'à ce que le tissu ne fût plus qu'une sorte de corde autour du cou d'Amy. L'anxiété de la jeune femme se muait en panique. Elle sut d'instinct qu'elle commettrait une grossière erreur si elle lui montrait sa peur. Elle haussa le menton, le fixant dans le blanc des yeux.

— Le prix vient de grimper de cent dollars.

Il approcha son visage du sien, lui envoyant une bouffée d'haleine avinée en pleine figure.

— Attends de voir ce que j'ai là, et c'est toi qui voudras me payer, cocotte.

— Lâche-moi, espèce d'ordure.

— T'as tout compris, trésor. (Il essaya de l'embrasser.) Les nanas qui résistent m'excitent. (Elle détourna la tête, et il lui planta la langue dans l'oreille.) Oh, oui, elles m'excitent mille fois plus que celles qui restent passives comme des bouts de bois pendant qu'on les besogne.

— Et celles qui crient au secours, elles t'excitent aussi?

— Oh! mais vas-y! Crie autant que tu veux, beauté.

Quand les flics débarqueront, à qui botteront-ils les fesses?

— Bon, d'accord, dit Amy, adoptant une tactique différente. Tu as raison. Je débute dans le métier. Excuse-moi mais j'ai changé d'avis.

Il ne dit rien et elle dut déployer un effort presque surhumain pour empêcher sa voix de trembler.

— Tu as besoin d'une fille plus avisée... Plus experte... Il est encore tôt. Tu peux en chercher une qui fera exactement tout ce que tu voudras, et qui te prendra moins cher. Je t'aiderai à trouver une vraie professionnelle, si tu veux, je les connais toutes, dans le coin.

— Pour me taper une vieille poule toute fripée? Non, merci. Je les préfère jeunes et fraîches, mes femmes, comme toi. (Il lui prit la main et la frotta contre son entrejambe.) D'ailleurs, Junior est prêt et il aime pas attendre.

C'était son jeu favori. Plus elle se débattait, plus elle émoustillait son désir.

Amy s'entendit murmurer d'une voix qu'elle ne reconnut pas :

— Ne me fais pas mal, je t'en prie.

— Il n'est pas si gros, voyons! sourit-il, se méprenant sur ses paroles. Mais je peux te garantir qu'une fois que Junior sera passé par là, tu ne seras plus bonne à rien avec les autres hommes.

Elle sentit son estomac se soulever. Il fallait coûte que coûte sortir de là.

— Je voudrais utiliser la salle de bains.

— Pourquoi? demanda-t-il, suspicieux.

— Tu veux un dessin?

— Donne-moi ton sac, intima-t-il.

— J'en ai besoin.

— Prends ce qu'il te faut. Je garde le reste.

Si elle insistait, elle risquait de se trahir. Les doigts tremblants, elle fouilla dans son sac, en extirpa une boîte à pilules dorée, résistant à la tentation d'emporter son permis de conduire. Elle lui aurait abandonné facilement ses cartes de crédit, mais ne voulait pas qu'il connaisse son adresse.

— Je reviens tout de suite, fit-elle.

— Minute! Qu'est-ce qu'elle contient, cette boîte?

Il y avait trois ou quatre cachets d'aspirine, mais, mue par une soudaine inspiration, elle répondit:

— De l'ampicilline.

— Un antibiotique?... Qu'est-ce que tu as?

— Une blennorragie.

Il la regarda, les sourcils froncés.

— Qu'est-ce que tu me chantes? Personne n'attrape plus ce genre de maladie.

— C'est ce que je croyais aussi.

Mais il ne fut pas dupe.

— Fais voir.

La bouche d'Amy se dessécha.

— Quoi donc?

— Donne-moi cette fichue boîte. (Il la lui arracha des mains, l'ouvrit, y jeta un coup d'œil.) Des aspirines! Tu me prends pour un cave?

Une indicible terreur tétanisa Amy. Les règles du jeu avaient changé. Elle ignorait en quoi exactement, mais elles n'étaient plus les mêmes.

— S'il te plaît, dit-elle. Laisse-moi m'en aller.

Non! Supplier, montrer sa faiblesse était une erreur.

Il lança la boîte à pilules à travers la pièce.

— Personne ne t'a forcée à venir ici.

Peut-être arriverait-elle à le raisonner.

— Et personne ne peut me forcer à rester.

— Désolé, bébé, ça ne marche pas comme ça. Tu as commencé le boulot, tu dois le finir. Je déteste les allumeuses.

Elle n'avait plus le choix. Aucune échappatoire. Soudain, telle une bête traquée, elle s'élança vers la porte. Il fut sur elle avant même qu'elle ne touche le loquet. Rien n'avait préparé Amy à ce qui suivit. Le premier coup fit heurter sa tête contre le mur. Le deuxième provoqua une explosion à l'intérieur de son cerveau. Comme des éclats de verre, la douleur s'enfonça dans ses yeux et ses mâchoires. Il lui assena le troisième coup avec le poing. Un filet de sang se mit à glisser le long de sa nuque.

Bêtement, elle s'efforça de rester debout.

Rien ne semblait pouvoir arrêter l'homme. On eût dit qu'il cognait sur une sorte de mannequin à ressorts qui s'acharnait à rebondir. Il ne s'arrêterait pas avant d'avoir cassé son jouet. Avec une précision mécanique il frappa, encore et encore. Au lieu de fermer les yeux, Amy continua à regarder son bourreau à travers son vertige, avec une farouche détermination.

Ses jambes ne la portaient plus. Lentement, elle s'affala par terre. La douleur reflua. Elle avait la sensation de flotter. Quelqu'un dit quelque chose — des mots confus, sans suite.

— Lève-toi, sale putain! Je ne t'ai pas tapée si fort. Allez, lève-toi, bon sang!

Mal à la tête! Un monstrueux élancement sous son crâne la transperçait à chaque battement de cœur. Elle leva la main vers sa tempe, comme elle le faisait quand elle avait la migraine. Ses doigts effleurèrent un morceau de peau méconnaissable, tuméfié, palpitant. Elle voulut ouvrir les yeux. La douleur lui coupa le souffle. Au moindre effort, son cœur s'emballait. L'espace d'une seconde terrifiante, elle crut que sa tête allait littéralement exploser.

Elle demeura parfaitement immobile, n'osant éloigner sa main de son visage. Au bout de ce qui lui parut une éternité, les éclairs rouges derrière ses paupières boursouflées s'atténuèrent, les lames effilées qui la poignardaient semblèrent se retirer dans leurs étuis. Longtemps après elle était encore là, inerte. Il fallait négocier le moindre mouvement avec la douleur, s'arrêter immédiatement chaque fois qu'elle était allée trop loin, trop vite.

La soif la consumait. Cette soif qui vous colle la langue contre le palais et vous pousse à avaler une gorgée d'eau après l'autre jusqu'à ce que votre estomac soit plein, sans en être rassasiée pour autant. En se concentrant, elle essaya de lécher ses lèvres avec sa langue, devenue trop grosse pour tenir dans sa bouche; elles étaient enflées, craquelées, recouvertes d'une croûte bizarre.

Du sang. Et il y en avait plus encore dans ses narines et sous ses yeux.

De vagues souvenirs semblables aux séquences d'un film lui revinrent en mémoire. Elle lutta pour reconstituer le puzzle. Lorsqu'elle eut fini, il ne manquait plus que d'infimes fragments de temps. Mais elle pouvait parfaitement imaginer ce qu'elle avait oublié. Elle était coutumière du fait, à l'époque où elle buvait.

Bravant la douleur, elle ouvrit les yeux. Elle gisait comme un paquet, dans une ruelle, entre un mur de brique et la carcasse d'une voiture abandonnée. Ses jambes repliées sous elle lui paraissaient complètement engourdies, comme mortes. En se balançant de gauche à droite, elle réussit à les libérer l'une après l'autre. A mesure que la circulation sanguine se rétablissait, un affreux fourmillement lui brûlait les muscles. A l'évidence, il l'avait tabassée à mort, mais que lui avait-il fait d'autre? Avec une sorte de gratitude perverse, elle se rendit compte qu'elle avait mal partout sauf là où elle s'y attendait. Il ne l'avait pas violée. Peut-être les coups avaient-ils suffi à lui procurer du plaisir. Se redresser se révéla une longue et pénible entreprise, une souffrance sans fin. Entre deux tentatives, elle s'arrêtait, haletante, jusqu'à ce que la douleur s'apaise. Enfin debout, elle s'appuya sur la carcasse de la voiture pour la contourner. Au milieu de la ruelle, elle regarda intensément d'un côté, puis de l'autre. Elle crut reconnaître la boutique d'un brocanteur située à quelques blocs du *Dim-*

witty's, sans en être sûre. Encore un pas. Son pied écrasa quelque chose de coupant. Elle était pieds nus.

Rebroussant chemin, elle chercha ses chaussures. Elles gisaient sur le pavé, à côté de son sac. Elle fouilla la petite pochette de cuir. Son argent avait disparu, ce qui n'avait aucune importance, mais il avait été assez gentil pour lui laisser ses clés. Elle préférait se traîner jusque chez elle à quatre pattes plutôt que d'appeler au secours... Personne ne la verrait dans cet état. Non, personne.

Elle enfila ses chaussures. Très lentement, elle s'engagea dans la rue principale. Elle fit une halte au coin en songeant à sa mère. Si elle la voyait, lui tendrait-elle une main secourable ou bien détournerait-elle la tête, dégoûtée? Et Diana? Amy avait trop souvent perçu la déception dans les yeux de sa sœur pour se demander plus longtemps comment elle réagirait. Elle ne le savait que trop bien.

Sa mère avait sans doute raison. Elle leur rendrait à tous service si elle disparaissait.

Diana en serait bouleversée au début, mais avec le temps, elle s'habituerait. On disait bien « la vie continue ». Diana conviendrait à la longue que c'était la meilleure solution. Et qui sait, elle lui en serait peut-être même reconnaissante.

Une semaine plus tôt encore, l'idée de quitter les Twin Cities répugnait à Amy. A présent, elle ne pouvait imaginer meilleur moyen de prouver à sa sœur combien elle l'aimait.

6

Diana sonna chez Amy et attendit. Pas de réponse. Elle sonna de nouveau, s'approcha de la porte dans l'espoir de percevoir un son qui lui indiquerait la présence de sa sœur à l'intérieur. Rien.

Elle avait appelé un peu plus tôt, et avait conclu qu'Amy devait être sous la douche quand le répondeur s'était déclenché. Elles n'avaient peut-être pas de plans bien arrêtés mais Amy n'avait pas l'habitude d'oublier ses rendez-vous... si, parfois, chez le dentiste. Mais jamais lorsque s'offrait la perspective de courir les magasins, surtout quand il s'agissait de son parcours favori chez les antiquaires.

Diana possédait une clé de l'appartement de sa sœur. Elle l'avait utilisée deux fois, la première lorsque la jeune femme s'était absentée quelque temps et avait laissé son fer à friser allumé, la seconde pour y déposer un cadeau d'anniversaire. Amy était censée encore être absente, mais elle était rentrée à l'improviste et Diana l'avait trouvée en train de prendre une douche avec un homme qu'elle n'avait jamais vu... et ne revit jamais après.

Amy ne pouvait s'empêcher de s'esclaffer chaque fois qu'elle évoquait ce souvenir. Mais pas Diana.

Elle consulta sa montre. Bon! Dans une demi-heure, les stores seraient très certainement relevés; le temps de faire un saut chez Rico pour acheter des croissants et du café. Si à son retour il n'y avait toujours pas de réponse, elle utiliserait la clé.

Elle n'y songea qu'une fois dans sa voiture, alors qu'elle s'apprêtait à se lancer dans le trafic matinal... Elle n'avait pas eu la présence d'esprit de vérifier si la Pinto vermillon d'Amy était au parking. Elle éteignit le moteur, poussa la portière et traversa la rue en courant, sans un regard vers une conductrice outrée qui attendait de se garer à sa place.

La voiture d'Amy se trouvait en effet à sa place habituelle, parquée cependant selon un angle bizarre, comme si sa propriétaire avait été à moitié endormie ou alors... Diana chassa la pensée obsédante de son esprit. Elle refusait d'envisager qu'Amy ait pu se remettre à boire.

L'idée de la découvrir dans les bras d'un inconnu lui parut soudain moins choquante.

Son trousseau de clés à la main, Diana emprunta l'escalier. Avant d'arriver au premier étage, elle sortit de l'anneau celle d'Amy. Fidèle à sa bonne éducation, elle frappa encore une fois à la porte. Pas de réponse. Elle glissa la clé dans la serrure.

L'entrée était plongée dans la pénombre. Diana allégea son pas, l'oreille à l'affût de sons, de voix, ou bien d'Amy se déplaçant du côté de la cuisine. Mais un silence de plomb régnait dans l'appartement, qui lui sembla aussi étrange et effrayant que le silence des forêts... Elle se sentit soudain comme une intruse. Le besoin de tourner les talons la submergea. Une sorte de nécessité urgente de rebrousser chemin, retraverser le vestibule, refermer la porte en laissant à Amy l'initiative de la contacter. Pressentiment, intuition, prémonition, le mot importait peu ; il y avait simplement là-dedans quelque chose qu'elle refusait de voir.

Une bouffée de colère empourpra ses pommettes.

« Bon sang, Amy, tu aurais pu m'épargner tes problèmes, j'ai les miens, tu sais. »

Finalement, elle cria :

— Amy, c'est moi! Est-ce que tu es là?

Elle accrocha son sac à l'antique portemanteau, attendit une réponse qui ne vint pas. Elle se dirigea vers la chambre à coucher mais, alors qu'elle s'engageait dans le couloir, la lueur d'un abat-jour en provenance du salon attira son attention. Elle entra dans la pièce. Son regard alla de la lampe à la forme allongée à plat ventre sur le canapé, vêtue d'un peignoir. Amy! Elle avait tiré ses cheveux en arrière, son front était appuyé sur son avant-bras comme pour se couper du monde... Avec une formidable sensation de soulagement, Diana se pencha par-dessus la table basse et toucha l'épaule de sa sœur.

— Réveille-toi, marmotte! Aujourd'hui est un grand jour. On doit dépenser notre argent dans les boutiques les plus huppées, tu t'en souviens?

Amy ne réagit pas. Pas le moindre gémissement de protestation pour avoir été dérangée dans son sommeil ne franchit ses lèvres. Diana la secoua un peu plus fort. Toujours rien. Elle s'approcha. La pointe de sa chaussure heurta un objet par terre. Un quart de bouteille de vodka. Vide. Un tourbillon d'émotions déferla sur Diana. Elle se sentit osciller entre les larmes et la colère.

Ce fut la colère qui l'emporta.

Que s'était-il passé, depuis hier soir, pour qu'Amy se remette à boire? Elle secoua sa sœur de toutes ses forces.

— Lève-toi. J'ai à te parler.

Oh! elle pouvait faire la sourde oreille, Diana finirait par avoir gain de cause. Elle réussit à la retourner sur le côté. Sa respiration fut coupée brusquement à la vue du visage ravagé, tuméfié, meurtri qu'elle eut sous les yeux. Ce ne pouvait être que celui de sa sœur... Car ce visage affreusement enflé, elle ne le reconnaissait pas.

— Amy? murmura-t-elle.

Les secondes s'égrenèrent, interminables. Debout, confuse et glacée d'effroi, Diana cherchait frénétiquement à recouvrer ses esprits. Dans l'univers ouaté qui était le sien, la violence était reléguée dans le domaine du cinéma et de la télévision. Le sang n'était jamais que de la sauce tomate, les ecchymoses disparaissaient avec un peu de savon... Les acteurs censés avoir été torturés ne ressemblaient guère à Amy. Cela aurait été insupportable, même à l'écran.

La réalité se rappela à elle, transperçant le bouclier protecteur de ses observations. La loque humaine affalée sur le canapé n'était pas une comédienne. C'était Amy.

Diana tomba à genoux.

— Qui t'a fait ça? dit-elle.

Amy ne répondit pas. Son inertie semblait plus profonde que la torpeur causée par l'alcool. Non seulement elle ne bougeait pas, mais elle respirait à peine.

L'angoisse se mua en terreur. Diana saisit le poignet de sa sœur, cherchant en vain le pouls. Quelque chose s'échappa d'entre les doigts d'Amy, roula sur le tapis. Elle le ramassa : un tube de médicaments. Elle déchiffra l'étiquette.

Cloridate.

Au nom du ciel. C'était quoi, Cloridate?

Se tournant de nouveau vers Amy, elle lui tâta le cou; enfin, elle découvrit un pouls lent, irrégulier, presque inexistant. Cette étincelle de vie lui arracha des larmes de soulagement.

Elle se redressa d'un coup, se cogna le genou sur le coin de la table basse, sauta sur le téléphone.

Les pompiers arrivèrent d'abord. Elle leur montra le tube vide et la bouteille de vodka, répondit à des questions qu'elle oublia aussitôt. Peu après, réfugiée dans un coin, elle regardait ces étrangers en uniforme bleu s'activer autour de sa sœur; en les suppliant de faire doucement, de tout tenter pour la sauver.

Un quart d'heure plus tard, deux ambulanciers firent irruption dans le salon déjà encombré. L'un des pompiers les aida à étendre Amy sur une civière. Diana aperçut les fils qui reliaient sa poitrine à une petite boîte, et le masque à oxygène qui lui recouvrait le nez et la bouche.

Elle suivit les ambulanciers sur les marches, puis dehors, ravalant ses questions pour ne pas leur faire perdre de temps. La vie d'Amy ne tenait qu'à un fil, qui à tout instant pourrait se briser. Chaque minute comptait. Diana prit place sur le siège avant de l'ambulance, qui démarra en trombe en faisant mugir sa sirène. Toutes les prières apprises autrefois au catéchisme lui montèrent aux lèvres. Elle était tentée d'offrir à Dieu — dont elle avait maintes fois mis en doute l'existence — tout ce qu'Il demanderait, en échange de la vie de sa sœur.

Puis ce furent les urgences. Un chaos organisé. Des aides-soignants véhiculant sur un chariot Amy vers une pièce isolée par des rideaux en plastique, tandis que Diana subissait un nouvel interrogatoire. Lorsque les formulaires furent remplis et signés, une infirmière l'orienta vers une salle d'attente étroite munie de magazines vieux de deux ans et d'un poste de télévision fixé au mur.

Depuis sa plus tendre enfance, Diana n'avait fait que défendre Amy. Se battre pour Amy. Consoler Amy. Amy qui continuait à lui pourrir la vie. A cause d'elle, son chemin s'encombrait d'obstacles au lieu d'être semé de pétales de roses, comme ses parents l'auraient souhaité. Parfois, cette complaisance extrême ressemblait davantage à de la lâcheté qu'à de la sagesse, elle devenait une sorte d'excuse qui lui permettait d'éviter la compétition sociale. Diana essaya d'imaginer comment Amy se serait comportée si les rôles avaient été inversés. Serait-elle restée assise tranquillement en attendant que l'on vienne l'informer, ou se serait-elle jetée au cœur de la bataille, exigeant que l'on prodigue à sa sœur des soins intensifs?

La réponse ne lui parut que trop évidente. Bondissant sur ses pieds, elle passa en courant devant la réception et la salle d'examen. Ce n'était peut-être pas l'hôpital où son père exerçait, mais son nom était célèbre à travers Minneapolis et Saint Paul, les villes jumelles. Le Dr Carl Winchester faisait partie des sommités du monde médical. Qu'il le veuille ou non, il allait devenir l'ardent défenseur de la jeune patiente qu'il répugnait à reconnaître comme sa fille.

Plus tard dans l'après-midi, Diana regardait les graphiques rythmés qui traversaient l'écran du moniteur relié au cœur d'Amy. Elle mourait de faim mais n'osait quitter l'unité de réanimation. D'après l'infirmière de garde, la patiente pourrait sortir du coma à n'importe quel moment et Diana voulait être présente.

La porte de la chambre s'ouvrit après un léger tambourinement. Stephanie passa la tête par l'entrebâillement.

— Comment va-t-elle? fit-elle dans un murmure.

— Pareil.

L'arrivée de son amie emplit Diana de reconnaissance. Mais l'absence de ses parents la ternit aussitôt. Elle avait essayé de les joindre tous les trois presque en même temps. Elle avait laissé un message sur le répondeur de Stephanie. Glenda, la secrétaire de son père, avait promis de prévenir le docteur et Mme Winchester dès que possible...

Stephanie entra dans la pièce, un pot de fleurs dans une main, un lapin en peluche dans l'autre.

— Désolée de ne pas être venue plus vite, mais j'ai trouvé ton message il y a seulement une demi-heure... J'avais une interview assommante avec un « artiste » qui jongle avec des scies à métaux et... (Les mots s'étranglèrent dans sa gorge lorsqu'elle aperçut Amy.) Seigneur! Pourquoi tu ne m'as pas dit qu'elle a eu un accident?

Dans son message, Diana avait été brève. Elle décommandait leur dîner parce que « Amy était à l'hôpital ».

— Ce n'est pas un accident.

Stephanie posa le pot de fleurs et le lapin en peluche sur la table de nuit.

— Qu'est-ce qui s'est passé, alors?

— Elle a été battue.

Il fallut une seconde à Stephanie pour digérer l'information; aussitôt la colère flamba dans ses yeux.

— Par qui? demanda-t-elle.

— Je ne sais pas.

— Tu veux dire que ce salaud court toujours? (Elle regarda Diana.) Qui l'a trouvée?

— Moi.

Diana entraîna Stephanie loin du lit, où elle lui dévoila à mi-voix le peu qu'elle savait.

— Tu crois que... commença Stephanie. (Elle cherchait avec effort les mots adéquats.) Tu crois que... Oh, ça ne fait rien.

— ... qu'elle a essayé de se suicider après que cet homme est parti? acheva Diana à sa place.

— Ma chérie, tu as un tas de raisons de t'inquiéter, je sais... Mais, Diana, si elle avait pris seulement les cachets ou simplement de l'alcool, cela aurait très bien pu passer pour un accident.

— J'y ai déjà pensé, répondit Diana en massant les muscles endoloris de sa nuque. D'après le rapport du laboratoire, elle n'a pas avalé plus de cinq ou six pilules.

— Mais... tu m'as dit que la boîte était vide.

— Elle ne devait pas en contenir plus...

Depuis ce matin, Diana n'avait cessé d'analyser le mystère; elle avait étudié chaque indice, passé au crible le moindre détail, si infime, si insignifiant fût-il. Quand les preuves lui avaient manqué, elle s'était ingéniée à deviner ce qui avait pu se passer.

— J'ignorais qu'elle s'était remise à boire, dit Stephanie.

— Non, elle n'a pas rechuté... en tout cas pas jusqu'à hier soir, répondit Diana, les bras croisés sur la poitrine, l'épaule appuyée sur le chambranle de la porte. Un quart de bouteille de vodka... quand on veut se tuer il en faut plus, non? C'est pareil pour les somnifères. Si elle n'en avait que cinq ou six, ne les aurait-elle pas mélangés à autre chose?

Comme Stephanie hochait la tête, l'air peu convaincu, Diana reprit :

— Amy va toujours jusqu'au bout des choses. Si elle avait vraiment voulu se suicider, elle n'aurait pas raté sa tentative.

— Tu as besoin d'une réponse et je te comprends, dit gentiment Stephanie. Mais tu cherches à interpréter avec ta propre logique un comportement irrationnel. Le passage à l'acte est toujours inexplicable. Qu'ont dit tes parents — car je suppose que tu les as prévenus? ajouta-t-elle en retirant sa veste et en la jetant sur le dossier d'une chaise.

Avec n'importe qui d'autre, Diana aurait essayé de tricher. De maquiller la vérité.

— Je leur ai laissé un message. Ils n'ont pas rappelé, avoua-t-elle.

Stephanie haussa les sourcils.

— Ils auraient dû déjà se manifester! Le téléphone arabe fonctionne encore mieux dans un hôpital que dans un journal, paraît-il.

— Peut-être que Glenda ne les a pas trouvés. J'espérais...

Elle leur cherchait des excuses. Elle avait escompté qu'ils allaient accourir, mais elle s'était trompée. Ils n'avaient pas rappelé parce qu'ils se fichaient éperdument d'Amy.

Stephanie la regarda.

— Ce que tu espérais n'arrivera pas, dit-elle... Ou alors, dans une vie future.

— Amy serait tellement heureuse, si pour une fois ils lui témoignaient un peu d'intérêt...

— Diana, tu te fais du mal et tu infliges à Amy un tourment de tous les instants. Tu sais bien que tes parents ne se seraient pas montrés, même si elle avait réussi à mourir.

Un frisson parcourut Diana. Hélas, ces durs propos reflétaient la vérité. Elle hocha la tête avec tristesse.

— Ils ne l'ont jamais vraiment aimée. Je n'ai jamais compris pourquoi ils l'ont adoptée. Leurs motivations demeurent pour moi une énigme.

— Leur as-tu posé la question?

— Non.

Son éducation ne le lui permettait pas. En bonne petite fille qu'elle était, Diana ne se mêlait jamais des décisions de sa mère et de son père. Non, elle n'avait posé aucune question. Même lorsqu'elle entendait Amy pleurer et qu'elle l'emmenait dans sa propre chambre, afin de sécher ses larmes. Si les parents négligeaient ostensiblement sa petite sœur, ils avaient sûrement une bonne raison. Leurs critiques acerbes et constantes à son égard devaient être pour son bien. Leur refus de pardonner lui tenait lieu de leçon.

— Il serait grand temps, tu ne crois pas? fit Stephanie.

— Bah, à quoi cela servirait-il, maintenant?

C'était le genre de réplique à laquelle on s'accroche pour avoir la paix...

— Là n'est pas le problème, insista Stephanie. Amy a tout de même le droit de savoir pourquoi elle a été adoptée.

— Oui, tu as raison... Un jour, je vais...

— Pourquoi pas tout de suite?

Diana considéra son amie sans prononcer un mot. Une fois de plus, Stephanie avait raison. Si elle attendait, sa colère, son indignation s'atténueraient, la privant de la force dont elle avait besoin pour affronter ses parents.

— Peux-tu rester un moment près d'Amy? fit-elle.

— Aussi longtemps que tu voudras.

Diana s'approcha du lit, prit la main de sa sœur. Se penchant sur elle, elle cherchait un endroit sans ecchymoses, sans points de suture, pour l'embrasser. Elle posa finalement un baiser sur son front, moins meurtri que le reste du visage.

— Souhaite-moi bonne chance, chuchota-t-elle.

— Je t'appelle si elle se réveille? voulut savoir Stephanie.

Diana hésita un instant. Elle ne souhaitait pas être dérangée en pleine discussion avec sa mère.

— Seulement si son état empire, trancha-t-elle.

Elle ne rapporterait peut-être pas à Amy les réponses qu'elle allait entendre, mais au moins elle saurait la vérité.

7

Diana s'arrêta au stop. Elle pêcha dans la boîte à gants la télécommande qui actionnait le portail, puis regarda le gigantesque W gravé sur les barreaux de fer forgé se scinder en deux, tandis que les grilles s'ouvraient. Petite, elle trouvait normale cette barrière de métal de trois mètres cinquante de haut. Mais plus tard, lorsqu'elle s'était aventurée hors du cocon familial, elle s'était souvent demandé si le système de sécurité ultra-perfectionné dont ses parents avaient équipé leur demeure ne dénotait pas une certaine ostentation. La réponse à cette question lui apparut des années après, quand, ayant son propre appartement, elle put observer sa mère et son père avec un certain détachement.

L'aura du succès s'obtenait de deux manières : on la gagnait ou on la fabriquait. En acceptant de devenir une Winchester — un nom aussi ancien que respecté à travers le Minnesota, bien que la famille ait perdu une partie de la gloire et de la fortune dont elle jouissait jadis —, Eileen avait eu en tête une idée très nette de la réussite sociale. En effet, ses sentiments à l'égard de celui qu'elle épousait ne correspondaient guère au vieil adage de « l'amour est aveugle ». La jeune mariée avait au contraire les yeux grands ouverts. D'emblée, elle avait su qu'elle ne pourrait confier son destin à l'homme qu'elle avait épousé. Suite à un savant calcul, elle s'appliqua à créer une illusion d'importance qui ne devait plus jamais les quitter... Elle choisit le quartier qu'ils allaient habiter avec la plus extrême attention. Ensuite, la maison. Et pas n'importe laquelle. Un véritable palais définissait le statut social du nouveau couple. Pour ce faire, elle avait puisé dans ses économies personnelles et avait dépensé sans compter. Elle ne s'était pas trompée. Les revenus de Carl ne cessèrent d'augmenter et bientôt, l'illusion devint réalité. « La fin justifie les moyens » constituait en toutes circonstances la devise d'Eileen. Elle était prête à tuer si quelqu'un se mettait en travers de son chemin.

Dédaignant le portique et l'entrée principale de la maison, Diana se gara dans l'arrière-cour, préférant passer par la cuisine. Helen, sa vieille gouvernante, pelait des carottes devant l'évier. La vue de Diana fit éclore un large sourire sur ses lèvres.

— Tu sais bien que ta mère déteste te voir arriver en catimini, petite, dit-elle en essuyant ses mains sur un torchon.

— Est-elle là ?

D'habitude, chaque fois que Diana rendait visite à ses parents, elle se délectait d'abord de la compagnie d'Helen. La brave femme lui racontait des anecdotes hilarantes à propos de ses petits-enfants — un antidote aux cancans empoisonnés qu'Eileen colportait avec délice. Seulement aujourd'hui, en dépit de son désir d'évasion, Diana n'avait pas une minute à consacrer à sa chère gouvernante.

Helen jeta son torchon sur le plan de travail avant de s'approcher d'elle. Son sourire avait disparu.

— Je viens de lui apporter du thé, répondit-elle. Elle est dans son bureau.

— Et Papa ?

— Monsieur est parti il y a une heure environ.

— Oh, flûte ! (Ce qu'elle avait l'intention de dire lui paraissait trop dur à recommencer quand son père serait de retour.) J'aurais voulu les voir tous les deux.

— Est-ce que ça va? s'enquit prudemment Helen.
— Oui... Non! Pas du tout!
Pourquoi nier l'évidence?
— Si je peux faire quelque chose...
Chez les Winchester, les problèmes de famille exigeaient la plus grande discrétion. Les secrets ne transpiraient jamais à l'extérieur. Encore une règle instituée par la maîtresse de maison, à laquelle il fallait se conformer. Si on a mal, on souffre dans son coin. Et si on a envie de pleurer, on s'enferme dans sa chambre à double tour avant de verser la moindre larme. Ce prétendu code de l'honneur avait été établi pour des raisons sociales. Il engendrait une profonde solitude, une détresse abyssale auxquelles, parfois, l'alcool et les barbituriques paraissaient apporter un semblant de réconfort.
— Oui, tu peux, répondit Diana. Pas pour moi. Pour Amy. Appelle-la dans deux ou trois jours, quand elle sera sortie de l'hôpital. Elle en sera ravie. Elle t'adore.
— Mais personne ne m'a prévenue... Pourquoi est-elle à l'hôpital? Que s'est-il passé? Comment va-t-elle?
Les traits d'Helen reflétaient une inquiétude qui mit du baume au cœur lourd de Diana. La gentillesse des étrangers s'était souvent révélée éphémère. Pas celle des amis... Et à sa manière, Helen était une véritable amie. Eileen serait folle de rage si elle apprenait que sa domestique savait la vérité au sujet d'Amy; mais aujourd'hui, Diana se moquait éperdument des états d'âme de sa mère.
— Quelqu'un l'a agressée, expliqua-t-elle. Battue... Alors elle a avalé un quart de bouteille de vodka avec des somnifères.
— Dieu du ciel! La pauvre gosse! s'exclama Helen en se signant. Est-ce qu'elle va s'en sortir?
— Les médecins disent que oui.
— Pourrais-je la voir? Est-ce qu'ils me laisseraient?...
Son affection fit monter des larmes aux yeux de Diana.
— Oui, Helen. Si tu as le temps.

— Mais oui, ma petite fille! s'écria la gouvernante en l'entourant de ses bras. Bien sûr que j'ai le temps.

— Je préviendrai les infirmières de ta visite.

— Je lui apporterai des cookies, si c'est autorisé. Des cookies aux éclats de chocolat, ils ont toujours été ses préférés.

Diana aurait parié un an de salaire que sa mère aurait été incapable de se souvenir d'un tel détail.

— Elle ne pourra peut-être pas les manger tout de suite mais oui, apporte-les-lui. Elle en sera très émue.

La perspective de se rendre utile alluma une lueur de contentement dans les yeux d'Helen.

— Je les ferai cuire cet après-midi, fit-elle.

— Merci, Helen.

— De quoi?

— De ton intérêt.

— Et ça t'étonne? s'offusqua Helen en secouant la tête. Toi et Amy, je vous aime comme mes propres enfants.

Elle se précipita vers l'office, revint en brandissant une feuille de papier — la liste de ses emplettes.

— Je perds la mémoire. Il faut que je note tout. Maintenant, donne-moi le numéro de la chambre d'Amy et l'adresse de l'hôpital.

Peu après, Diana emprunta à contrecœur le couloir qui conduisait au bureau d'Eileen. La porte était fermée. Elle frappa.

— Oui? Qui est-ce?

— C'est moi, Maman, répondit Diana en ouvrant la porte et en pénétrant dans la pièce. Je voudrais te parler.

Normalement, elle aurait ajouté « si tu as deux minutes à me consacrer ». Elle n'en fit rien.

Avec une sorte d'impatience retenue, Eileen retira ses lunettes en demi-lune, repoussa sa chaise loin du bureau Louis XIV et se leva.

— Justement, je t'attendais, dit-elle.

Comme toujours, elle avait le physique de son rôle.

Aujourd'hui, elle jouait les châtelaines, ce qui requérait une apparence classique — léger hâle, pantalon de lainage, chemisier de soie écru, escarpins à talons. Les bijoux étaient réduits au strict minimum : un collier en or assorti de simples boucles d'oreilles, en or également. Une montre Piaget ornait son poignet.

— Je t'ai laissé un message il y a des heures, dit Diana. Pourquoi ne m'as-tu pas rappelée?

Eileen posa un regard glacial sur sa fille.

— Ne me parle pas sur ce ton, s'il te plaît.

Diana referma la porte. C'était un des vieux subterfuges d'Eileen de la traiter comme une enfant qui fait un caprice. Or, quelque part entre la cuisine et le bureau, Diana avait réussi à réviser ses positions. Gagner l'approbation ou la coopération de sa mère était le cadet de ses soucis.

— Ton petit jeu ne marchera pas cette fois-ci, Maman. Tu ferais mieux d'économiser ta salive.

Eileen ne chercha pas à dissimuler sa surprise.

— Comment?... Ou tu te comportes correctement, ou je...

— Ou tu... quoi? Tu me jettes dehors? Tu me déshérites?

L'étonnement d'Eileen se mua en indignation.

— Ah! je vois. Elle t'a tout dit. On ne peut pas lui faire confiance à cette petite garce!

Diana s'immobilisa. Un événement s'était produit, mais lequel? Elle n'en avait pas la moindre idée. Surtout ne pas se trahir. Surtout ne pas montrer sa confusion. Sa seule chance de découvrir à quoi sa mère faisait allusion, c'était de jouer le jeu.

— Oui, bien sûr, assura-t-elle, présumant que *elle* désignait Amy. On se dit tout, alors...

Eileen s'empara du téléphone.

— Dieu merci, il n'est pas trop tard. Je peux encore faire opposition au chèque.

— A ta place, je réfléchirais à deux fois avant d'agir.

— Vraiment? fit Eileen, la main sur le combiné. Et pourquoi?

Il fallait une réponse sans faille. Rompue au jeu des devinettes, Eileen Winchester détecterait à coup sûr la plus infime fausse note.

— Parce que si tu téléphones à ton banquier, tu n'auras plus aucune chance d'obtenir ce que tu veux, affirma Diana.

Eileen hésita, tel un fauve flairant le piège devant une proie trop facile... Finalement, n'ayant rien décelé de suspect, elle ébaucha un pas en avant.

— Tu veux dire qu'on peut encore espérer qu'elle va quitter les Twin Cities?

L'espace d'une seconde, Diana resta sans voix. Son esprit s'efforçait frénétiquement de rassembler les pièces du puzzle. La conclusion logique qui s'imposait semblait trop abjecte, même venant de la part de sa mère. Hélas! Il n'y en avait pas d'autre.

— Tu as offert de l'argent à Amy pour qu'elle s'en aille? Comment as-tu pu faire une chose pareille à ta propre fille?

— Elle n'est pas ma fille! rétorqua Eileen en raccrochant brutalement le téléphone.

Tout s'expliquait. L'attitude d'Amy, puis sa tentative de suicide. La douleur, fulgurante, coupa le souffle à Diana.

— Quelle méchanceté! hurla-t-elle. Tu me rends malade.

— Comment oses-tu me parler ainsi? Je suis ta mère. Tu me dois le respect.

— Le respect se mérite.

Pour la première fois de sa vie, Eileen ne sut que répliquer; elle se tut un instant, comme si les mots soudain lui manquaient, après quoi elle décréta d'une voix plus douce :

— Tout est de sa faute. Amy nous a causé les pires

ennuis du premier jour où nous l'avons amenée dans cette maison.

— Du premier jour? Elle n'était qu'un nourrisson! Elle avait à peine une semaine.

— Elle n'a pas cessé de pleurer. Elle a hurlé pendant six mois.

— Beaucoup de bébés souffrent de coliques. Elle n'y était pour rien.

— Avant son arrivée, tu étais une petite fille aimante et heureuse. Dès qu'elle a été là, tu as changé. Tu es devenue secrète. Tu te glissais dans sa chambre pour dormir avec elle, sans tenir compte de mes interdictions. Tu t'es mise à nous mentir, à ton père et à moi, à propos d'elle.

Sa main se leva, coupant la parole à Diana.

— N'essaie pas de le nier, je sais tout. Par exemple que tu inventais des histoires pour couvrir ses bêtises. Je ne lui ai jamais pardonné de t'avoir retournée contre nous.

Il était inutile d'insister sur ce point. Au lieu d'argumenter, Diana demanda :

— Pourquoi l'avez-vous adoptée?

Bizarrement, Eileen ne tenta pas d'éluder la question.

— Une idée de ton père. Il a commencé à m'en parler dès l'instant où nous avons découvert que nous ne pourrions plus avoir d'autres enfants.

Eileen ne se sentait jamais coupable. La plupart du temps, elle rejetait la responsabilité sur quelqu'un d'autre. Elle possédait une mémoire particulièrement sélective en ce domaine... Mais pour une fois, Diana la crut.

— Pourquoi une autre fille? demanda-t-elle. Pourquoi pas un garçon?

— Cela n'a rien à voir. Ton père ne voulait pas que tu grandisses comme lui... Petit, il suppliait ses parents de lui donner une sœur ou un frère, mais ils étaient trop accaparés par leurs carrières pour remarquer sa solitude. Il s'est juré qu'il n'imposerait jamais la même chose à son propre enfant.

— Mais toi, quand tu ne veux pas quelque chose, tu refuses. Alors pourquoi as-tu cédé?

— J'ai été assez bête pour me laisser convaincre. D'après lui, tu serais plus heureuse si tu avais quelqu'un pour te tenir compagnie. (Elle eut un rire amer.) Tu as été bien servie, ma pauvre chérie.

— Tu veux dire que tu n'as jamais considéré Amy comme ta fille? Pas même au début?

— J'en avais déjà une. Une fille que j'ai portée, que j'ai mise au monde. Comment aurais-je pu éprouver les mêmes sentiments vis-à-vis d'une étrangère?

— Une étrangère? Amy était un minuscule être humain, quand tu l'as amenée à la maison. Un bébé innocent.

Eileen se rassit à son bureau où elle fit semblant de mettre de l'ordre, déplaçant un presse-papiers en cristal de Baccarat en forme de club de golf, glissant un stylo Mont-Blanc dans son étui, jetant dans un tiroir un trombone plaqué or.

— Je ne te demande pas de m'approuver. Tu comprendras mieux quand Stuart et toi aurez un bébé. Il existe entre une mère et son enfant un lien indestructible. D'où l'expression « la chair de ma chair ». Le reste n'est que sottises. Tous ces gens qui prétendent aimer aussi fort leurs enfants adoptifs que ceux qu'ils ont conçus se mentent à eux-mêmes... Et aux autres.

Tout s'expliquait. Par exemple le traitement de faveur accordé à Diana au détriment d'Amy pendant leur enfance, sous prétexte que la première était une petite fille sage et la seconde une chipie. Effarée, Diana regarda sa mère.

— Tu ne l'as jamais aimée. Tu n'as même pas essayé.

Eileen s'adossa à son siège, telle une reine sur son trône s'apprêtant à rendre justice à ses humbles sujets.

— Diana, j'en ai assez de tes reproches. Nous avons tout donné à cette fille, y compris le nom de ton père. Elle a vécu dans une superbe maison, elle a fréquenté les meilleures écoles. Nous lui avons procuré toutes les chances de devenir quelqu'un... Et comment nous a-t-elle payés en retour ? Ton père ne te le racontera peut-être pas, mais il a cru avoir une attaque quand il a vu le nom des Winchester étalé à la une des journaux. Quelle honte ! Il a failli donner sa démission aux membres du conseil. Je ne pardonnerai jamais à Amy de l'avoir humilié à ce point.

Des fragments de souvenirs, brèves scènes pénibles, traversèrent la mémoire de Diana. Elle revit Amy, toute petite, essayant de ramper jusqu'au canapé où Eileen était assise. Les mots n'étaient pas nécessaires. Un froncement de sourcils suffisait pour renvoyer la fillette dans son coin. Ce fut le père de Diana qui lui apprit à conduire. Amy, elle, avait été envoyée dans une auto-école. A l'époque où Diana suivait ses études dans un collège prestigieux, Eileen et Carl menaient de leur côté une flamboyante vie sociale. Ils assistaient à toutes les premières, tous les concerts, toutes les soirées mondaines. Ils n'avaient plus une minute à consacrer à Amy.

Toute sa vie, Diana avait reçu de ses parents une éducation dorée dont ils avaient privé Amy. Diana représentait leurs espérances, leurs ambitions, leur soif de réussite. Tout ce qu'ils attendaient d'Amy, c'était qu'elle se comporte de manière à ne pas mettre la famille dans l'embarras. Rien de plus. Rien de moins. Ils lui accordaient si peu d'importance...

— Et quand tu as finalement décidé d'adopter un enfant, comment as-tu procédé ? demanda Diana.

Prise de court, Eileen détourna la tête.

— Qu'est-ce que cela peut faire ?

Diana parvint à maîtriser sa colère. Une franche dispute avec sa mère n'aurait servi à rien.

— Pourquoi lui as-tu offert de l'argent pour qu'elle quitte les Twin Cities ?

— Je l'ai fait pour ton père. Et pour toi.

— Mais elle ne partira pas, à moins d'avoir une raison

valable. Sa vraie famille, par exemple. Si je retrouvais sa mère biologique...

Eileen parut considérer l'idée.

— Qu'est-ce qui te fait penser que sa mère voudrait la revoir?

— Presque vingt-six ans se sont écoulés. Peut-être a-t-elle changé d'avis. Il paraît que beaucoup de femmes regrettent d'avoir abandonné leur enfant.

— Et si elle ne regrette rien?

— On dirait que tu prends un malin plaisir à me contrarier. As-tu une meilleure idée?

— Je ne comprends pas ton acharnement à toujours te mettre en quatre pour voler au secours d'Amy. Ton esprit de sacrifice. Est-ce qu'elle t'a jamais aidée, elle?

Eileen la mettait à l'épreuve. Diana avait intérêt à jouer serré si elle voulait gagner la coopération de sa mère.

— Cette fois-ci, je pense à toi et à Papa. Pas à Amy.

Curieusement, Eileen la crut. Son regard se fit lointain, comme si elle contemplait son passé. Une vie entière pendant laquelle elle n'avait vu que ce qui l'arrangeait.

— C'était une adoption privée, dit-elle finalement.

Avant qu'elle puisse en dire plus, la porte s'ouvrit brutalement. Carl Winchester entra en trombe dans la pièce. Aussitôt, il se tourna vers Diana.

— Nom d'un chien! Quand cela va-t-il donc s'arrêter?

Les veines de son cou, gonflées, palpitaient à chaque pulsation de son cœur. Elle n'avait jamais vu son père aussi furieux. D'instinct, elle recula.

— Mais de quoi parles-tu? dit-elle.

— Ne fais pas l'idiote, Diana. J'en ai jusque-là! hurla-t-il en portant la main à son front.

— C'est Amy? demanda-t-elle, et un frisson de peur glacé lui parcourut l'échine. Il lui est arrivé quelque chose?

— Tu sais très bien ce qui lui est arrivé, grogna Carl, au bord de l'apoplexie. Mais tu ne t'es même pas donné la peine de me prévenir. Je l'ai su par un infirmier. J'ai à peine saisi ce qu'il me racontait... Bon Dieu, si tu savais ce que j'ai pu ressentir...

La peur de Diana se transforma en colère.

— C'est tout ce qui t'intéresse, n'est-ce pas? Ce que, toi, tu as ressenti?

Carl lui décocha un regard furibond.

— Parce que tu voudrais que je me fasse du souci pour une putain qui se fait tabasser par un de ses clients?

Il assenait chaque mot comme un coup de poignard.

— Tu ne penses pas ce que tu dis.

— Oh, que si!

Il fallait qu'elle sorte d'ici. Le plus vite possible.

— Ne t'approche pas d'elle! lança-t-elle à son père. (Puis, se tournant vers sa mère :) Ton chèque, tu peux le déchirer. Dorénavant, c'est moi qui subviendrai aux besoins d'Amy.

Elle ne put esquiver le coup. Une sensation de brûlure envahit la moitié gauche de son visage, sa tête ballotta, elle crut voir trente-six chandelles. Elle recula, effarée, la paume sur sa joue meurtrie. Il l'avait giflée. Jusqu'alors, il n'avait jamais porté la main sur elle. Son geste venait de lui faire plus de peine encore que de mal. Elle regarda fixement son père pendant un long moment, incrédule.

— Dis donc, Papa, comment se sent-on après avoir frappé une femme? Plus fort? Plus maître de la situation? (Il ouvrit la bouche mais elle l'interrompit :) Crois-tu que l'ordure qui a tabassé Amy a éprouvé la même satisfaction?

— Je n'aurais sans doute pas dû, mais...

— Sans doute? rétorqua-t-elle.

— Tu es ma fille. Je...

— Tais-toi. Cela n'a plus d'importance.

Elle voulut se précipiter vers la porte.

— Ne t'en va pas, dit-il. Pas avant que nous ayons fini cette discussion.

— Tu n'as rien à me dire. Et je ne veux rien entendre.

— Laisse-la, Carl, intervint Eileen. Elle essaie simplement d'attirer ton attention.

Diana regarda sa mère.

— Stuart aurait sûrement la même opinion que toi.

Eileen adressa un sourire suave à son mari.

— Chéri, calme-toi. Diana ne parle pas sérieusement, voyons. Et puis, tu n'as pas de souci à te faire. Stuart s'occupera d'elle.

8

Trois balles manquées, tu sors du jeu.

La métaphore trotta dans la tête de Diana durant le trajet du retour vers l'hôpital... Ses parents avaient eu des dizaines d'occasions de renvoyer la balle, mais ils les avaient dédaignées. Ils avaient d'ailleurs perdu la partie des années auparavant, mais aucun juge ne les avait disqualifiés.

Les joueurs de base-ball comptent sur l'arbitre pour s'assurer que le match soit juste. Il n'y avait pas d'arbitre pour Amy. Personne n'avait jamais endossé ce rôle. Diana avait essayé, bien sûr, mais elle n'était pas la bonne personne. Elle ignorait les véritables règles du jeu. Trop accaparée par ses propres batailles, elle ne s'était pas doutée des souffrances morales de sa sœur.

Pourtant, le projet de remonter le passé d'Amy, qui avait germé un peu plus tôt, prenait peu à peu forme. Mais était-il possible que, tant d'années après, l'amour maternel accomplisse son miracle ? Que l'autre mère, la vraie, parvienne à réparer les dommages causés par Eileen et Carl Winchester ? Ou bien était-ce trop tard ? Parfois la destruction d'un être est si totale, si profonde qu'elle en devient irréversible. Si c'était le cas, Amy ne réussirait jamais à avoir une image positive d'elle-même.

Un coup de klaxon rageur tira Diana de ses méditations. Le feu était passé au vert. Comme tous les samedis, la circulation était fluide, ce qui n'autorisait pas pour autant la flânerie. Elle redémarra. Un quart d'heure plus tard, elle se garait sur l'aire de stationnement de l'hôpital. Elle fit une halte dans l'une des boutiques du hall où elle acheta des fleurs. Un geste machinal, dépourvu de sens dans les circonstances présentes. Mais si Amy se réveillait, elle serait peut-être heureuse de découvrir les rayonnantes tulipes jaunes, roses et orangées.

Stephanie se tenait à la fenêtre quand Diana entra dans la chambre.

— Comment va-t-elle? chuchota-t-elle comme si la blessée dormait tout simplement.

— Elle a gémi deux ou trois fois, elle a bougé un peu mais elle n'a pas encore ouvert les yeux.

— Est-ce que le docteur est passé?

Stephanie fit oui de la tête.

— Et ton entretien avec ta mère? demanda-t-elle.

Diana ne répondit pas tout de suite. Elle disposa les fleurs sur la table de nuit, se pencha sur Amy. Il lui sembla que les hématomes et les boursouflures n'étaient plus les mêmes. Que certains s'étaient améliorés, tandis que d'autres avaient empiré. Elle se tourna enfin vers Stephanie.

— Très instructif, dit-elle. J'ai appris des choses étonnantes.

— Quoi, par exemple?

Révéler les sombres secrets des Winchester, même à une amie proche, la mettait mal à l'aise. Debout devant la fenêtre, elle écarta délicatement du bout de l'index les minces lamelles lustrées des stores vénitiens, et regarda à l'extérieur. Un instant après, elle se remit à parler d'une voix si basse que Stephanie dut se rapprocher pour l'entendre.

— Tu connais ces gosses gâtés qui ont leur poney?... Mes parents à moi sont allés beaucoup plus loin. Ils m'ont offert une sœur.

— Excuse-moi, mais je n'ai pas bien compris.

— M. et Mme Winchester ne supportaient pas que leur petite fille chérie grandisse toute seule. Alors, ils lui ont acheté une compagne.

— Diana! Si tu cherches une raison supplémentaire pour culpabiliser vis-à-vis d'Amy, c'est gagné.

— Je suis quand même à l'origine de cette adoption, non?

— Arrête! Battre ta coulpe n'arrangera rien, crois-moi.

Diana considéra son amie.

— Tu as raison. A force de me répéter, je deviens assommante. Brrr! ajouta-t-elle en grimaçant.

— Pénible, je dirais, plutôt qu'assommante, dit Stephanie en souriant.

— Eh bien, fini tout ça! Ecoute, fit Diana en jetant un coup d'œil à Amy, qui dormait toujours profondément, j'ai besoin de ton aide.

Stephanie, qui la regardait fixement, remonta tout à coup le store. La lumière crue inonda la pièce.

— Qu'est-il arrivé à ta joue? demanda-t-elle.

Instinctivement, Diana cacha la moitié gauche de son visage avec sa main.

— Mon père a fait un peu de discipline.

— Il t'a frappée? s'indigna son amie.

— Giflée...

— Tu joues avec les mots, ma belle.

— Je sais.

Elle baissa sa main, consciente d'avoir cherché à cacher non pas l'empreinte de la gifle sur sa joue, mais le fait que son père l'avait corrigée. Peut-être pour le protéger? Elle avait lu quelque part que les femmes battues se comportaient souvent de cette manière. Son regard dériva vers Amy.

— Tu crois qu'elle a pris les cachets et la vodka parce qu'elle s'est sentie coupable? demanda-t-elle. Etait-ce sa façon de fuir la réalité?

— Probablement. Fuir, mais pas mourir. Sinon, elle

ne se serait pas contentée de cinq ou six somnifères. Elle aurait vidé sa pharmacie.

Ce disant, Stephanie baissa le store, plongeant la pièce dans une douce pénombre.

— Mais tu disais que tu avais besoin de mon aide, ajouta-t-elle. De quoi s'agit-il?

— Je voudrais retrouver la mère biologique d'Amy, déclara Diana d'une voix déterminée. Mais... (Le ton devint moins sûr.) Je n'ai pas la moindre idée de la façon dont je dois orienter mes recherches.

Stephanie réfléchit, le regard concentré.

— Attends... Un de nos magazines a publié une histoire, l'année dernière, ou celle d'avant. Une femme quelque part à Chicago... ou à Detroit, qui effectuait ce genre d'investigations. Un as de la profession. Presque cent pour cent de réussites. On a réussi à la coincer. Son travail n'était pas très régulier. Il semble qu'elle ait eu un réseau de contacts, des policiers qui lui vendaient des informations... Cela s'appelle de la corruption de fonctionnaires... Si mes souvenirs sont exacts, le fait divers a été porté à la connaissance du public quand elle est sortie de prison, tandis qu'elle s'apprêtait à rouvrir son agence... Espérons qu'elle restera dans le droit chemin, cette fois-ci.

— Comment s'appelle-t-elle?

Stephanie sourit.

— Je n'ai pas la mémoire des noms. Mais Mike Jones, à qui je passerai un coup de fil en sortant d'ici, s'en souviendra, j'en suis sûre. Je lui demanderai également de m'adresser une liste de recherches concernant des mères biologiques.

— Qui est ce Mike Jones?

— Le directeur des archives du journal. Un type très efficace. Et rapide, ce qui ne gâche rien.

Sa stratégie paraissant assurée, Diana se sentit submergée par une autre angoisse.

— Je ne veux pas qu'Amy sache, lança-t-elle. Pas pour le moment.

— Méfie-toi. Si jamais elle soupçonne que tu lui caches quelque chose...

— Je serai prudente.

— Sans vouloir t'influencer, je crois que...

— Non, Stephanie. Je n'ose pas prendre un tel risque. Suppose que je la mette au courant et qu'ensuite sa mère naturelle refuse de la voir... Combien de fois une personne normale supporte-t-elle d'être rejetée?

— Je n'y avais pas pensé, admit Stephanie. J'ai toujours entendu parler de mères qui font tout pour retrouver leurs gosses... Sans doute y en a-t-il quelques-unes qui souhaitent le contraire.

— Si ce n'est la majorité.

A ce moment, un petit gémissement échappa à Amy, qui porta vers son visage son bras piqué de l'intraveineuse. Diana se précipita à son chevet. Deux, trois minutes passèrent; les paupières de la blessée frémirent. Enfin, elle ouvrit les yeux et fixa avec un effort soutenu le visage flou de Diana.

— Salut, dit celle-ci. Je commençais à me dire que tu allais dormir toute la journée.

— Qu'est-ce que tu... veux?

— Nous avions rendez-vous, tu t'en souviens?

Amy fronça les sourcils.

— Euh, oui... J'ai dû... faire la grasse matinée.

Elle essaya de s'asseoir mais bascula aussitôt en arrière.

— Oh, Seigneur, ma tête va exploser.

— Ça ne m'étonne pas, répondit Diana en tapotant l'oreiller.

L'œil d'Amy capta alors la bouteille de sérum suspendue à la potence.

— Où suis-je? demanda-t-elle.

— A l'hôpital.

Amy voulut tourner la tête. La douleur, fulgurante, lui fit reprendre aussitôt sa position initiale.

— Pourquoi? demanda-t-elle après un long silence. Que s'est-il passé?

— Quelqu'un t'a agressée. Tu es rentrée chez toi et tu as avalé plusieurs somnifères avec de la vodka. Je n'en sais pas plus. Toi seule pourrais combler mes lacunes.

Amy ferma les yeux. Elle resta immobile si longtemps que Diana crut qu'elle s'était rendormie.

— Je ne veux pas en parler, articula-t-elle finalement.

Diana ouvrit la bouche, prête à poser mille questions. La main de Stephanie sur son bras lui imposa le silence.

— Bon, d'accord. J'attendrai.

Amy parut se détendre; l'instant suivant, sa respiration devint plus légère, plus régulière. Elle s'était replongée dans sa torpeur. Le médecin avait prévenu Diana. Sa sœur se remettrait lentement. Aux longues périodes de sommeil succéderaient de brefs moments de veille pendant lesquels elle serait assommée, voire confuse.

— Tu crois qu'elle changera d'avis? demanda Diana.

Stephanie haussa les épaules.

— Franchement, non, je ne le crois pas.

— Alors comment vais-je l'empêcher de recommencer?

Son amie l'entraîna vers la fenêtre où elles continuèrent leur conversation dans un murmure.

— Tu ne peux pas empêcher Amy de reprendre des somnifères, ni de les faire passer avec de l'alcool. On ne sauve pas les gens malgré eux. Comme on ne vit pas à leur place.

— Je le comprends... ici, soupira Diana en se touchant le front, mais pas là, poursuivit-elle en pressant la main contre son cœur. Oh, Stephanie, j'ai si peur...

— Amy se dit qu'elle ne vaut rien. Tu ne l'aideras pas si elle se met à penser qu'elle te gâche la vie, à toi aussi.

— Non, non, ça va aller. Je commencerai par lui offrir l'hospitalité jusqu'à ce qu'elle soit sur pied.

— Ah oui? Et où dormira-t-elle, la pauvre petite? Par terre? Ou allez-vous partager ton futon?

Diana regarda son amie. Il lui avait été toujours plus pénible de réclamer que de donner. Elle n'empruntait jamais mais prêtait volontiers. Quand ses amis partaient en vacances, elle se proposait pour garder leurs animaux domestiques ou pour arroser leurs plantes.

— Cela me rappelle le deuxième service que je voulais te demander, murmura-t-elle en forçant un sourire sur ses lèvres.

— Mon petit doigt me dit qu'il ne faut pas que je t'écoute.

— Tu ne peux pas refuser.

— Merci!

Diana extirpa sa carte de crédit de son portefeuille.

— Voilà. Cours chez *Dayton's*, achète deux lits, trois ou quatre meubles.

De la carte, le regard de Stephanie remonta vers le visage de Diana.

— Tu veux que j'achète du mobilier à ta place?

— Ma chérie, je t'en demande trop, je sais, mais je ne veux pas laisser Amy. Pas maintenant qu'elle s'est réveillée. Si jamais elle avait envie de me parler... de me confier qui est le monstre qui l'a mise dans cet état...

— Tu n'es pas raisonnable. Les meubles coûtent une fortune. Ce n'est pas comme si tu m'envoyais chercher un ouvre-boîte.

— Prends n'importe quoi, je m'en fiche. Une paire de lits jumeaux, quelques fauteuils, de quoi héberger Amy quand elle sortira de l'hôpital.

— Et s'ils ne te plaisent pas?

La fameuse assurance de Stephanie s'était volatilisée, laissant la place à une facette inconnue de sa personnalité. Diana lui sourit.

— Orange, jaune, vert avocat... Tu ne peux pas te tromper.

Son amie écarquilla les yeux.

— Tu n'es pas sérieuse.

— Non. Ecoute, tout ce que je n'aimerai pas, je te le revendrai à moitié prix. D'accord?

Stephanie eut l'air de considérer l'offre.

— Marché conclu, finit-elle par dire.

— Maintenant, file avant la fermeture des magasins!

— Je passerai chez Amy pour pouvoir lui rapporter quelques affaires. Dois-je prévenir ses amis qu'elle est à l'hôpital?

Ce serait trop lui demander, songea Diana.

— Je m'en occuperai lorsqu'elle sera installée chez moi, répondit-elle. En attendant, je lui prêterai des vêtements.

— Et pour ses amis?

— Je ne suis pas sûre qu'elle voudra leur raconter ce qui lui est arrivé... Nous lui poserons la question dès qu'elle sera bien réveillée.

Stephanie passa la bride de son sac sur son épaule.

— Eh bien, à plus tard.

Une vague de gratitude submergea Diana. Elle n'avait peut-être pas les meilleurs parents du monde, mais le destin lui avait envoyé une véritable amie. Elle serra Stephanie dans ses bras, avec toute la force de ses sentiments. Ses yeux étaient humides.

— Merci, murmura-t-elle. Merci pour tout.

Stephanie réapparut quatre heures plus tard, resplendissante dans une robe noire qui la moulait comme une seconde peau; visiblement, elle ne portait rien dessous. Des sandales à fines lanières d'argent et à talons aiguilles lui gainaient les pieds, des pendants d'oreilles scintillants frôlaient ses épaules.

— J'imagine que je n'ai aucune chance de t'attirer hors de cette chambre, dit-elle en posant les deux sacs de papier blanc qui l'encombraient. Par conséquent, j'ai apporté le repas.

Diana ferma le magazine qu'elle était en train de feuilleter.

106

— Amy appréciera, tout comme moi, mais tu n'avais pas besoin de te mettre sur ton trente et un pour nous.

Stephanie fit nonchalamment un tour sur elle-même.

— Bah... C'est une robe qui date de Mathusalem et que j'ai retrouvée au fond d'un vieux placard...

— Ouais... Avec un sac Judith Leiber que tu as acheté le siècle dernier dans une boutique de troc.

Stephanie sourit.

— Tu aimes?

— Est-ce qu'on peut aimer quelque chose et crever de jalousie en même temps?

— Charmant!

— Tu ne m'avais pas dit que tu avais des projets pour la soirée. Sinon...

— Sinon?

— Je ne t'aurais pas envoyée faire du shopping.

— Mais j'ai adoré courir les grands magasins! J'espère que ton compte est approvisionné... Je suis tombée sur un vendeur qui a tout fait pour me pousser à la consommation.

— Je te dois une fière chandelle, ma chérie.

— Tu ne me demandes pas combien j'ai dépensé?

— Cela m'est complètement égal.

Stephanie extirpa de son sac la carte de crédit de Diana et la rendit à sa propriétaire.

— Je me suis retenue... J'ai failli craquer pour une table basse qui coûtait plus cher que le canapé et la bergère réunis. J'ai résisté. Nous pourrions peut-être y retourner ensemble... Mais tu n'as pas l'air intéressée.

— Sans la mésaventure d'Amy, j'aurais passé les six prochains mois sur ton futon... Je suis très intéressée, en revanche, par ton rendez-vous de ce soir. Qui est l'heureux élu?

— Stan Houghton. Je l'ai rencontré il y a un an environ, quand je faisais un reportage sur l'équipe des Vikings. Depuis, on se voit de temps à autre.

La cachottière!

— Ah, ah! Joueur ou entraîneur?

— Je t'en prie! J'ai autre chose à faire que de sortir avec des footballeurs...

Avant que son amie lui rappelle le nombre de joueurs de football professionnels dont le charme viril l'avait subjuguée, Stephanie ajouta prestement:

— ... Pour le moment!

Diana prit les sacs, en respira l'appétissant fumet.

— Ça sent divinement bon... Et je meurs de faim.

— Comment va notre malade?

— Mieux. Depuis que tu es partie, elle ouvre les yeux et les referme. La dernière fois, elle est restée éveillée dix bonnes minutes.

— C'était il y a longtemps?

— Juste avant que tu arrives, répondit Diana, intriguée.

La question n'était pas anodine.

— Pourquoi? reprit-elle.

— Je suis passée au journal, dit Stephanie.

— Tu l'as?...

Diana posa la nourriture sur la table de nuit. Un bref coup d'œil pour s'assurer que sa sœur dormait profondément, puis elle saisit l'enveloppe que son amie lui tendait. Elle contenait une liste de noms et de numéros de téléphone.

— Là, en tête, Margaret McCormick, c'est la femme dont je t'ai parlé, expliqua Stephanie en se penchant par-dessus l'épaule de Diana, qui lisait. Au cas où le contact ne se ferait pas, Mike y a ajouté les noms d'autres détectives qui font le même genre de recherches.

— J'ignorais que la recherche de personnes constituait un marché aussi florissant.

— D'après Mike, ce n'est qu'un échantillon.

— Je trouverai le moyen de le remercier.

— Le chocolat est son péché mignon. Envoie-lui une boîte.

— Je me demande comment elle est, murmura Diana, les yeux rivés sur la liste.

— Qui ça?

— La mère d'Amy.

— Elle pourrait ressembler à n'importe qui.

— Et si elle était très jeune quand elle a eu son bébé et qu'aujourd'hui elle soit célèbre, par exemple? Ce serait dur.

— Moins que si tu la détestes au premier coup d'œil. Lui parleras-tu d'Amy quand même?

— Je ne sais pas.

— Tu as le temps d'y songer. Pour l'instant, un excellent repas chinois attend d'être consommé.

— Mais, tu ne dînes pas dehors?

— Si.

Stephanie saisit l'un des sacs, en sortit une petite boîte blanche et deux baguettes.

— Mais pas au restaurant chinois, ajouta-t-elle.

— Ta gourmandise te perdra!...

Stephanie prit délicatement une poignée de crevettes et les mit dans sa bouche, en roulant des yeux extasiés au plafond.

— Je sais... Je ne suis pas responsable de mon métabolisme.

— C'est sûrement héréditaire. Il n'y a pas une branche pourrie sur ton arbre généalogique?

— D'après la rumeur, le cousin de mon arrière-arrière-grand-oncle était un fameux voleur de chevaux. Résultat, ce vieux bandit a fini au bout d'une corde.

— Tu mens.

— Oui. Mais c'est une bonne histoire, tu ne trouves pas?

Diana mordit dans un délicieux pâté impérial en se disant qu'un jour peut-être, Amy aurait aussi de bonnes histoires à raconter sur sa propre famille.

9

Amy roula sur le côté, fit passer ses pieds par-dessus le rebord du lit. S'aidant de ses bras, elle se mit prudemment en position assise. Lorsqu'elle restait couchée, elle avait l'impression qu'un couteau la transperçait à chaque inspiration. Depuis deux jours qu'elle était autorisée à se lever, son but principal consistait à se traîner du lit à la salle de bains, et inversement, sans tourner de l'œil. Elle y arrivait parfois... mais pas toujours.

Elle prit appui sur les barreaux du lit, le regard rivé à la fenêtre, essayant de deviner l'heure à la densité des rais de lumière entre les interstices des stores vénitiens. Aujourd'hui, l'infirmière lui avait dit qu'elle pourrait rentrer chez elle après le déjeuner.

Enfin, pas vraiment chez elle. Diana avait décrété qu'elle allait l'héberger pendant quelques jours. Elle avait insisté et Amy n'avait pas eu le cœur de refuser, bien qu'elle eût préféré rester seule, ne fût-ce que pour réfléchir à ce qui s'était passé. Mentalement, elle était sur la corde raide, mais elle ne le montrait pas, bien sûr. Diana ne semblait pas prête à la laisser tranquille. L'inquiétude, peut-être. Ou le manque de confiance. Amy comprenait cela très bien. Mais malgré les ruses de sa sœur, elle n'avait pas soufflé un mot de plus à propos de l'agression. Et en entrant en convalescence, elle n'avait pas changé d'avis. Elle continuerait à se taire.

Dieu merci, elle s'était débarrassée de ses vêtements avant de commencer à boire. Diana n'en serait pas revenue si elle était tombée sur sa tenue de call-girl... Une chance aussi qu'elle ait eu l'idée de déchirer le chèque. Oh, pas pour protéger sa mère — elle n'avait plus l'ombre d'un sentiment envers Eileen Winchester. Mais ce chèque ne devait pas tomber entre les mains de Diana. Celle-ci ferait alors une scène épouvantable à leur mère, qui lui en tiendrait rigueur. Une fille mal aimée suffisait amplement au sein d'une même famille.

Elle eut soudain un doute. Pour le chèque, elle n'était plus sûre ! Elle se revoyait rassembler ses habits avant de les jeter dans le vide-ordures, mais sa mémoire vacillait lorsqu'elle s'efforçait de se rappeler la suite. Elle avait des trous de mémoire, chose normale d'après les médecins.

La porte s'ouvrit, livrant justement passage au médecin de garde. Celui-là même qui l'avait suivie depuis son hospitalisation. La trentaine, le cheveu court d'une blondeur californienne, des lunettes cerclées d'écaille, un sourire à vous faire tomber à la renverse, dont il abusait... En d'autres circonstances, Amy l'aurait bien revu en dehors de l'hôpital. Mais en l'occurrence, elle espérait bien ne plus jamais le rencontrer.

— Mais on est debout ! s'exclama-t-il. Comment vous sentez-vous ?

— Comme si ma tête allait exploser.

— Rien d'étonnant. Vous avez été drôlement amochée.

Se rapprochant, il tira une petite lampe-stylo de sa poche, qu'il braqua dans chacun des yeux de sa patiente.

— Avez-vous vu les policiers ? Ils sont passés à plusieurs reprises, mais chaque fois vous dormiez. Votre sœur a refusé de vous réveiller, alors ils sont repartis.

Amy se raidit.

— Des policiers ? Qu'est-ce qu'ils me voulaient ?

— Voyons, mon chou, vous ne vous êtes pas défigurée toute seule, n'est-ce pas ?

— Je ne sais plus ce qui s'est passé, rétorqua Amy brusquement, trop brusquement pour être convaincante. Ni comment. Je ne me souviens plus de rien.

— Bizarre! J'ai du mal à vous croire.

Elle répondit du tac au tac.

— Bizarre! Je me fiche pas mal que vous me croyiez ou pas.

Il lui décocha son sourire éblouissant.

— Eh bien, vous allez vraiment mieux, dites-moi!

Elle ne broncha pas. Il y avait longtemps qu'elle ne tombait plus dans les pièges du badinage. C'était sa manière de se protéger. Elle fixa le médecin dans le blanc des yeux.

— Ecoutez, j'ai besoin de votre signature sur un formulaire de décharge. Pourriez-vous...

Il leva la main.

— Stop! Votre père m'a averti que ce serait idiot de ma part de me compromettre avec vous. Alors, vos requêtes, adressez-les ailleurs.

Il fourra la lampe-stylo dans sa poche.

Ainsi son père avait parlé au personnel de l'hôpital. Cela n'avait rien d'étonnant. Mais elle se sentit blessée.

— Je veux seulement m'en aller, insista-t-elle.

— Vous partirez en temps et en heure. En ce qui me concerne, j'en ai terminé avec vous. Votre médecin traitant prendra la relève. Appelez-le le plus vite possible.

Il se dirigea vers la porte. A mi-chemin, il se retourna.

— Demandez-lui de vous indiquer un bon psychiatre, ajouta-t-il. Une thérapie vous aiderait. En tout cas, elle ne vous ferait pas de mal.

— Merci de votre compréhension, fit Amy.

— De rien, répondit-il en souriant, sans remarquer son ironie.

Elle contempla longtemps la porte après qu'elle se fut refermée.

Diana chercha dans son trousseau de clés celle de l'appartement d'Amy. Le matin, à l'hôpital, elle s'était préparée à une fin de non-recevoir de la part de sa sœur. Or, celle-ci n'avait même pas essayé de discuter : elle avait accepté d'emménager chez elle sans un mot de plus. Cette subite soumission rendait peut-être les choses plus faciles mais avait mis Diana sur ses gardes. Elle se serait sentie plus à l'aise si Amy avait résisté. La rébellion faisait partie de son être, au même titre que ses grands yeux bruns ou ses bijoux fantaisie. Diana se dit qu'Amy avait bien changé.

Il était presque plus facile d'accepter les changements physiques, sans doute parce qu'ils étaient temporaires. Ses yeux injectés de sang, ses chairs enflées, ses hématomes, son nez cassé semblable à celui d'un boxeur...

Le reste, son manque de combativité, son indifférence proche de l'inertie, inquiétait beaucoup plus Diana. Et son silence. Son refus de décrire son agresseur. C'était effrayant! Des jours durant, elle avait tenté de comprendre la raison qui incitait sa sœur à laisser courir l'homme qui avait failli la tuer. Et elle n'avait pas réussi à cerner cette question. Le comportement d'Amy demeurait une énigme.

Diana pénétra dans l'appartement; elle comptait rassembler quelques affaires d'Amy avant de retourner à l'hôpital. Jetant un œil dans le salon, elle réprima un haut-le-cœur. Elle avait oublié que les meubles avaient été déplacés par les pompiers et le service paramédical qui s'étaient frayé un passage jusqu'au corps allongé sur le canapé. La table basse avait été écartée, le porte-revues renversé par la civière, un abat-jour formait un angle bizarre. Seule la chère horloge d'Amy trônait toujours à sa place, sur la cheminée, dans toute sa splendeur.

Ce fut en traversant la pièce d'un pas pressé que Diana remarqua le rectangle de papier sous le pied de la table basse... Elle se pencha. Un chèque. Signé par Eileen Winchester.

Le fameux chèque. L'infâme tentative d'acheter la disparition d'Amy. La date, en haut à gauche, indiquait
qu'Eileen était passée vendredi dernier. Elle constituait à
l'évidence le lien entre le départ de Diana en début de
soirée et son retour le lendemain matin où elle avait
découvert le drame. Entre-temps que s'était-il passé?
Raisonnablement, on ne pouvait imputer l'agression à
Eileen; sa méthode de destruction tenait davantage de la
cruauté mentale. Mais quoi qu'il en fût, sa présence ici
avait agi comme un catalyseur, précipitant Amy dans la
catastrophe qui avait suivi.

Eileen avait inscrit de sa fine écriture le prix qu'elle
était prête à débourser pour se débarrasser définitivement
de sa fille cadette. Diana leva le chèque à la hauteur de
ses yeux.

Deux cent cinquante mille dollars.

Une somme rondelette, certes, laquelle n'était cependant que broutille comparée à la moitié de la fortune des
Winchester dont Amy devait hériter. Les yeux mi-clos,
Diana considéra le bout de papier. Le mettre en morceaux n'était qu'une pâle satisfaction par rapport à la
réaction de sa mère lorsqu'elle constaterait qu'il avait été
encaissé...

Elle esquissa un sourire vengeur. Elle reviendrait plus
tard chercher les vêtements d'Amy. D'abord, elle irait à
sa banque.

La transaction se révéla d'une simplicité divine. Sa
famille possédait différents comptes dans la même agence
depuis une trentaine d'années. Les employés aussi bien
que leurs supérieurs la connaissaient bien. Comme ils
connaissaient Amy.

La vérification de routine — s'assurer qu'elle possédait
bien une procuration sur le compte de sa sœur — ne prit
pas plus d'une minute. Pendant ce temps, grâce à une ou
deux questions habiles, elle apprit que leur mère n'avait
pas fait opposition. Elle devait se dire qu'elle avait le
temps, puisque Amy était à l'hôpital. Peut-être espérait-

elle que sa fille adoptive se laisserait tenter par l'argent et disparaîtrait une fois pour toutes.

L'air réticent, presque timide, Diana expliqua à son banquier qu'il s'agissait en fait d'une avance pour l'achat d'un bien immobilier. Et qu'un prêt plus substantiel suivrait. Il ne fut pas difficile de le persuader ensuite d'établir un chèque de la totalité de la somme, sous prétexte que la promesse de vente expirait aujourd'hui même et que sans cela, l'affaire lui passerait sous le nez... Après quoi, elle descendit dans la salle des coffres. Dans le silence de la pièce voûtée, elle tira le chèque de son sac et le rangea dans son casier qu'elle referma à clé. Elle ignorait encore comment elle se servirait de l'argent. Tout ce qu'elle savait, c'était qu'Eileen n'en reverrait pas la couleur.

Sur le chemin de l'hôpital, elle fit une halte à son bureau, où elle bourra son attaché-case de dossiers qu'elle avait l'intention d'étudier pendant qu'Amy habiterait chez elle. Dans le hall, elle rencontra par hasard Bill Summersby. Il avait été embauché à Sander's Food quatre mois plus tôt en tant que directeur général du marketing.

— J'ai appris ce qui est arrivé à votre sœur, dit-il. Croyez-moi, j'en suis sincèrement désolé. Si je peux faire quelque chose, n'hésitez pas à me le demander.

— Vous avez déjà beaucoup fait, Bill, en vous arrangeant pour que je prenne ma semaine. Rester auprès d'Amy est d'une importance capitale. Je vous remercie.

Il jeta un coup d'œil à son attaché-case qui semblait plein à craquer et aux chemises cartonnées qu'elle avait calées sous son bras.

— Vos projets sont transparents : travailler, travailler et travailler encore. Je regrette déjà vos traits d'esprit pendant les réunions, Diana. Tâchez de nous rendre visite.

— Ne comptez pas trop sur moi. Amy n'est pas en forme.

— Est-ce que la police a arrêté son agresseur?

Il fallait qu'elle s'habitue à cette question. On allait la lui poser des centaines de fois.

— Non, dit-elle simplement. Et je doute qu'ils arrivent à lui mettre la main dessus. Amy n'a pratiquement aucun souvenir de cette nuit-là.

— Et c'est peut-être tant mieux.

Sa gentillesse toucha Diana au fond du cœur.

— Merci, Bill. J'apprécie.

Il l'enlaça amicalement par les épaules.

— Je vous l'ai dit. Vous pouvez compter sur ma coopération.

Les dossiers glissaient; Diana les ramena sous son bras.

— Amy m'attend. Il faut que je me dépêche.

— Je vais vous accompagner.

Il lui prit son attaché-case, l'escorta jusqu'à sa voiture. Il resta debout sur le trottoir et agita la main quand elle tourna au coin de la rue.

Le visage d'Amy passa par toutes les couleurs de l'arc-en-ciel, jusqu'à un barbouillage de bleu violacé bordé de vilain rose, qui finit par s'estomper peu à peu. Après avoir évité les miroirs pendant une semaine, elle entra un matin dans la salle de bains, où Diana se coiffait, et étudia longuement son reflet.

— Le vert n'est pas vraiment ma couleur, déclara-t-elle.

— Tu as raison, répondit Diana. Le rose pêche et le beige te flattent davantage...

S'appuyant sur le lavabo, Amy se pencha en avant, afin de mieux examiner son image.

— Seigneur! J'ai dû être affreuse, s'exclama-t-elle.

— Tu ne t'es jamais regardée ces derniers temps?

— Pas une fois. Je sentais les dégâts. Il était inutile de les voir.

— Est-ce qu'il vit ici?

116

La question avait jailli d'elle-même, sans que Diana puisse la retenir... Non seulement elle trahissait sa promesse de ne plus jamais évoquer l'agression mais, implicitement, elle laissait entendre à Amy qu'elle n'avait pas cru un mot de son histoire de perte de mémoire.

— Oh, pardon! soupira-t-elle. Excuse-moi.

— Non.

— Non? Tu ne m'excuses pas?

— Non, il ne vit pas dans la région.

— Est-ce qu'il... (Bon sang, ça recommençait. Diana posa son fer à friser et se tourna vers Amy.) Bon, il va falloir que tu me supportes... J'ai besoin de savoir sur quel pied danser. Ai-je le droit de poser des questions, oui ou non?

Du bout des doigts, Amy toucha une tache bleu pâle sur sa joue, les yeux toujours fixés sur le miroir.

— Devant cette tête-là, sûr que tu as du mal à garder le silence, fit-elle.

— Parfois, je suis si furieuse que je ne pense plus qu'à ton agression... Oh, Amy. J'ai failli te perdre. Mon Dieu, j'aurais été folle de chagrin.

— Et si j'allais vivre ailleurs?

Diana avala sa salive. La plus grande prudence s'imposait si elle ne voulait pas dévoiler qu'elle savait la vérité.

— Tiens, fit-elle avec une surprise feinte... Quelle idée!

— Une idée qui me trotte dans la tête depuis un certain temps.

— Pourquoi? Y a-t-il une raison particulière?

— Pas spécialement. Je voudrais changer d'horizon. Tu n'as jamais l'impression que quelqu'un ou quelque chose t'attend quelque part ailleurs? Nous avons vécu toute notre vie dans le Minnesota, Diana.

— Et c'est ici que j'ai envie de vivre.

— Comment peux-tu en être aussi sûre, si tu ne regardes pas ailleurs?

117

— Il ne s'agit pas de moi, lui rappela Diana. C'est toi qui as attrapé tout à coup la bougeotte.

— Qu'est devenu ton esprit d'aventure?

La sonnette de l'entrée dispensa Diana de répondre.

— Tu veux aller ouvrir?

Amy ne bougea pas.

— Tu attends quelqu'un? demanda-t-elle.

Diana secoua la tête.

— Non... Bill m'envoie probablement un coursier. J'y vais. De toute façon, il faut que je signe le bordereau de livraison.

Pendant qu'elle descendait l'escalier, Amy passa les doigts dans ses cheveux ébouriffés, puis s'empara du fer à friser.

— Voyons comment on peut s'arranger d'une catastrophe...

La sonnette retentit de nouveau.

— J'arrive! cria Diana du milieu des marches.

C'était Stephanie.

— Où est Amy? articula celle-ci silencieusement.

— En haut, en train de se coiffer, répondit Diana. Que se passe-t-il?

— J'ai eu un message de Margaret McCormick.

— Déjà? Tu l'as rencontrée il y a à peine trois jours!

Elle avait chargé Stephanie de prendre contact avec Mme McCormick de crainte qu'Amy, sortie de l'hôpital, ne se doute de quelque chose.

— D'après Margaret, c'était l'une des affaires les plus faciles qu'on lui ait jamais confiées.

— Alors, c'est fait? murmura Diana, la gorge sèche. A-t-elle vraiment retrouvé la mère d'Amy?

Stephanie acquiesça.

— Oui. Elle vit dans le Wyoming.

— Le Wyoming?

Diana resta sans voix. Elle avait imaginé un passé plus extravagant pour Amy. Une mère célèbre, ou alors une jeune artiste devant un terrible dilemme : choisir entre sa carrière et son enfant. Mais le Wyoming! Elle en savait à peu près autant sur cet Etat que sur la Mongolie.

— Elle a un frère et trois sœurs, poursuivit Stephanie. Le frère et l'une des sœurs sont plus âgés qu'elle. Les deux autres sont plus jeunes.

— Qui ça? la mère d'Amy?

— Non, Amy elle-même.

L'information mit plus d'une minute à pénétrer l'esprit embrumé de Diana.

— Quoi? Une famille nombreuse, alors? Combien de fois cette femme a-t-elle été mariée?

— C'est là que le bât blesse. D'après Marg... (Stephanie leva les yeux avec un sourire.) Hé, justement, on parlait de toi, dit-elle à Amy qui venait de les rejoindre.

— Eh bien j'espère, fit celle-ci. Vous préférez rester seules?

— Ne sois pas bête, la rassura Diana. Nous évoquions la possibilité que tu nous cuisines tes délicieuses boulettes de porc, tu sais, le plat que tu nous as mitonné l'année dernière.

Le mensonge engendre le mensonge... Qu'est-ce qui viendrait après? La trahison?

La suggestion parut plaire à Amy.

— Bonne idée. Seulement, je ne me rappelle plus les ingrédients.

— Je cours chez toi chercher la recette, lança Stephanie.

— Je m'occupe de tout! trancha Diana. J'irai chez Amy et au retour, je ferai les courses.

Elle n'avait guère envie de passer chez sa sœur, encore moins de faire des emplettes et de déguster les boulettes en question, mais les dés étaient jetés.

— Minute! fit Amy. (Son regard se portait tour à tour sur les deux jeunes femmes.) Etes-vous sûres qu'il s'agit de *mes* boulettes? A l'époque, votre enthousiasme ne m'a pas paru délirant.

— Mais si! répliqua Stephanie avec assurance. Tu

avais réussi à merveille ce plat texan... et n'oublie pas que j'ai vécu deux ans au Texas. Je m'étais tellement régalée que j'en avais parlé au rédacteur des fiches de cuisine, au journal !

— Alors, à vos risques et périls, dit Amy en souriant, convaincue par la flamme de Stephanie.

Cette dernière lui passa un bras rassurant autour des épaules.

— On t'aidera. Tout à l'heure, tu coifferas la toque du chef et nous serons à tes ordres. (Elle l'entraîna vers le milieu du salon, où elle jeta un regard circulaire empreint de satisfaction.) On m'accusera de tout, sauf de manquer de goût. Regardez-moi ce décor !

— Bravo ! la félicita Diana. Excellent travail, ma chère.

Toutes les trois admirèrent le nouveau mobilier. Le blanc et le brun austères, qui régnaient autrefois, avaient été remplacés par des verts et des bleus rehaussés de lilas. Le bois, du merisier sombre, brillait comme un miroir. Au-dessus de la cheminée se trouvait une gravure représentant un chat endormi dans un potager au milieu des salades, dans la chaude lumière de l'été... Stuart en aurait été horrifié. Diana, elle, adorait son nouvel intérieur.

— Je ne changerais rien pour tout l'or du monde, dit-elle.

— Alors, la vente à moitié prix est annulée ? la taquina Stephanie.

Diana éclata de rire.

— Tu es folle ? Tu parles à la dame qui en avait assez de camper, ne l'oublie pas.

— La pendule de Grand-mère serait ici à sa juste place.

Un frisson parcourut l'échine de Diana ; elle dévisagea sa sœur.

— Mais pas sans toi, fit-elle.

Amy détourna le regard.

— Bah, c'était juste une idée, marmonna-t-elle.

Jusqu'à présent elle avait eu la certitude qu'elle avait

tout son temps pour contacter la mère d'Amy ; mais cet espoir s'éteignit brusquement dans le cœur de Diana. Elle avait au contraire intérêt à se dépêcher si elle ne voulait pas se réveiller un beau matin et découvrir que sa sœur n'était plus là...

10

— Bienvenue à Jackson, dit le réceptionniste de l'hôtel. Que puis-je pour vous?

— J'ai une réservation.

— A quel nom, s'il vous plaît?

— Diana Winchester.

Elle lui tendit sa carte Visa.

Le réceptionniste passa la carte dans un lecteur, consulta l'ordinateur, puis la rendit à sa propriétaire.

— Vous restez une semaine, n'est-ce pas?

Diana hocha la tête. Amy ne l'attendrait pas plus tôt mais, si tout se passait comme prévu, elle repartirait sans doute pour Minneapolis dans trois ou quatre jours. Dans le cas contraire, elle serait obligée de rester plus longtemps.

— Y a-t-il un problème si j'abrège ou prolonge mon séjour? demanda-t-elle.

— Pas du tout. Laissons la date du départ ouverte, ce sera plus simple.

— J'aurai plus de précisions bientôt.

— Amusez-vous bien, dit le réceptionniste en lui donnant la clé de sa chambre. (Elle était accompagnée d'un prospectus énumérant les différents services proposés par l'hôtel.) Attendez près du bison, j'appelle quelqu'un pour vos bagages.

Diana regarda le mastodonte en question... Même empaillé, il lui donnait des sueurs froides.

— Merci, je peux les transporter toute seule, répondit-elle en se dirigeant vers l'ascenseur. (Elle fit demi-tour.) Excusez-moi... Savez-vous où se trouve *Martell Outfitters*?

— Le magasin de confection ou l'agence de tourisme?

La question la prit de court. Dans son rapport, Margaret McCormick n'avait mentionné aucune agence.

— Le magasin, dit-elle.

— En sortant d'ici, vous tournez à gauche et vous longez deux blocs. C'est au coin, en face de *Barbecue Hole*. Vous ne pouvez pas le manquer.

Elle le remercia puis gagna l'ascenseur. Sa chambre se trouvait au deuxième étage, au fond du couloir. Vaste, confortable, elle était décorée, comme le salon de l'hôtel, de motifs censés rappeler la vie au grand air. Diana ouvrit les rideaux afin de mieux contempler le panorama. Elle n'avait jamais rien vu d'aussi imposant. Cette couronne de montagnes abruptes inspirait à la fois l'admiration et la crainte, sentiments qu'elle avait éprouvés dès son arrivée. A force de la regarder, elle avait bien failli, en quittant l'aéroport, envoyer sa voiture louée dans le fossé... Dans le Minnesota, la nature reflétait une paix rassurante. Alors que les pics et les forêts qui entouraient Jackson Hole semblaient avertir le voyageur qu'il empruntait les routes sinueuses à ses risques et périls. Ici, rien ne venait adoucir les masses agressives des cimes granitiques, des rochers escarpés et des versants tapissés d'une végétation sombre et dense. Diana en avait eu le souffle coupé.

Mais quel genre d'humains peuplaient ces contrées sauvages, dont la beauté insoutenable rappelait chaque jour à l'individu sa propre insignifiance? Avaient-ils développé des ego monstrueux, ou bien s'étaient-ils cantonnés dans une modestie ennuyeuse? Diana avait en sa possession une fiche signalétique de la famille d'Amy, mais rien ne permettait de cerner la personnalité de ses membres. Les Martell s'étaient installés presque deux siècles plus tôt dans la région. Contrairement à d'autres colons de cette époque, le clan avait survécu aux rigueurs des hivers glacials et, plus récemment, à l'invasion des touristes... Au fil du temps, ils avaient fait fortune. A leur ranch d'origine ils avaient ajouté une affaire très lucrative à Jackson même. Dans cette ville de moins de six mille habitants, qui attirait chaque été des hordes de touristes, ils semblaient exercer une énorme influence. D'après le rapport de Margaret McCormick, rédigé sans fioritures, les Martell constituaient les piliers d'une petite communauté incroyablement prospère.

Comment Amy cadrait avec ce tableau, Diana n'en avait cependant pas la moindre idée. En tout cas, c'était bel et bien la fille de Dorothy Martell. Pour une femme qui avait cru bon de mettre au monde son bébé dans un autre Etat avant de le faire adopter, Dorothy ne s'était pas donné la peine de brouiller les pistes. Non seulement elle avait utilisé son vrai nom à l'hôpital mais elle avait envoyé un mot de remerciement à l'une des infirmières en mettant son adresse au dos de l'enveloppe. L'infirmière avait conservé la lettre dans un album. L'encre avait pâli mais demeurait parfaitement lisible.

De deux choses l'une : ou Dorothy Martell pensait que les registres d'adoption étaient inviolables, ou elle avait agi exprès, dans l'espoir qu'un jour sa fille souhaiterait la retrouver. Diana priait pour que ce soit le second cas.

Le téléphone sonna. Ça ne cessait pas au bureau, comme à la maison, mais ce tintement aigrelet, dans cette chambre étrangère, la fit sursauter. Elle contourna le lit, décrocha le combiné sur la table de chevet.

— Oui ?

— Salut ! chantonna dans l'écouteur la voix chaleureuse d'Amy. J'espérais te trouver avant que tu partes à une de tes réunions.

— Que se passe-t-il ? demanda Diana.

Elle avait inventé un séminaire sur l'industrie alimen-

124

taire à Jackson, avec la complicité de Bill Summersby — écartant l'hypothèse de « vacances », auxquelles Amy n'aurait certainement pas cru une minute. Bill l'avait vraiment aidée. Ensemble, ils avaient mis au point la machination, d'autant plus téméraire qu'ils étaient en pleine campagne de publicité sur une nouvelle présentation de céréales, qui accaparait toute l'équipe du marketing. Diana s'était fait remplacer par son assistante, qui lui communiquerait sur son e-mail le résumé détaillé de chaque réunion de travail. Diana répondrait en se servant de son portable. Elle n'avait pas intérêt à se tromper. Après tout, elle était payée pour avoir des idées.

— Rien, répondit Amy. Je voulais savoir si tout s'était bien passé.

Cette sollicitude, inhabituelle de la part d'Amy, avait quelque chose de touchant... Et d'ennuyeux.

— Mais oui... la rassura Diana. Ma secrétaire a appelé les organisateurs du séminaire, leur signalant que je voyageais sans mes parents... Ils ont dépêché un charmant jeune homme à mon secours; grâce à lui, je n'ai pas raté ma correspondance.

— Petite délurée, va!

Diana rit.

— Et toi? Tu te débrouilles?

— Et voilà! s'exclama Amy sur un ton faussement indigné. Tu as le droit de te faire du souci pour moi, mais le contraire n'est pas...

— Mais tu peux t'inquiéter tant que tu veux, ma belle! Surtout si je suis assez folle pour tester les joies saines du rafting, un sport très apprécié dans le coin...

— Tu vas y aller?

— Mais non, idiote!

— Comment veux-tu que je te croie? La semaine dernière, tu jurais tes grands dieux que tu ne quitterais jamais le Minnesota, et... où es-tu aujourd'hui?...

— Ce n'est pas la même chose. Je suis partie pour

mon travail, répondit Diana, un peu penaude comme chaque fois qu'elle proférait ce mensonge.

Un mensonge qu'Amy ne lui pardonnerait jamais, même si elle l'avait inventé « pour la bonne cause ».

— J'aurais dû t'accompagner, dit Amy.

— La prochaine fois.

Elle était partie précipitamment, sachant que sa sœur ne la suivrait pas avant que tous ses hématomes aient disparu.

— Comment est-ce, le Wyoming?

— Grandiose... Les mots me manquent pour décrire le paysage. La ville se loge dans une vallée entourée de montagnes aux crêtes aussi aiguës que des canines géantes... Sur le chemin de l'hôtel, on traverse un parc surmonté d'arcs faits de cornes d'élans. Tout est énorme, démesuré... Tu adorerais les boutiques et les galeries, acheva Diana d'une voix vibrante d'affection et de peur à l'idée de ce que l'avenir leur réservait.

— Est-ce que tu as vu des cow-boys?

— Pas encore... Mais j'ai aperçu des chapeaux dans les vitrines, ce qui est bon signe.

— Bon... Sois sage. Evite les bars, et surtout ne bois pas trop. Méfie-toi des hommes. On les dit très entreprenants, là-bas. Et... Diana? Tu me manques déjà.

— Je ne suis partie que ce matin!

— Oui, mais si loin!

Diana tressaillit. Leur conversation prenait des allures d'oracle. La prémonition d'une séparation future l'assaillit.

— Vas-tu dîner avec Stephanie, ce soir? demanda-t-elle.

— Elle a un rendez-vous.

— Alors passe un coup de fil à Lu-Ann ou à Karol. Je suis sûre qu'au moins l'une d'elles sera libre.

— Ça va, grand-mère! coupa Amy. La terre ne s'arrêtera pas de tourner si je reste seule un soir. A vrai dire, cette perspective ne me déplaît pas du tout.

126

— Tu viens de dire que je te manquais.

— J'ai menti.

Le regard de Diana dériva vers la fenêtre. Le soir remplissait d'ombre la vallée. Il fallait qu'elle se dépêche si elle voulait arriver au magasin des Martell avant la fermeture.

— Je te laisse..., dit-elle. J'ai des gens à voir, des endroits à visiter.

Enfin une phrase qui ressemblait à la vérité, même si son interprétation reposait sur un malentendu.

— Appelle-moi demain, d'accord? fit Amy. J'attendrai ton coup de fil. Et ne rentre pas trop tard.

— Amy, je t'aime.

— Moi aussi, répondit sa sœur avec chaleur. Tu me raconteras tout quand tu rentreras à la maison, hein?

Diana souriait lorsqu'elle raccrocha. Un sourire qui s'éteignit en même temps que sa confiance. Pourvu que son initiative ne complique pas davantage la vie d'Amy au lieu de la simplifier... Mais comment le savoir? Quand le rideau se lèverait sur les nouveaux personnages de la pièce, elle perdrait son emploi de metteur en scène. Car si elle se rendait compte que la pièce allait gagner à être écourtée, rien ne laissait supposer que les acteurs accepteraient ses indications. Une raison de plus pour essayer d'apprendre qui étaient vraiment les Martell avant de faire leur connaissance.

Martell Outfitters se révéla beaucoup plus vaste qu'elle ne l'avait imaginé. Elle s'était figuré une de ces boutiques d'articles de chasse et de pêche — les rivières étaient très poissonneuses dans les gorges verdoyantes — qui abondaient dans les rues entre l'hôtel et le centre-ville. Elle ne s'attendait pas à une sorte de supermarché qui occupait à lui tout seul un demi-pâté de maisons... Les vitrines tenaient de l'œuvre d'art, ornées de figures peintes — catalogues grandeur nature vantant les produits que l'on pouvait trouver à l'intérieur. Chacune mettait en valeur un sport individuel — pêche, alpinisme, randonnée, rafting — ainsi que l'équipement adéquat, allant du simple sac à dos à la combinaison de plongée, en passant par les cannes à pêche les plus sophistiquées, sans oublier les livres, les paniers de pique-nique, et divers plats sous Cellophane. Si le prix de la décoration équivalait aux gains, les Martell devaient être bien plus riches que ne l'indiquait le rapport de Margaret McCormick. Diana aurait préféré une famille moins opulente. Moins susceptible de se poser des questions sur les raisons qui incitaient Amy à retrouver ses origines.

Mais aux yeux de Diana, la véritable question ne se posait pas en ces termes. Pourquoi, se demandait-elle plutôt, avait-on confié Amy à des parents adoptifs?

Contournant le magasin, elle arriva devant la porte principale. Massive, admirablement sculptée de scènes de chasse, elle avait été conçue pour attirer le chaland. En dépit de son poids, elle s'ouvrait sans effort. Diana pénétra à l'intérieur aisément. Elle vit là un excellent augure, après quoi elle rit de sa superstition naïve. Même si Dorothy Martell mourait d'envie de récupérer Amy, rien ne laissait présager qu'elle allait accueillir Diana à bras ouverts.

Le magasin était aussi impressionnant dedans que dehors. Les clients avaient pris les rayonnages d'assaut, sans parvenir pourtant à les vider. Une lumière indirecte et une douce musique de fond ménageaient une ambiance agréable. La jeune femme emprunta une allée, notant les prix au passage. Elle ignorait combien coûtaient une veste ou des bottes de pêcheur, mais elle sut d'emblée qu'on ne venait pas ici pour faire des affaires.

Elle était en train de feuilleter un livre sur la flore de la région, quand une femme s'approcha d'elle.

— Les photos sont superbes, vous ne trouvez pas?

— Oh, oui, répondit Diana, elles...

La suite de la phrase mourut au fond de sa gorge. On eût dit qu'Amy venait de se matérialiser devant elle. Une

Amy légèrement différente, bien sûr, mais Amy tout de même.

— Je vous ai fait peur, dit la femme. Excusez-moi.

— Oh non, pas du tout.

Diana reposa le livre sur le rayonnage, cherchant à gagner du temps à seule fin de recouvrer ses esprits. Elle ne s'était pas attendue à une telle ressemblance.

Son cerveau fonctionnait à toute allure. Nul doute qu'Amy était la demi-sœur des autres enfants de Dorothy Martell. Une grossesse non désirée, probablement, résultat d'une aventure sans lendemain... oui, pourquoi pas? Ou d'un viol. A l'évidence, Amy partageait le même capital génétique que cette aimable personne, qui continuait à la dévisager. Le fait que la mère se soit débarrassée d'un de ses enfants en gardant les quatre autres relevait vraiment du mystère.

— Vous... me rappelez quelqu'un, bredouilla-t-elle.

La femme sourit.

— Vous devez être une amie de Judy.

Seigneur Dieu! Leur sourire aussi était le même. Diana déploya un vain effort pour détourner son regard de ce visage trop familier.

— Judy?

— Oui. Ma sœur.

Bien sûr. La benjamine. Son nom figurait sur le rapport, ainsi que ceux des deux autres sœurs, Sharon et Faith. Le frère s'appelait Trent... Non! *Travis*. Oui, Travis. Selon Margaret McCormick, Judy et Faith étaient parties pour l'été. Donc, la femme qui se tenait devant elle ne pouvait être que Sharon. Sharon Martell Williams, la seule à être mariée.

— En fait, fit Diana, la personne que je connais vit à Minneapolis.

— Alors, elle n'est pas des nôtres. Les Martell n'ont pas bougé du Wyoming depuis la nuit des temps... Nous sommes considérés comme des «spécimens» de la région, dit la femme en tapotant son ventre, tandis que son sourire s'épanouissait. Il n'y en a pas un qui ne soit pas né ici.

La douce courbe de son abdomen trahissait une grossesse à ses débuts. Sans son geste, son état aurait pu passer encore inaperçu. Amy sur le point de devenir tante, songea Diana, stupéfaite. La vie vous joue souvent de ces tours si bizarres qu'ils en deviennent incompréhensibles. Diana et Amy avaient grandi ensemble. Aussi loin que pouvait remonter la mémoire de Diana, Amy était là. Et maintenant, leurs existences allaient changer complètement.

— Vous vous ressemblez tellement, murmura-t-elle, exprimant sans s'en rendre compte le fond de sa pensée.

— Il paraît que chacun de nous a un sosie quelque part sur terre... Eh bien, à vous entendre, mon double à moi vit à Minneapolis! Ce serait drôle de la rencontrer un jour... Encore que nous pourrions nous croiser sans nous retourner, acheva la femme en riant. Vous savez, je ne remarque même pas ma ressemblance avec les membres de ma propre famille.

A quoi s'était-elle attendue? A une réaction spectaculaire? A la preuve que Sharon n'ignorait pas l'existence d'une sœur qu'elle n'avait jamais vue?

— Elle s'appelle Amy.

De nouveau, un sourire rapide, plus professionnel toutefois qu'engageant.

— Eh bien, vous voulez sans doute continuer votre shopping... N'hésitez pas à m'appeler si vous avez besoin d'un renseignement sur nos articles.

— Oui... d'accord. Merci.

Diana suivit Sharon du regard. Celle-ci parla quelques secondes avec un client, puis se glissa derrière le comptoir où elle appela l'une des vendeuses. Lorsqu'elle s'adressait à quelqu'un, elle penchait la tête sur le côté, exactement comme Amy. Et Judy? Avait-elle les mêmes tics? Et Faith?

Pour la première fois, le voyage de Diana prit soudain

130

toute sa dimension. Ses conséquences la frappèrent de plein fouet. Elle resta un instant immobile, comme anéantie. Jusqu'alors, la famille d'Amy n'était qu'une liste de noms sans visages sur une feuille de papier. A présent, l'une des sœurs existait en chair et en os. Elle était aussi réelle qu'Amy. N'importe qui, en voyant Sharon et Amy au milieu d'une foule, devinerait sans mal qu'elles appartenaient à la même famille.

Evidemment! Puisque Sharon était la *vraie* sœur d'Amy, pensa Diana, dépitée. Jusqu'à ce jour, elle n'avait jamais mis en doute l'importance qu'elle-même avait dans la vie d'Amy. Rien ni personne ne pouvait leur enlever les longues années de leur enfance, l'amour, le lien inaltérable qui les attachait l'une à l'autre... Mais tout à coup, cette belle certitude se trouvait balayée, comme un petit nuage dans le ciel par un brusque souffle de vent.

L'angoisse l'assaillit. A sa grande honte, elle réalisa qu'elle n'avait plus peur pour Amy, mais pour elle-même.

11

Une lueur grise moirait les ténèbres. Diana avait renoncé à dormir. Elle était restée dans sa chambre mais le sommeil l'avait fuie. Elle avait d'abord regardé la télévision, zappant, passant en revue toutes les chaînes régionales et nationales, puis elle avait lu tout ce qui lui était tombé sous la main. Demain elle se mettrait en quête d'une librairie, se dit-elle après avoir étudié pour la deuxième fois une carte de la région signalant tous les sites qui valaient le détour. Elle se leva et ouvrit les rideaux. A l'est, l'aube ourlait de rose pâle les crêtes des montagnes. Bientôt il ferait jour. Encore un mois plus tôt, elle se serait extasiée devant un flamboyant lever de soleil, dans un parc de Minneapolis. Cela ne lui semblait plus possible aujourd'hui. Comme si elle avait perdu la capacité de s'émerveiller. Oui. Aujourd'hui, elle avait autre chose en tête.

Les premiers rayons de soleil couronnèrent les cimes; elle passa ses vêtements, quitta subrepticement l'hôtel. Peu après, elle déambulait dans les rues désertes à la recherche d'un bistrot ouvert.

— 'jour! lança la serveuse en voyant Diana sur le pas de la porte. Asseyez-vous. C'est pas les places qui manquent, pas vrai? Je suis à vous dans une minute.

L'établissement arborait un faux air des années cinquante, avec ses tables de chrome et de Formica, et ses chaises pliantes dans des box — le tout trop neuf pour être authentique. Diana s'installa près d'une fenêtre d'où elle pouvait regarder la ville se réveiller peu à peu. La serveuse réapparut, un pot de café fumant à la main. Son nom, « Patty », imprimé sur un badge en plastique, agrémentait la poche de poitrine de son uniforme rose et blanc.

— Café? proposa-t-elle.

— Oui, merci. Et un muffin anglais, s'il vous plaît.

— Hé! on peut dire que vous êtes matinale, vous, déclara la dénommée Patty en remplissant une tasse de café et en étouffant un bâillement. Même les lève-tôt de Jackson ne sont pas encore debout... Mais vous avez sans doute une longue journée devant vous.

— On peut le dire, oui.

— Vous allez faire du rafting?

— Non. Rencontrer quelqu'un. Pour la première fois.

Patty esquissa un sourire.

— Vous aurez beau temps. D'après la météo, le thermomètre atteindra vingt-cinq degrés cet après-midi.

Diana lui rendit son sourire. Il lui semblait qu'il y avait longtemps qu'elle n'avait pas parlé avec quelqu'un, et cette conversation, si superficielle qu'elle fût, la déridait.

— Il pleuvait, hier, quand je suis partie de chez moi, dit-elle.

— Ici, pas une goutte... Ce sera tout, avec le muffin?

— Oui.

— Parce qu'il y a des galettes à la cannelle tout juste sorties du four. Un délice.

Diana en eut soudain l'eau à la bouche. Chez elle, l'anxiété se traduisait toujours par des fringales. Elle compensait ses angoisses en se gavant. Courageusement, elle secoua la tête. Se bourrer de calories n'arrangerait rien.

— Non, merci, pas d'excès!

La serveuse hocha la tête.

— Je vois... Un muffin, un! lança-t-elle.

Elle fila du côté de la cuisine. De nouveau seule, Diana regarda, sans la voir, la rue par la fenêtre. Depuis sa rencontre fortuite avec Sharon, elle avait longuement réfléchi. Ses incertitudes se muaient en doutes. L'image d'Amy au sein d'une famille attentive et aimante s'estompait peu à peu au profit d'une réalité moins mirobolante. A présent, elle ne pouvait que reconnaître combien la soudaine apparition d'Amy risquait de perturber ces gens qui, jusqu'à ce jour, ignoraient son existence.

Comment elle, Diana, aurait-elle réagi, à la place de Sharon, en apprenant qu'elle avait une sœur de vingt-six ans, qui lui ressemblait presque trait pour trait?

Une clochette tintinnabula, tirant la jeune femme de sa méditation. Un homme coiffé d'un chapeau de cow-boy tout cabossé poussa la porte vitrée. Il portait une chemise à carreaux, un jean, et semblait aller au lit plutôt qu'en sortir... Il retira son couvre-chef, l'accrocha à une patère, passa les mains dans ses cheveux rebelles, d'un brun foncé, sans réussir à les dompter. Une barbe de plusieurs jours accentuait son aspect négligé. Diana le regarda, fascinée. Il lui rappelait les cow-boys des affiches publicitaires qui vantent les beautés du Wyoming.

Il jeta un bref coup d'œil en direction de la cuisine, puis s'affala dans le box d'en face. Son regard se planta dans celui de Diana, qui détourna la tête avec gêne, non sans avoir remarqué ses grands yeux bruns, rougis par le manque de sommeil. Elle ressentit une sorte d'effet magnétique. Comme si elle ne se contrôlait plus et au mépris de son éducation, elle reporta vers lui son regard et l'observa ouvertement cette fois. Il ne l'avait pas quittée des yeux; il souriait. Le cœur de Diana fit un drôle de petit bond, qui déclencha un signal d'alarme dans son cerveau.

Elle connaissait cet homme.

Ils s'étaient déjà vus. Elle n'aurait pas su dire où, quand, dans quelles circonstances, mais leurs chemins s'étaient déjà croisés, elle en était persuadée. Tout en passant mentalement en revue les hommes qu'elle avait rencontrés ces derniers temps par hasard, elle porta sa tasse à ses lèvres, absorba une gorgée de liquide noir et fort.

La serveuse ressurgit de la cuisine, le pot de café dans une main, un plat dans l'autre.

— Hé! Travis, cria-t-elle avec un large sourire, tu vas bien?

Travis? Le café que Diana venait d'ingurgiter lui brûla l'estomac. Elle tressaillit. Tout s'expliquait. L'impression de déjà-vu et le reste. Depuis son arrivée, elle ne cessait de croiser les Martell...

— Ça va, dit-il. Avec des hauts et des bas.

Patty s'esclaffa.

— Vu ton apparence, je dirais plutôt des bas que des hauts!

Fière de sa repartie, elle posa le plat devant sa nouvelle cliente, puis remplit la tasse de Travis.

— Les hauts seraient pourtant plus appropriés, rétorqua-t-il d'un air énigmatique... On est partis à cheval vers Miller Butte.

— A la recherche du randonneur porté disparu?

— Oui? On était une centaine à passer le bois au peigne fin.

— Est-ce que vous l'avez trouvé, finalement?

— La nuit dernière, déclara Travis avec un sourire. On n'avait pas l'ombre d'une trace. En fait, c'est lui qui nous a trouvés. Il a aperçu nos feux de camp et il s'est amené.

— Est-ce qu'il vous a raconté comment il s'est perdu?

— Je suis parti, justement, avant qu'il commence le récit de ses aventures.

Patty posa le pot de café sur la table et lissa de ses paumes son tablier amidonné.

— Qu'est-ce que ce sera, aujourd'hui? demanda-t-elle.

— Ça dépend...

— Compris. Une ou deux? fit-elle d'un ton désapprobateur.

— Une pour commencer. Avec une bonne portion de crème fraîche.

La serveuse fronça les sourcils.

— Attention, Travis Martell. Un de ces quatre, tes nuits blanches et ta gourmandise te joueront un sale tour.

— Mieux vaut mourir heureux que vivre frustré.

— La moitié des femmes de la ville se mettront en noir...

Il lui fit un clin d'œil malicieux.

— Seulement la moitié?

La grimace de Patty se mua en sourire.

— Mais il y a pire que la mort, chéri. Les bourrelets de graisse sur les hanches, par exemple.

— ... communément appelés poignées d'amour, ponctua-t-il.

— Je me fiche de savoir comment ils sont appelés. Tout ce que je sais, c'est qu'un jour tu ne pourras plus voir tes orteils... Et là, je te garantis que personne ne s'intéressera à tes poignées d'amour.

Travis leva les mains dans un geste défaitiste.

— Je prendrai une salade verte au déjeuner, dit-il.

— Commence par renoncer à la crème.

— La prochaine fois.

Avec un soupir résigné, Patty s'en fut vers la cuisine.

Durant cette petite scène, Diana les avait observés à loisir. Craignant que Travis ne remarque son intérêt, elle se tourna vers la fenêtre. Elle sentait peser sur elle le regard de l'homme et mordit discrètement dans son muffin, mais son appétit s'était volatilisé. Laissant tomber le gâteau dans son assiette, elle saisit sa tasse de café.

S'attarder devenait franchement idiot. Epier le frère d'Amy ne rimait à rien. C'était la mère qu'elle affronterait tout à l'heure, pas le fils. Elle laissa un billet de cinq dollars sur la table et se leva.

En se dirigeant vers la sortie, elle ne put cependant

résister à la tentation de jeter un dernier coup d'œil à l'objet de sa curiosité... Il avait enfoui son visage dans ses mains robustes. Diana sortit, inaperçue. Mais au lieu de se réjouir, elle en éprouva un goût amer de déception.

Travis entendit la femme, dans le box d'en face, qui s'apprêtait à partir. Un nuage de parfum capiteux l'enveloppa lorsqu'elle se leva; mais quand il eut fini de se masser le front et les tempes, elle avait disparu. Elle n'avait même pas terminé son petit déjeuner. Il ne lui jetait pas la pierre. Il devait sentir le vieux trappeur. Il avait pris sa place habituelle, au lieu de s'accouder au comptoir afin de ne pas imposer son odeur à cette belle inconnue.

— Tiens, elle a pris ses jambes à son cou. C'est toi qui l'as chassée? le taquina Patty, de retour avec la commande.

La galette à la cannelle, encore tiède, répandait son sirop qui se figeait au fond de l'assiette. Patty avait ajouté une dose de crème fraîche, moins importante, toutefois, que la quantité réclamée par Travis.

— La pauvrette était assise dans le sens du vent, plaisanta-t-il. Et, que veux-tu, je ne sens pas la rose.

— Sois pas injuste. Tu es beau et tu sens bon la montagne.

— J'ai hâte de prendre une douche chaude.

Il n'ajouta pas « et de plonger dans mon lit » car il devait rencontrer un mécanicien venu exprès de l'Ohio pour résoudre certains problèmes techniques au ranch. C'était l'ultime effort de la compagnie d'assurance pour réparer le tracteur qui n'arrêtait pas de tomber en panne. Sinon, ils allaient perdre leur plus prestigieux client — à moins de remplacer la machine, c'est-à-dire de débourser un quart de million de dollars.

— Sandy Pitcher est passée, déclara Patty. A ce qu'il paraît, elle te cherche dans toute la ville. Elle m'a posé un tas de questions. Si je t'ai vu, et si tu étais seul ou accompagné...

Travis coupa un morceau de galette, le trempa dans la crème, puis le fourra dans sa bouche. Pour les étrangers, Jackson donnait l'illusion d'une ville en pleine expansion. Travis disait qu'en réalité c'était un « patelin » peuplé de commères, où tout le monde connaissait la vie privée de ses voisins.

— Qu'est-ce que tu lui as dit? demanda-t-il avant de déguster une autre bouchée.

— Que tu viens ici pour prendre tes repas, pas pour causer. Et que tu es toujours seul.

— Est-ce qu'elle t'a crue?

— Non.

— Sandy a la dent dure. Elle ne s'en laisse pas conter. « Nom d'une pipe, tu es lent du cerveau, ce matin! » se morigéna-t-il. Il venait de fournir à Patty l'occasion de le bombarder de mille questions.

— Ah, c'est donc vrai? s'exclama la serveuse, la hanche appuyée contre la table. Vous avez rompu?

— Ah! ah! Je viens ici pour manger, pas pour causer, tu l'as dit toi-même.

— Travis, je t'en prie. Juste une réponse et je te laisserai tranquille.

— Ouais, quand le soleil se lèvera à l'ouest.

Il détestait les cancans, les médisances en tout genre, même quand il n'était pas personnellement visé. Il ne se mêlait pas de ce qui ne le regardait pas. Le bonheur à ses yeux se résumait à trois choses essentielles : un cheval, la montagne, un sac de couchage.

La clochette de la porte émit un tintement, annonciateur de la vague des adeptes du rafting... Le guide portait une veste ornée du logo de sa compagnie, *Les coureurs de Snake River*. Travis avait bien failli exercer ce métier des années plus tôt. Mais l'idée que, jour après jour, il parcourrait le même trajet et descendrait les mêmes rapides en raft l'avait découragé. Il avait abandonné ce projet et avait préféré travailler comme guide des chasseurs, qui affluaient des quatre coins du pays. Il avait adoré la campagne mais détesté ses clients... Ils étaient vulgaires, bruyants, ne songeaient qu'à s'enivrer et confondaient chasse et massacre. Or, le plaisir de tuer révulsait Travis. Il avait alors fondé une agence de tourisme. Les groupes partaient à cheval ou à pied, munis d'un sac à dos. Ils pêchaient, se baignaient, couchaient à la belle étoile. En huit ans, le bouche à oreille lui avait apporté une importante clientèle. *TMO, Travis Martell Outfitter*, employait à présent régulièrement une quinzaine de guides et deux employés de bureau à plein temps. Travis n'y faisait plus que de brèves apparitions. Il se déchargeait volontiers sur ses collaborateurs. Car depuis que sa société avait prospéré, la santé de son père avait commencé à décliner. L'an passé, Travis n'avait pratiquement pas quitté le ranch.

Patty contempla, avec une grimace, la marée humaine qui se ruait dans les box. Elle remplit de nouveau la tasse de Travis, puis se pencha pour lui tapoter l'épaule.

— Reste là. Je n'ai pas fini avec toi.

— Désolé de te décevoir, mais dès que j'ai fini de me restaurer, je me sauve.

— Sale bête ! Les gens comptent sur moi pour avoir un résumé de tes faits et gestes... Ils m'en voudront si je ne dispose d'aucune information.

— Dis-leur que je cherche toujours un ouvrier agricole pour le fourrage, l'automne prochain.

Par chance, Patty était occupée à prendre les commandes lorsqu'il eut fini son petit déjeuner. Il laissa l'argent de l'addition et le pourboire sur la table, salua la serveuse de la main avant de se diriger vers la porte vitrée. Il sortit rapidement, au grand dam de Patty.

S'il n'avait pas eu un faible pour les galettes à la cannelle, il aurait fréquenté un autre établissement... le temps que l'attention de ses concitoyens se tourne vers d'autres sujets brûlants. Ni lui ni Sandy n'avaient prévu que la fin de leur brève idylle susciterait un intérêt aussi passionné. Tout Jackson Hole ne parlait plus que de leur rupture. Il s'en était plaint à Sharon, qui lui avait dédié un sourire fraternel, déclarant que seul le mariage ferait cesser les rumeurs. Travis avait haussé les épaules. La réponse de sa chère sœur était aussi éculée que la bonne vieille blague : « L'opération a réussi mais le patient est mort. »

Il s'installa dans sa camionnette, saisit son portable et composa son propre numéro. Le répondeur se fit entendre à la troisième sonnerie; alors, il forma un autre numéro. Comme chaque fois qu'il s'absentait plusieurs jours, il avait tout débranché, y compris le chauffe-eau, et ce code remettrait le système électrique en marche.

Il avait construit sa maison de ses mains, monté les murs, placé les fenêtres, planté le moindre clou. Le terrain avait appartenu à son grand-père, qui l'avait gagné au poker, au début du siècle. A l'origine, il mesurait six cents acres. Il n'en restait plus qu'une vingtaine. Le reste avait été vendu pour payer les taxes du ranch familial pendant la Dépression. La maison de Travis, entourée d'un parc national et d'une réserve naturelle d'animaux sauvages, se trouvait loin des cottages et des motels qui poussaient comme des champignons sur les collines. Il ne se lassait pas de la beauté du paysage.

Il y revenait toujours pour se ressourcer. Son havre de paix lui permettait de faire face au monde extérieur. La solitude était sa force, bien que, dernièrement, il eût de moins en moins l'occasion de s'isoler. Il était sollicité de toutes parts, et se sentait incapable de refuser ses services. Il n'avait jamais eu l'intention de suivre les traces de son père, ni de prendre un jour en main les rênes du ranch. Pourtant, peu à peu, sans le vouloir, sans s'en apercevoir, il avait endossé ce rôle. Son père était encore relativement jeune. Cinquante-cinq ans; il refusait de reconnaître que son corps ne suivait plus. Dans l'esprit d'August Martell, Travis était là pour « l'aider » temporairement. Bientôt, il récupérerait ses forces, il en avait la conviction. Oui, dans un jour, une semaine, un mois tout au plus, il se sentirait mieux.

Travis, lui, s'accrochait à l'espoir que Judy ou Faith trouveraient un mari avec une âme de fermier. Il avait essayé de les présenter à des garçons de son club, mais ses coquines de sœurs s'en étaient méfiées.

Il abandonna la route principale pour s'engager sur une piste poussiéreuse qui sinuait vers sa maison. La camionnette bondissait sur les nids-de-poule. Un de ces jours, il allait devoir niveler le terrain au grattoir s'il ne voulait pas bosseler le toit de sa voiture avec sa tête... Il en aurait pour une demi-journée, pas plus. Mais il s'était montré négligent. Les mois s'étaient écoulés sans qu'il s'en rende compte. Si ça continuait, il n'aurait plus qu'à embaucher un terrassier...

Un lièvre jaillit du sous-bois et traversa la route comme une flèche, un coyote à ses trousses. Ils disparurent dans les fourrés. Le plus chanceux, le plus rusé des deux l'emporterait.

Travis avait toujours estimé que le ciel l'avait doté de ces deux présents indispensables à la survie : la chance et la ruse. Et pourtant, il était loin d'en profiter.

12

Diana arpentait sa chambre d'hôtel, sans parvenir à savoir si elle devait s'annoncer par téléphone ou arriver simplement chez la mère d'Amy et demander à la voir. Chacune des deux solutions comportait des inconvénients. Le coup de fil pourrait se révéler désastreux si Dorothy Martell refusait de la recevoir. Et au cas où Diana se montrerait quand même, elle était sûre de se faire éconduire. D'un autre côté, arriver sans crier gare frisait l'impolitesse. Rien ne permettait de présager qu'elle serait alors accueillie à bras ouverts.

Il fallait qu'elle arrête de tergiverser! Elle s'était suffisamment fait de souci avant de quitter Minneapolis, et venait d'y passer une matinée encore. La solution du téléphone l'emporta. Préparer psychologiquement Mme Martell avant de lui assener une nouvelle aussi importante lui parut plus humain... Sa main se tendit alors vers l'appareil, puis elle suspendit son geste. C'était bien gentil de s'annoncer; mais elle fournissait à sa correspondante l'occasion de lui raccrocher au nez. Car comment peut réagir une femme qui apprend subitement que sa fille de vingt-cinq ans s'apprête à réintégrer le domicile familial? L'éventail des émotions — joie, soulagement, peur, colère — était aussi varié qu'imprévisible.

Brisant net son interminable débat intérieur, Diana

attrapa son sac et se précipita hors de l'hôtel. Elle grimpa dans sa Jeep de location et mit le cap sur le nord. Ayant dépassé la ville, elle continua en rase campagne en consultant de temps à autre les panneaux routiers. Au bout d'un moment, elle estima qu'elle était allée trop loin et rebroussa chemin. Enfin, elle aperçut une allée gravillonnée. C'était là. Une arche en métal, ornée d'un M stylisé, coupait la route.

Les pneus de la Jeep crissèrent sur les graviers. Le cœur battant à tout rompre, la conductrice consulta le panneau indicateur. Plus que cinq kilomètres. Cinq, dix minutes tout au plus. Seigneur, elle aurait payé cher pour lire l'avenir dans une boule de cristal ou pour se savoir protégée par son ange gardien.

Ses pensées se tournaient, bizarrement, vers la mythologie grecque, dont elle avait apprécié les récits à l'école. Le mythe de la boîte de Pandore lui vint à l'esprit. Elle se compara à Pandore, sur le point de soulever le couvercle de la boîte fatidique, et de libérer tous les maux... Son estomac se noua. Mais elle ne fit pas demi-tour; Amy était loin, protégée par la distance.

La Jeep filait tout droit. Au volant, Diana chercha des yeux le signe d'une quelconque activité dans les environs. Des plaines verdoyantes s'étendaient à perte de vue, des vaches broutaient paisiblement l'herbe grasse; mais on ne décelait aucune présence humaine.

La route s'incurva soudain sur la gauche. La Jeep suivit la courbe. Une demeure apparut au tournant. Rien à voir avec les fermettes du Minnesota. Celle-ci tenait du chalet de montagne, coiffée d'un toit de métal vert conçu pour supporter le poids de la neige. Diana laissa errer son regard sur les dépendances et les cabanes de bois grossièrement taillé, s'étirant jusqu'à la clôture métallique. Un décor solide, permanent, intemporel, à l'image certainement de ses propriétaires.

Pourquoi Amy avait-elle été choisie entre tous les enfants Martell pour être privée de cet héritage?

Ici, la présence humaine se faisait sentir : camionnettes, grues, véhicules utilitaires encombraient l'aire de stationnement. Deux grands chiens noir et blanc assis sous un orme bondirent sur leurs pattes, saluant d'aboiements l'arrivée de la Jeep. Un groupe d'hommes entouraient un tracteur, penchés sur son moteur.

Diana se gara dans la cour. Les aboiements redoublèrent. Les hommes levèrent les yeux, mais personne n'apparut sur le seuil de la maison. Comme elle n'avait pas téléphoné auparavant, elle risquait de trouver porte close... Dans une minute elle s'entendrait dire « Mme Martell est sortie ». Elle-même avait recours à cette ruse quand elle ne voulait pas recevoir quelqu'un.

Elle respira profondément avant de sortir de la Jeep. Recommença tout de suite après. Puis arriva devant la porte, tout essoufflée. Elle appuya sur la sonnette. La porte s'ouvrit sur une jeune femme en jean et tee-shirt, un chiffon jeté sur l'une de ses épaules.

— Vous désirez ? dit-elle.

— Je voudrais voir Dorothy Martell.

— Est-ce qu'elle vous attend ?

— Pas exactement. J'espérais, néanmoins...

Une voix féminine en provenance du vestibule l'interrompit.

— Felicia ? Qui est-ce ?

— Une dame qui veut vous voir.

L'instant suivant, une petite femme mince apparut sur le pas de la porte.

— Oui ? fit-elle avec un regard interrogateur à Diana.

Celle-ci ne répondit pas tout de suite. Elle avait l'impression de voir Amy telle qu'elle serait à cinquante ans... Tout chez cette femme — coupe de cheveux, les ongles rongés, la mâchoire têtue, les yeux bruns scrutateurs — créait un lien indéniable entre elle et Amy. Diana en resta sans voix. L'impression de se trouver devant le sosie — en plus âgé — de sa sœur ne fit qu'accentuer son malaise. Dorothy se tourna vers Felicia.

— A-t-elle dit ce qu'elle voulait?

— Je n'ai pas demandé.

— Nous... avons une amie commune, bredouilla Diana, qui avait retrouvé l'usage de la parole.

Dorothy haussa les sourcils.

— Vraiment? Qui?

— Peut-on parler en privé?

Elle la jaugea.

— Ça va aller, Felicia, fit-elle. Je m'en occupe. Retournez à vos occupations.

— Si vous avez besoin de moi, je serai dans la cuisine.

La domestique partie, Dorothy dit :

— Entrez, je vous en prie.

— Merci.

— Nous serons plus tranquilles dans mon bureau, ajouta-t-elle en indiquant le chemin de la main.

Diana pénétra dans l'entrée. Les deux femmes passèrent devant la salle de séjour, pièce vaste et claire dont l'immense verrière s'ouvrait sur le magnifique panorama des montagnes. Le mobilier, apparemment d'une confortable simplicité, valait en fait une fortune. Stuart se serait senti à l'aise dans cette maison. Diana, elle, était la proie de l'étonnement. Les signes extérieurs de richesse sont conçus pour épater les autres... Pourquoi l'épouse d'un fermier cherchait-elle à impressionner ses amis, en plein cœur des montagnes abruptes du Wyoming?

— Excusez-moi, mais je n'ai pas saisi votre nom, dit Dorothy quand elles furent dans son bureau.

— Diana. Diana Winchester.

Elles se serrèrent la main. Dorothy attendit que sa visiteuse prenne place avant de s'installer derrière sa table de travail.

— Et cette amie commune? fit-elle alors.

Diana avala péniblement sa salive. Inutile d'y aller par quatre chemins. Elle attaqua sans préambule.

— Elle s'appelle Amy. Vous ne lui auriez sûrement pas

donné ce prénom, mais c'est celui que mes parents ont choisi pour votre fille.

Dorothy n'eut même pas un frémissement de cils.

— Vous faites erreur.

Son visage ne trahissait rien. Ni émotion, ni intérêt.

— C'est pour vous un choc, je le sais, mais je vous prie de m'écouter.

— Qui êtes-vous? demanda Dorothy froidement.

— La sœur d'Amy. Mes parents l'ont adoptée.

Dorothy se leva, ferma la porte, puis revint s'asseoir à son bureau.

— Pourquoi êtes-vous venue à sa place?

— Elle ignore tout de ma visite. Je... j'ai pensé que...

— Que voulez-vous? De l'argent?

La question glaça Diana.

— Non. Pas du tout. Je voudrais simplement qu'Amy connaisse sa vraie famille.

— Pourquoi vous croirais-je? dit Dorothy, la main levée pour couper la parole à Diana. De toute façon, cela n'a aucune importance. Laissez tomber. Je ne suis pas la mère de cette personne, déclara-t-elle, et ses yeux perçants scrutèrent la jeune femme. Je ne veux rien avoir à voir avec elle. *Comprenez-vous?*

— Non, madame, je ne comprends pas. Ce qui est arrivé à votre petite fille il y a vingt-six ans est votre affaire... Mais ce qui lui arrive maintenant est la mienne. Vous avez pris la responsabilité de porter votre grossesse à terme, à l'époque. Peut-être même aimiez-vous un peu cet enfant, puisque vous avez choisi de le mettre au monde. C'est sans doute par amour que vous avez cherché quelqu'un qui l'élèverait à votre place.

— Je vous l'ai dit, je ne suis pas la mère de votre sœur. Vous perdez votre temps et vous me faites perdre le mien. (Dorothy fit mine de se lever.) Excusez-moi, mais j'ai du travail.

Diana ne bougea pas. Elle ne partirait pas. Non, pas si vite. Son instinct l'avertissait qu'elle n'aurait pas une deuxième chance avec cette femme. Tout se jouait maintenant.

— Amy est votre portrait. N'importe qui dans cette ville le remarquerait au milieu d'une foule. Lorsqu'on voit Sharon et Amy, on sait d'emblée qu'elles sont sœurs. Et si j'ai bien compris, c'est pareil avec Judy. Au moins trois de vos enfants sur cinq ont le même père... Pourquoi avoir abandonné l'un d'eux?

— Vous avez rencontré Sharon?

— Je suis passée au magasin et je l'ai vue.

Dorothy redressa brusquement la tête, les yeux étrécis, telle la lionne prête à défendre un de ses petits.

— Ne vous approchez pas de ma fille, dit-elle.

Si seulement il y avait eu moyen de faire bénéficier Amy de ce ton protecteur...

— Sharon sait qu'elle a une autre sœur? s'enquit Diana.

— Comment le saurait-elle? Ce n'est pas vrai.

Diana saisit l'enveloppe qu'elle avait rangée au fond de son sac. Elle aurait souhaité montrer les photos d'Amy à sa mère dans d'autres circonstances, mais tant pis. Il fallait à tout prix briser le cercle vicieux où elles se débattaient. Elle posa trois photos sur le bureau d'acajou, en rang. Toutes montraient Amy adulte. Celles de l'enfance viendraient après.

Dorothy ne les regarda pas. Ses yeux restaient fixés sur Diana, dans le but flagrant de l'intimider. En vain. Ces yeux courroucés, ces sourcils froncés ne lui faisaient pas peur. Car sur ce point, Dorothy n'avait rien à envier à Eileen...

Enfin, la mère d'Amy baissa les paupières; elle jeta un rapide coup d'œil aux trois petits rectangles de papier glacé. Un éclair traversa ses prunelles; une étincelle qui s'éteignit aussitôt.

— Elle est belle, n'est-ce pas? demanda gentiment Diana.

Dorothy ramassa les photos et les lui rendit.

— Vous perdez votre temps. Cette fille n'a rien à voir avec moi ou avec ma famille.

Diana la regarda, stupéfiée par la ressemblance. En colère aussi, Dorothy se comportait de la même manière qu'Amy. Du fond de son subconscient, une petite voix irrationnelle incitait Diana à persévérer... à trouver sous la carapace de Dorothy Martell la faille où devait se cacher une âme aussi pure et tendre que celle d'Amy.

— Je n'avais pas l'intention de vous déranger, dit-elle. Je serais repartie volontiers et n'en aurais plus parlé si tout cela n'était pas si important pour Amy.

Son interlocutrice se raidit sur son siège.

— C'est une menace?

— Pardon?

La question avait désarçonné Diana.

— Méfiez-vous. Je pourrais vous créer les pires ennuis. Les Martell sont les chefs incontestés de cette ville. Cessez donc de nous bassiner avec cette histoire d'enfant adoptée, sinon attention où vous mettez les pieds. Si jamais elle se montre dans la région, si jamais elle nous importune, moi ou un membre de ma famille, elle en paiera les conséquences. Sa vie ne sera plus qu'un enfer, croyez-moi.

Diana se pencha en avant.

— Je parie que c'est vous qui castrez les taureaux dans cette ferme.

— Ecoutez-moi bien, espèce de petite sotte! J'ai passé ma vie à protéger ce qui m'appartenait. Je ne vous laisserai pas détruire tout ce que j'ai construit.

— Vous m'attribuez un pouvoir que je n'ai pas, rétorqua Diana prudemment, tandis qu'en elle l'idée qu'elle parviendrait peut-être à forcer les défenses de Dorothy Martell prenait racine. Ou alors l'aurais-je, sans le savoir?

— Ne vous avisez pas de vous mesurer à moi. Je vous aurai prévenue.

— Je suppose que là, je devrais avoir peur, c'est ça?

Elle aurait pu aussi bien traîner une carcasse sous le

nez d'un chien affamé... Dorothy bondit sur ses pieds, prenant appui sur le bureau de ses deux mains.

— Partez, je vous en prie! s'écria-t-elle.

Diana hocha la tête, plus déçue qu'effrayée. Son initiative avait abouti à un désastre, mais elle n'aurait pas su dire pour quelle raison exactement. Qu'est-ce qui n'avait pas marché? C'était impossible à dire. Toutefois, elle ne retournerait pas chez elle sans avoir demandé des explications. Il lui fallait remettre à sa place quiconque menaçait de nuire à sa sœur.

— Je m'en vais... pour le moment, dit-elle. Réfléchissez pendant un jour ou deux. Ensuite, appelez-moi. Je suis descendue au *Manderly Inn*.

— Je ne vous téléphonerai pas. Rentrez donc chez vous, d'où que vous soyez.

— De Minneapolis, dit Diana.

Dorothy contourna le bureau, ouvrit la porte et s'effaça pour laisser passer sa visiteuse. Elle parut sur le point d'ajouter quelque chose, quand une voix masculine se fit entendre dans le corridor. L'expression de Dorothy changea; elle sembla hésiter entre refermer la porte ou jeter l'intruse dehors.

— Maman! cria Travis. Tu es là?

Dorothy se tourna vers Diana.

— Allez-vous-en, m'entendez-vous? Tout de suite!

— M'appellerez-vous?

Si le regard de Dorothy Martell avait pu la tuer, Diana serait tombée raide morte.

— M'appellerez-vous? insista-t-elle.

— Oui, bon sang. Partez, maintenant.

Diana déboucha dans le vestibule. Elle allait ouvrir la porte d'entrée quand Travis sortit du salon. Rasé de près, il portait des vêtements propres. Ils échangèrent un regard. Une lueur alluma les prunelles sombres du jeune homme lorsqu'il la reconnut. Il sourit.

— Ah... Le monde est petit.

Diana jeta par-dessus son épaule un coup d'œil à

Dorothy. Celle-ci arborait un sourire chaleureux, comme si elle se félicitait de ce que son fils fût arrivé à temps pour faire la connaissance de son invitée. Une parfaite comédienne, se dit Diana.

Travis lui tendit la main.

— Travis Martell, se présenta-t-il.

— Diana Winchester, répondit-elle en lui serrant la main.

— Mme Winchester s'en va, expliqua Dorothy d'une voix suave. Elle est en retard pour son prochain rendez-vous.

Diana se tourna vers la maîtresse de maison.

— N'oubliez pas : *Manderly Inn*. J'attends votre appel, d'accord ? A bientôt.

Elle ajouta, à l'adresse de Travis :

— Peut-être nous reverrons-nous par hasard en ville.

Elle prenait un risque mais elle supposait que Dorothy ne broncherait pas si elle ne se sentait pas acculée.

Travis scruta Diana un instant.

— Oui. Je l'espère, dit-il.

Il l'accompagna dans la cour. Tandis que la Jeep s'éloignait dans l'allée, il la suivit du regard, adossé au porche. Dorothy apparut bientôt à son côté.

— Tu me cherchais ? demanda-t-elle.

— Qui est-ce ? fit Travis.

— Tu ne le sais pas ? Il m'a semblé pourtant que ce n'est pas la première fois que vous vous rencontrez, répondit sa mère, évasive.

— Rencontrer, c'est beaucoup dire. Apercevoir serait un mot plus adéquat... Ce matin, on était assis l'un en face de l'autre dans le même bistrot.

— Elle est jolie. Rien d'étonnant à ce que tu te souviennes d'elle.

— Alors ? Qui est-ce ? insista Travis.

— Une représentante qui essaie de me fourguer un produit.

— Parce que tu reçois les représentants de commerce à la maison, maintenant? Première nouvelle.

Il avait remarqué la tension dans la voix de sa mère.

— Elle ne reste pas plus de deux jours. J'ai fait une exception. Mais une fois n'est pas coutume. (Elle passa son bras sous celui de son fils.) Allez, viens. Je t'offre un verre.

— Qu'est-ce qu'elle vend?

Dorothy l'entraîna vers la maison.

— Oh, quelle importance?

— Simple curiosité.

Quelque chose l'avait perturbée, songea-t-il. Oui, quelque chose qu'elle ne lui dirait pas.

— Une nouvelle marque de canne à pêche, fit Dorothy.

De nouveau cette voix tendue, presque cassante, signe qu'elle n'irait pas plus loin. Travis en avait l'habitude. Il décida de l'ignorer.

— Ah, bon? Une représentante qui s'amène sans le moindre échantillon, sans même un catalogue? Et toi, tu la reçois?

— Oh, Seigneur! pourquoi en fais-tu tout un plat?

— Je ne sais pas, dit Travis. Et toi, alors?

— Je te sers à boire ou pas? cria soudain Dorothy d'une voix devenue plus aiguë.

— D'abord, explique-moi ce qui te tracasse.

— Rien. Ou plutôt si. Toi! répondit-elle, plus calme. Rappelle-toi tes beaux discours sur l'indépendance, quand tu as déménagé... J'ai mon petit jardin secret, moi aussi.

Quelque chose ne tournait pas rond, Travis en eut la conviction. *Mon petit jardin secret!* Sa mère n'utilisait pas ce genre de vieux cliché, sauf les rares fois où elle perdait contenance.

— Et tout ça pour une bonne femme qui a essayé de te vendre un truc de pêche?

Immobile, Dorothy respira profondément, les yeux clos. Un instant après, un sourire apparut sur ses lèvres.

— Tu as gagné : cette femme m'a exaspérée. Diana Winchester est franchement désagréable. La compétition est certainement rude dans son métier car elle s'escrime à parler plus haut, plus fort, plus longtemps que ses collègues masculins. A la longue, c'est assommant. Rien que d'en parler, j'en suis toute retournée, acheva-t-elle avec un frisson.

— Qu'est-ce que tu comptes faire? Le signaler à son employeur?

— Absolument. Il faut qu'il sache qui il emploie, s'il tient à placer son bazar.

— Parles-en à Sharon, dit-il.

Il tirait sur la corde, il le savait, histoire de mettre sa mère à l'épreuve...

— Euh... Oui, c'est une bonne idée.

Il entendit le bruit du moteur du tracteur et se rappela le but de sa visite au ranch.

— Papa pense que tu devrais parler avec ce type, dit-il.

— Pourquoi? Ce n'est qu'un simple mécanicien.

— Il a fait allusion à une assurance qui porterait sur les réparations.

— Balivernes. Ce tracteur fonctionne un jour sur deux. Ce n'est pas rentable.

Dorothy s'occupait des finances et August de tout le reste. Souvent, des disputes éclataient entre les deux associés et époux. Des années durant, chaque fois qu'elle se trouvait à court d'arguments, Dorothy avait appelé Travis à la rescousse. Et pendant des années il était intervenu, jusqu'au jour où il avait compris qu'elle le manipulait.

— Maman... dit-il. Tu devras le lui dire toi-même, car je repars tout de suite en ville.

— Oh, non! Tu sais pertinemment que ton père devient enragé quand il prétend que je suis injuste vis-à-vis d'un des comptables. S'il ne tenait qu'à lui, ces gens-là seraient nos patrons. (Elle haussa les épaules, irritée. La scène avec Diana Winchester lui avait mis les nerfs à vif.) C'est quand même grâce à moi que le réparateur s'est déplacé jusqu'ici aux frais de son entreprise. Ton cher père a naturellement raconté sa propre version à ses amis. Je te parie que demain, il se sera persuadé que c'était son idée et pas la mienne.

Inutile de la contrarier, pensa Travis. Il avait assisté à tant de discussions entre son père et ses vieux copains, à propos de leurs succès en affaires...

— Est-ce si important de savoir de qui était l'idée ?

— Pourquoi prends-tu toujours sa défense à lui ?

Encore le même reproche. Un grognement échappa à Travis.

— Allez, au revoir, fit-il. Dis à Papa de passer au bureau quand il aura raccompagné le mécanicien à l'aéroport. Je voudrais lui montrer les nouvelles selles. Je n'ai pas envie de déballer la marchandise si c'est pour la renvoyer.

Il sortit. Dorothy le suivit sur la véranda.

— Je croyais que tu arrêterais les commandes cette année, dit-elle.

— C'est vrai, mais quand nous avons eu toutes ces réservations, j'ai eu peur de manquer de matériel. Alors, j'ai maintenu le même programme jusqu'à la saison prochaine.

— Tu pourrais suspendre les importations jusqu'à ce que tu sois sûr que ta clientèle a bien augmenté, tu ne crois pas ?

— Oui, peut-être... Mais ma décision est prise, maintenant.

Combien de fois n'avait-il pas essayé de convaincre sa mère qu'il était le seul apte à juger de la façon de diriger sa propre entreprise ? Et que s'il avait besoin d'un conseil avisé, il le lui demanderait ? S'il commettait une erreur, il était prêt à en endosser la responsabilité. De la même manière, il revendiquait ses réussites.

— Si tu tiens à renouveler ton équipement, tu n'as qu'à louer, reprit Dorothy. Les assurances jouent en cas d'accident et les frais sont nettement moins élevés.

— Maman, je sais ce que j'ai à faire, dit Travis en se penchant pour déposer un rapide baiser sur la joue de sa mère.

Il était en bas des marches, lorsqu'il se rappela la deuxième raison qui l'avait amené ici.

— Au fait, ne laisse pas Papa porter tout seul les bottes de foin. J'enverrai quelqu'un pour lui donner un coup de main.

— Tu sais bien qu'il ne m'écoute pas.

— Essaie quand même. J'ai embauché un gars, mais il n'est pas libre avant mercredi.

Elle esquissa un geste d'impuissance.

— Je ferai de mon mieux.

Travis sauta les deux dernières marches, pressé de s'en aller. Ce ne fut que lorsqu'il atteignit la route principale que Diana Winchester lui revint à l'esprit. Leur dernière rencontre constituait naturellement une coïncidence... A ceci près qu'il ne croyait pas aux coïncidences. Surtout quand il s'agissait de sa mère.

« Quelque chose ne tourne pas rond », pensa-t-il pour la énième fois. S'il n'avait pas été submergé de travail, il aurait mené une petite enquête lui-même. C'était tentant... Un instant plus tard, il se ravisa. « Mon petit jardin secret », avait-elle dit. Qu'est-ce qui l'autorisait à fourrer le nez dans les affaires de sa mère, alors qu'il ne manquait jamais l'occasion de l'accuser de se mêler de ce qui ne la regardait pas ? Peut-être avait-il pris ce travers de son côté... Peut-être lui ressemblait-il plus qu'il ne voulait l'admettre.

13

Aucun signe de vie pendant vingt-six ans et puis, sans avertissement, l'impensable s'était produit.

Dorothy se laissa tomber pesamment sur sa chaise, les coudes sur le bureau, la face enfouie dans ses mains. De sa vie elle n'avait été aussi furieuse. Aussi inquiète. Nom d'un chien! Si elle l'avait désirée, cette petite, elle ne l'aurait pas abandonnée. De quel droit Diana Winchester se présentait-elle, des siècles plus tard, pour plaider la cause de cette — comment s'appelait-elle déjà? Amy?

Les journaux pullulent d'articles sur les droits des enfants adoptés. Jamais sur les droits des mères... Aucun paragraphe sur la décharge où Dorothy avait apposé sa signature ne mentionnait d'option permettant à l'enfant de réapparaître un beau jour et de détruire la vie de sa génitrice. Ce n'était pas juste. Elle n'avait pas l'intention de se plier à ce caprice du destin.

Mais que faire? En se remémorant son entretien avec Diana Winchester, elle s'aperçut qu'elle n'avait commis que des erreurs. D'abord, elle n'aurait pas dû se fâcher. La colère vous incite souvent à agir de manière stupide, voire dangereuse. Elle avait eu tort. Diana Winchester n'était peut-être pas une lumière mais elle semblait déterminée. Elle se battrait jusqu'au bout.

Dorothy s'était déjà préparée à la possibilité d'un

retour de sa fille. Les enfants adoptés se mettent parfois à rechercher leurs parents naturels quand ils ont atteint l'âge de dix-huit ou vingt ans. Rarement après. Ces années-là s'étant écoulées, Dorothy s'était autorisée à oublier le passé. Et voilà que la dénommée Diana arrivait comme un cheveu sur la soupe.

Comment Dorothy parviendrait-elle à la persuader qu'elle avait renoncé à sa fille par amour, et que c'était encore l'amour qui lui dictait de ne jamais l'accepter au sein de sa famille? Diana n'en croirait pas un mot. Il fallait mettre au point une autre stratégie. Et vite, si elle ne tenait pas à voir s'effondrer l'édifice qu'elle avait bâti à la sueur de son front.

Elle se mit à réfléchir intensément. Avant tout, empêcher Travis de revoir cette femme. Il avait cinq ans à la naissance de sa sœur. Autrement dit, il était suffisamment âgé pour se rappeler certains détails qui ne collaient pas avec l'histoire que Dorothy avait racontée par la suite. Si ces réminiscences refaisaient surface, il commencerait à poser des questions auxquelles elle serait incapable de répondre.

Quoi qu'il en soit, elle devait se comporter comme si tout était normal. Dans l'immédiat, aller parler à son mari.

Elle le trouva au hangar en train de montrer son antique tracteur John-Deere à son visiteur.

— Gus? Travis m'a dit que tu voulais me voir.

Malgré les centimètres qu'il avait perdus à la suite de plusieurs opérations à la colonne vertébrale après son retour du Vietnam, August Martell était assez grand pour apercevoir Dorothy, qui se tenait de l'autre côté du tracteur.

— C'est réglé, dit-il. Walt, ici présent, s'engage à nous renvoyer les papiers de l'assurance dès qu'il aura regagné son bureau.

Dorothy se raidit. L'administration du ranch lui incombait. A l'occasion, elle consultait Gus, mais c'était elle qui avait le dernier mot quant à l'économie du ménage. Avec Judy et Faith au collège, plus *Martell Outfitters* en tant qu'entreprise indépendante, elle estimait qu'ils devaient se serrer la ceinture pour payer leurs salariés. Gus, qui ignorait les choses matérielles de la vie, tel le prix du diesel, ne voyait pas d'inconvénient à charger leur budget d'une assurance supplémentaire.

— D'accord, chéri, dit-elle.

Elle s'arrangerait après, avec les intéressés.

Gus lui fit signe de s'approcher.

— Walt a été très impressionné par notre collection. Il dit que nous avons plusieurs pièces de grande valeur.

— J'ai assisté à des dizaines de ventes aux enchères dans des fermes, dit Walt. C'est fou ce qu'on peut dénicher pour peu qu'on soit collectionneur.

Dorothy déguisa sa colère en un sourire.

— La plupart de nos « pièces de collection », comme vous dites, étaient neuves quand elles ont été achetées. Gus a dû vous expliquer déjà que le ranch appartient aux Martell depuis quatre générations.

Gus ne cessait d'en parler. Il tirait une grande fierté de son arbre généalogique. Walt hocha la tête.

— Oui, il était en train de me raconter l'épopée des Martell quand vous êtes arrivée.

— Une épopée qui se terminera avec moi, j'en ai bien peur, soupira Gus, qui avait enlacé étroitement Dorothy par les épaules. A moins qu'une de nos filles reprenne le flambeau ou épouse un passionné d'exploitations agricoles.

— Eh bien, moi, je ne suis pas sûre que Travis ne reviendra pas sur sa décision, dit Dorothy. Certains signes ne trompent pas. Donne-lui simplement un peu de temps.

— Je crains que ces signes ne soient que dans ta tête, répondit Gus. Enfin! on verra... Je mourrais tranquille si je savais que mon fils est d'accord pour me succéder.

— Les jeunes veulent réussir par leurs propres

moyens, déclara Walt. Après quoi, ils s'aperçoivent qu'ils étaient plus heureux à la maison... J'en ai vu des gosses partir à l'aventure. Ils sont pratiquement tous revenus. En fait, rien ne peut remplacer la famille. Les liens du sang. Une fois qu'on s'est promené de l'autre côté de la barrière, on n'a qu'une hâte, revenir au bercail.

La famille. Les liens du sang. Dorothy sentit un courant glacial parcourir son échine. On aurait dit que chaque mot comportait un sens caché, connu d'elle seule. Il était grand temps de se débarrasser de Diana Winchester. Et vite !

— Je vais faire un tour, Gus, dit-elle. Est-ce que tu vas toujours chez Sidney ?

— Oui, après avoir déposé Walt à l'aéroport. Tiens, on pourrait se retrouver en ville. Manger un morceau, puis aller au cinéma. Ça te dit ?

Cela ne lui disait rien du tout. Pas tant que Diana Winchester était encore à Jackson. Mais si elle refusait, Gus se poserait des questions. Elle fit oui de la tête.

— Rendez-vous au magasin. Sharon et Davis voudront peut-être voir le même film.

Elle se sentirait plus en sécurité entourée de son mari, de sa fille et de son beau-fils. Diana Winchester ne semblait d'ailleurs pas du genre à provoquer un esclandre en public.

Gus retira son bras de ses épaules.

— Bonne idée. Essaie d'entraîner Travis... Il y a des lustres qu'on n'a pas passé une soirée en famille.

Dorothy se tourna vers Walt.

— Si vous voulez vous joindre à nous, vous êtes le bienvenu.

— J'apprécie votre invitation, mais mon avion décolle à seize heures.

Elle serra la main qu'il lui tendait — une main parfaitement propre pour un mécanicien.

— J'ai été enchantée de faire votre connaissance, Walt.

158

Trois quarts d'heure plus tard, Dorothy trépignait devant le bureau du réceptionniste du *Manderly Inn*.

— Désolé, madame Martell, je n'ai pas le droit de vous communiquer le numéro de la chambre de Mlle Winchester. Si vous voulez, je la préviens par téléphone. C'est tout ce que je peux faire.

— Allons-y. Où est l'appareil?

Il lui montra un poste sous une tête de bison empaillée. L'opératrice la mit en contact avec la chambre de Diana. De longues sonneries retentirent dans le vide. Personne ne décrocha. Dorothy reposa le combiné sur son support.

— Pas de message? s'enquit le réceptionniste.

Elle lui adressa son sourire le plus jovial. Inutile d'accorder à sa visite une trop grande importance.

— Non, merci. Cela ne sera pas nécessaire. Je repasserai éventuellement.

Travis longeait la rue en voiture, quand sa mère sortit en trombe de l'hôtel. Il la salua de la main. Elle ne le remarqua pas. Au feu rouge, il regarda dans son rétroviseur. Il la vit traverser à grands pas le parking, s'engouffrer dans sa voiture, exécuter une marche arrière spectaculaire, le moteur rugissant.

Mais que diable cherchait-elle au *Manderly Inn*?

A peine s'était-il posé cette question que la réponse jaillit spontanément. Cette représentante, ce matin, au ranch, n'avait-elle pas dit qu'elle était descendue dans cet hôtel? Il ressentit un vague malaise. Les souvenirs affluèrent. Dorothy ne semblait pas à l'aise en présence de l'autre femme. Elle avait l'air perdue. Personne ne l'avait jamais mise dans cet état, à part Diana Winchester. Que se passait-il? Apparemment, Diana savait quelque chose que Dorothy s'acharnait à dissimuler. Mais quoi? On ne garde pas de secret au sein d'une famille. Enfin, pas longtemps.

Il consulta la petite horloge du tableau de bord. Il avait une bonne heure avant de rencontrer un groupe de randonneurs qu'il raccompagnerait avec l'autocar de son agence de tourisme. Il n'était pas obligé de s'infliger cette corvée, bien sûr. Mais il en profitait pour interroger ses clients. Il arrivait ainsi à connaître leurs aspirations, ce qu'ils avaient apprécié, ce qui les avait déçus. Il ne restait plus, ensuite, qu'à remédier aux défauts des excursions tout en exaltant leurs qualités. La méthode s'était révélée payante. En moins de sept ans, *TMO* était devenue la plus grosse agence touristique de Jackson.

Un coup de klaxon retentit à l'arrière. Le feu était passé au vert. Travis agita la main en direction du conducteur indigné, lança son véhicule vers l'intersection de l'artère principale. Ayant changé brusquement d'avis, il fit demi-tour, manœuvre qui lui valut un deuxième coup de klaxon rageur.

Il saisit son portable et appela son bureau. Il était pris, déclara-t-il, et il pria sa secrétaire d'envoyer quelqu'un d'autre à sa place accueillir les touristes à l'arrêt du bus.

Le *Manderly Inn* se trouvait trois blocs plus loin.

Diana se pencha en avant, se frotta les genoux, puis prit une profonde inspiration, comme si sa vie en dépendait. Elle aurait été mortifiée si un étranger l'avait surprise dans une aussi piètre posture... Faire du jogging à deux mille mètres d'altitude n'était pas précisément indiqué pour calmer les nerfs. Pendant les premiers kilomètres, l'image de Dorothy Martell l'avait accaparée au point de lui faire oublier son propre corps. Jusqu'au moment où des points noirs s'étaient mis à danser devant ses yeux, tandis qu'une espèce de gong géant lui déchirait les tympans... Alors seulement, elle avait ralenti l'allure.

Elle suffoquait, son cœur battait la chamade, mais elle trouvait à son aventure un aspect positif. Elle, qui n'avait jamais eu la patience d'attendre, savait maintenant qu'elle n'avait pas d'autre solution. Retourner au ranch serait s'avouer vaincue. Non, il fallait que ce soit Dorothy qui vienne à elle, lors de leur prochaine rencontre. Elle commettrait une lourde erreur si elle essayait de lui forcer la main. La mère d'Amy avait certainement un tas de problèmes à résoudre, y compris celui d'annoncer la nouvelle au reste du clan.

Au début, sa réaction négative, voire hostile, avait irrité Diana. Mais elle savait que les gens réagissent de différentes manières à des situations stressantes. Si on la jugeait par ses actions et non par ses paroles, Dorothy ne pouvait pas être la mégère dont elle avait l'air. Elle possédait au contraire un puissant instinct maternel. Elle avait mis au monde quatre autres enfants, dont deux après Amy.

Enfin, l'hôtel apparut dans son champ de vision. Afin de se donner du courage, elle se promit un long, un délicieux bain chaud et moussant... Plus que cinquante mètres à parcourir.

Elle longeait péniblement l'allée quand, du coin de l'œil, elle l'aperçut. Il venait de la direction opposée. Très grand, vêtu d'une chemisette vert pomme et d'un jean... Un soupir excédé échappa à Diana.

Travis Martell. Décidément, elle ne pouvait pas faire trois pas dans Jackson sans tomber sur lui. Comme si, grâce à quelque puissance magique, leurs chemins étaient destinés à se croiser plusieurs fois par jour. Travis arriva à la porte de l'hôtel le premier. Avec un sourire, il l'ouvrit pour Diana.

— Justement, dit-il, je vous cherchais.

Elle lui jeta un coup d'œil par-dessus son épaule, tandis qu'elle passait.

— C'est à moi que vous parlez?

L'idée qu'il ait pu préméditer cette rencontre ne l'avait pas effleurée. Elle balaya d'un geste hautain les mèches qui s'étaient échappées de sa queue de cheval.

— J'espérais que vous auriez un moment pour me montrer ce nouvel équipement de pêche... fit Travis.

Diana devina que c'était l'explication que Dorothy avait dû lui donner au ranch ce matin... Elle préféra éviter ce terrain glissant.

161

— Accordez-moi une heure, souffla-t-elle en s'épongeant le front avec un mouchoir en papier. Comme vous pouvez le constater, je ne suis pas au mieux de ma forme.

— Pas de problème.

Elle sourit, soulagée, avant de prendre la direction de l'ascenseur.

— Vous n'avez qu'à me rappeler vers...

— Vous savez, vous n'avez pas besoin de vous refaire une beauté. Je vous trouve très bien comme vous êtes.

Bon! Il avait compris qu'elle n'avait rien à voir avec la pêche. Diana se sentit brusquement angoissée.

— Que voulez-vous exactement, monsieur Martell?

— Je vous en prie, appelez-moi Travis.

— Oui, d'accord. Eh bien... Travis?

— Pouvons-nous aller parler tranquillement quelque part?

— Je ne...

Elle s'interrompit. Il était inutile de le tenir à l'écart. Tôt ou tard, il saurait la vérité.

— Très bien, dit-elle. A condition que je prenne un bain avant.

— Dans combien de temps serez-vous prête?

Il commençait à l'énerver sérieusement... Elle pivota sur ses talons pour le regarder en face.

— Vous avez quatre sœurs. Vous devriez le savoir.

— J'ai *trois* sœurs, dit-il.

Diana respira profondément. Elle venait de faire un lapsus mais ne le regrettait pas. La tentation de corriger l'erreur de Travis la titillait... Mais elle dit :

— Accordez-moi une demi-heure.

— Je vous attendrai dans le hall.

Qu'est-ce qu'il croyait? Qu'elle s'évaderait par la porte de service?

— Vous avez sûrement mieux à faire qu'à rester assis.

— J'en profiterai pour me reposer.

— Alors reposez-vous bien, lança-t-elle avant d'entrer dans la cabine de l'ascenseur.

162

Elle n'avait pas l'intention de se dépêcher. Néanmoins, elle fut de retour vingt-cinq minutes plus tard. Il se leva lorsqu'il la vit apparaître.

— Il n'y a pas à dire, un bon bain ça vous remet d'aplomb, fit-il.

Elle portait le tailleur-pantalon de soie bleu marine qu'Amy lui avait offert à Noël.

— Merci. Maintenant, je peux vous rendre le compliment. Vous semblez plus reposé que ce matin...

Le sourire de Travis s'épanouit.

— C'est donc par ma faute que vous êtes partie en courant du bistrot?

— Pardon?

La lanière de son sac glissait sur l'épaule de la jeune femme. Il la saisit et la remit à sa place.

— Vous avez pris vos jambes à votre cou, non? Je me suis dit que je devais sentir le vieux bouc... Peut-être même le troupeau tout entier, ajouta-t-il, et son sourire devint éblouissant.

Il lui plaisait. Amy le trouverait sympathique aussi.

— Dans les histoires, les héros ne sortent pas forcément de leur douche, le taquina-t-elle.

Il fronça les sourcils.

— Je ne suis pas un héros.

— Comment appelleriez-vous un homme qui cherche un randonneur porté disparu pendant une semaine?

— Bah... ce genre d'incident arrive tous les jours dans notre région. Et tout le monde participe aux recherches. C'est normal.

Dire que Stuart n'aurait jamais sacrifié une minute de son temps précieux pour salir son précieux costume dans une forêt...

— Vous vouliez donc me parler? demanda-t-elle.

— Avez-vous déjeuné?

— Oui, mais je me damnerais pour un truc hyper-calorique, bourré de chocolat.

— Vous faites du jogging pour pouvoir vous empiffrer, hein?

Elle éclata de rire.

— Y aurait-il une autre raison d'en faire?

Ils allèrent s'installer dans un petit restaurant tranquille, à deux pas de l'hôtel, où le serveur parut ravi de voir Travis, qu'il appelait par son prénom.

— Le chocolat n'est pas mon péché mignon à moi, expliqua-t-il, dès qu'ils furent attablés. Moi, ce serait plutôt les tartes aux pommes à la crème fraîche...

Diana le scruta par-dessus son menu. Il s'escrimait à passer pour un gentil garçon de la campagne, candide et inoffensif. Chose à laquelle elle ne croyait pas une seconde.

— Dites, fit-elle. Est-on vraiment obligés de tourner autour du pot avant d'entrer dans le vif du sujet?

Il prit son verre, sirota une gorgée d'eau fraîche, le reposa sur la table avec des gestes délibérément lents.

— Pourquoi? Vous êtes pressée?

— Répondez d'abord à *ma* question.

— Non, on n'est pas obligés de tourner autour du pot. Je voudrais simplement découvrir qui vous êtes réellement.

— Pourquoi?

— Je deviens toujours suspicieux quand les gens débitent un tas de mensonges.

Elle reposa le menu sur la nappe.

— Je ne vous ai pas menti.

— Pas à moi. A ma mère.

— Je ne lui ai pas menti non plus, répondit-elle avec prudence.

Que savait-il exactement?

— Si vous, vous vendez des cannes à pêche, alors, moi, je suis danseur étoile au New York City Ballet.

Diana avait essayé de recontacter Dorothy à plusieurs reprises, mais Felicia lui avait répondu invariablement que Madame était sortie. Elle ignorait donc comment

Mme Martell avait résumé leur entretien à son fils. Il ne lui restait plus qu'à improviser.

— Je ne sais pas qui vous a affirmé une chose pareille... (Et voilà : elle mentait!) Ecoutez, il fallait que je voie votre mère.

— Vous voulez dire qu'elle a mal compris?

— Je n'ai jamais prétendu que je vendais quoi que ce soit.

— Non? Alors que lui avez-vous dit?

— Pourquoi me posez-vous toutes ces questions?

— Parce que ma mère ne me mettrait jamais au courant si quelqu'un la menaçait, par exemple.

— La menacer? s'exclama Diana. (Elle jeta un regard circulaire, de crainte d'avoir attiré l'attention de leurs voisins de table.) Qu'est-ce qu'elle vous a raconté à mon sujet? demanda-t-elle à voix plus basse.

— Rien. Ce n'est pas ce qu'elle a raconté, du reste, qui m'a mis la puce à l'oreille, mais la façon dont elle a parlé de vous. Quelque chose ne tourne pas rond entre vous deux... Je voudrais savoir quoi.

Diana repoussa sa chaise et se leva.

— Vous n'avez pas pensé que ce n'était peut-être pas votre affaire?

Mais ça l'était, bien sûr. Puisqu'il était le frère d'Amy.

— Asseyez-vous, intima-t-il.

— Je n'aime pas recevoir des ordres.

— S'il vous plaît.

Elle avait marqué un point. Il était inutile de pousser le bouchon trop loin. Le serveur revint au moment où elle se rasseyait.

— Avez-vous choisi? s'enquit Travis plaisamment.

— Une tarte aux pommes et un café, dit-elle.

— Deux, ajouta Travis. (Sitôt l'autre parti, il demanda :) Si vous n'êtes pas dans la vente, qu'est-ce que vous faites dans la vie?

— Je suis directrice du marketing chez *Sander's Food*.

— Le fabricant de céréales?

— Nos produits sont beaucoup plus diversifiés mais, oui, nous sommes connus surtout grâce à nos céréales.

— Qu'est-ce que *Sander's Food* a à voir avec ma mère?

— Rien.

Elle s'interrompit, hésitante. Pourquoi protégeait-elle Dorothy Martell? Travis était adulte. Et en tant qu'adulte, il avait le droit de savoir qu'il avait une autre sœur, même si sa mère refusait de le reconnaître.

— Je suis venue de ma propre initiative.

Il attendait la suite. Mais par où commencer? Comment s'y prendre sans trop le perturber? Elle se jeta à l'eau, essayant de contourner l'obstacle.

— Vous ne vous êtes jamais demandé pourquoi il y a tant d'années d'écart entre vos sœurs Sharon et Faith?

Il la regarda, aussi stupéfait que si elle lui avait déclaré que la lune était une illusion d'optique.

— Ecoutez, finit-il par répondre. Je n'aime pas les devinettes, surtout quand elles ont l'air tordues. Pourquoi ne me dites-vous pas simplement la vérité?

Il n'allait pas se sentir aussi à l'aise dans cinq minutes...

— Vous avez une autre sœur, fit-elle.

— J'ai *eu* une autre sœur, dit-il. Elle est morte à sa naissance.

Au tour de Diana de nager en pleine confusion. De qui parlait-il? D'Amy, ou encore d'une autre fille?

— Quand? demanda-t-elle.

— Il y a vingt-six ans.

Il parlait donc d'Amy.

— Elle n'est pas morte. Votre mère l'a fait adopter.

Travis se cala dans son siège, les paumes sur les bras du fauteuil.

— Vous plaisantez!

— Je sais que c'est dur à digérer, mais...

— C'est une arnaque!

Elle était prête à subir un interrogatoire. Pas à se faire accuser d'escroquerie.

— Je commence à en avoir par-dessus la tête d'être

insultée! rétorqua-t-elle. Je n'ai pas entrepris ce voyage pour mentir. Cela n'aurait pas de sens. Qui voudrait se donner la peine de duper votre famille? Dans quel but? La supercherie serait vite découverte, vous ne croyez pas?

— Mettons que vous soyez sincère. Pourquoi avoir attendu vingt-six ans? Pourquoi ne retournez-vous pas chez vous en nous laissant tranquilles?

— Parce que ma démarche a son importance.

— Vraiment? Laquelle?

Ils attendirent, silencieux, que le serveur pose les tartes et les cafés sur la table.

— Amy a besoin de retrouver ses racines, dit Diana lorsqu'il se fut éloigné.

Travis leva ses bras, les laissa retomber.

— Mais de qui parlez-vous? Qui est Amy?

Elle était allée trop vite. Elle avait eu tort de le mettre dans la confidence.

— Amy est votre sœur...

— Minute! s'écria-t-il. Si *vous* n'êtes pas ma sœur, alors qui êtes-vous?

— Amy est ma sœur adoptive.

— Et où est-elle supposée être née?

— Dans l'Ohio.

— Quand?

— En juin. Elle aura vingt-six ans à son prochain anniversaire. Dans quelques semaines.

— Bon sang! murmura Travis, le visage soudain ravagé. Avez-vous une photo d'elle?

— Tiens! Vous me croyez tout à coup? Pourquoi?

— Je ne peux pas vous le dire. Pas encore.

Diana se surprit à hésiter. Il arborait un air lugubre comme s'il venait d'apprendre que sa sœur était morte, pas qu'elle était vivante. Il n'avait pas manifesté la moindre joie, le moindre espoir, seulement une sombre résignation.

Elle prit son sac, l'ouvrit, en extirpa les trois photos, qu'elle tendit à Travis.

— Ce sont les plus récentes, dit-elle. J'en ai d'autres mais celles-ci, je pense, suffiront.

Il les saisit avec précaution, comme s'il s'agissait de trois bâtons de dynamite. Les secondes parurent à Diana des minutes, alors qu'il étudiait chaque cliché.

— Elle a l'air triste, remarqua-t-il.

Amy souriait à l'objectif.

— Pourquoi dites-vous cela?

— Je ne sais pas... Peut-être parce que Sharon a le même sourire quand quelque chose la dérange.

— Alors... vous me croyez?

Une profonde anxiété se peignit sur les traits de Travis.

— J'aurais voulu ne pas vous croire, pourtant.

Diana laissa échapper un soupir de soulagement, tel l'alpiniste qui est arrivé au sommet et qui sait qu'il va redescendre en toute sécurité, en compagnie de son coéquipier...

— Allez-vous m'aider à convaincre votre mère?

Il lui rendit les photos.

— Tout ce que je peux faire, c'est vous aider à quitter la ville.

14

Travis vit la déception dans le regard de Diana. Il lui sembla plus facile d'affronter sa fureur, qui fit étinceler ses yeux peu après.

— Navré, murmura-t-il.

Soudain hors d'elle, elle jeta sa serviette sur la table.

— Bon Dieu, qu'avez-vous à la place du cœur, vous et votre mère? Amy est votre sœur, au même titre que Sharon, Judy ou Faith. Comment pouvez-vous lui tourner le dos?

— Oh, non, pitié! Pas de scène!

— Continuez comme ça et vous verrez une *vraie* scène!

Il la dévisagea.

— Vous n'êtes plus une petite fille. Cessez donc de piquer des colères sous prétexte que vous n'avez pas obtenu ce que vous vouliez.

— Et vous, ne me parlez pas sur ce ton, espèce de...

— Un peu de tenue, voyons! coupa-t-il. Dans d'autres circonstances, je me sentirais offensé.

Sa déclaration tomba comme un seau d'eau sur des flammes. Diana se recroquevilla sur sa chaise.

— Ah, oui? Et pourquoi? fit-elle.

— Pour un millier de raisons.

— Donnez-m'en une.

On eût dit deux entraîneurs en train de négocier un

match de boxe... Travis ne reculerait devant aucun obstacle pour défendre les siens. Diana, quant à elle, ne pensait qu'à Amy.

— Tout le monde dans ma famille, à part ma mère, croit qu'Amy est morte, dit-il. Mon père y compris.

— Ceci est un fait. Pas une raison.

— Réfléchissez, reprit-il avec impatience. Les mensonges servent souvent à protéger quelqu'un. A cacher quelque chose. La vérité tuerait mon père.

— Où était-il quand Amy est née?

— Au Vietnam. Porté disparu.

Diana le regarda un instant, interloquée.

— Et votre mère a quand même donné son bébé à des étrangers?

— Je me pose la même question que vous. (La réponse, trop évidente, semblait horrible à envisager.) Elle devait être dans un tel désarroi qu'elle ne savait plus ce qu'elle faisait.

Il lui cherchait des excuses. La solidarité du clan, songea Diana. Pourtant, ses suppositions ne tenaient pas debout et il le savait. Il n'avait que cinq ans quand ils avaient reçu le papier de l'armée leur annonçant que son père était tombé au champ d'honneur, mais ce jour-là et les jours qui avaient suivi jusqu'à son retour s'étaient gravés à jamais dans sa mémoire.

Un mois environ après que le soldat en uniforme avait sonné à leur porte, avec le télégramme selon lequel August Martell avait disparu en mission — son hélicoptère s'était écrasé lors d'une opération de routine —, Dorothy était rentrée dans son Ohio natal. Elle avait emmené Sharon et Travis. Ses beaux-parents l'avaient en vain suppliée de rester au ranch. Au chagrin d'avoir perdu leur fils s'ajoutait la souffrance de perdre leurs petits-enfants.

Le jour où sa mère se rendit à l'hôpital pour accoucher, Travis, assis sous la véranda, attendit longtemps qu'elle revienne avec le nouveau-né... Elle lui avait promis un petit frère, avant la disparition de son père, et il s'était accroché à cette promesse. Enfin, elle revint. Seule. Plusieurs jours après, elle lui raconta qu'il avait eu une sœur... Le bébé était mort parce qu'il n'avait pas de père, expliqua-t-elle.

Il avait vécu dans l'indicible terreur que lui aussi allait bientôt mourir. Quelques mois plus tard, ils apprirent qu'Auguste Martell était vivant. Gus rentrerait à la maison la semaine avant Noël... Dorothy fit grimper sa petite famille dans l'autocar du Wyoming, bravant le blizzard et les touristes, afin d'être au ranch en temps et en heure pour accueillir son mari. Elle lui avait appris qu'ils avaient perdu le bébé. Le pauvre Gus s'était lamenté, se rendant responsable de la mort de sa petite fille. Il se sentait coupable de n'être pas revenu plus tôt.

— Travis?

C'était Diana, qui lui touchait gentiment le poignet par-dessus la table.

Il regarda fixement cette main féminine sur la sienne, si douce et chaude contre sa peau. Elle ne portait pas d'anneau, nota son subconscient.

— Oui? répondit-il.

— Où étiez-vous?

— Je me rappelais le jour où mon père est rentré...

— Il avait été prisonnier?

Jusqu'où irait-il dans les confidences?

— Oui. Il avait réussi à s'évader avant d'être envoyé dans un camp.

— Est-il revenu tout de suite?

— Non. Il est resté deux semaines à l'hôpital. C'était une loque humaine quand les soldats américains l'ont retrouvé.

— Vous ne croyez pas qu'il voudrait savoir à propos d'Amy? Qu'il a le droit de savoir?

— Cela le détruira, affirma Travis. Il perdra la foi.

— Je vois. Amy paie les erreurs des autres. Une perdante, en somme. Perdante et innocente. Quelle injustice!

— Pourquoi? Est-elle si malheureuse?

— Avez-vous lu les statistiques sur les bébés qui ne se développent pas parce que personne ne les touche, parce qu'ils sont privés d'amour? Imaginez une vie entière de...

Elle s'interrompit, pressa ses paupières, essaya de poursuivre, finit par abandonner.

Travis gardait un silence pensif. Dorothy était une mère dominatrice mais aimante. La confiance qu'il avait en lui-même en tant qu'adulte, il la devait à l'affection dont on l'avait entouré, enfant.

— Avez-vous été traitée de cette manière? s'enquit-il.

— Non. Je suis la fille biologique de mes parents. Ils ont adopté Amy pour me tenir compagnie...

Bon sang... Il n'avait guère envie de s'embarquer dans cette galère.

— Je ne peux pas vous aider, Diana.

— Vous ne pouvez pas ou vous ne voulez pas?

— Les deux. Mon père ne mérite pas cette trahison.

— Alors qu'Amy la mérite!

— Vous me demandez l'impossible. J'aime mon père. Votre Amy, je ne la connais même pas. Pourquoi devrais-je le sacrifier, lui, au bonheur d'une personne que je n'ai jamais vue?

— Je ne sais pas ce qui m'empêche de rendre une petite visite à votre père...

Il savait qu'ils en arriveraient là. Diana possédait suffisamment d'atouts dans son jeu.

— Si jamais Amy revient, je me demande comment elle se sentira quand elle comprendra qu'elle a détruit sa famille.

Diana le regarda durement.

— Elle meurt à petit feu, Travis. Chaque jour elle perd un morceau d'elle-même. Bientôt, il ne restera plus rien.

Sans un mot de plus, elle se leva et sortit du restaurant. Travis eut la sensation d'avoir reçu un coup de poing dans l'estomac. Mais il ne bougea pas. Il ne la suivit pas. C'était au-dessus de ses forces.

Le seul cadeau qu'il était en mesure d'offrir à cette sœur inconnue, c'était des réponses... Elle avait le droit de savoir pourquoi elle avait été abandonnée.

Il régla la note — ni lui ni Diana n'avaient touché à leurs desserts. Sa camionnette était garée le long du trottoir. Il démarra, prit la direction du magasin. Sur le chemin, il essaya de joindre sa mère au ranch sur son portable. Elle était sortie. Il ne la trouva pas au magasin non plus. Elle était passée, l'informa Sharon. Elle les avait invités, elle et Davis, à dîner, mais ils avaient d'autres projets.

Il erra pendant plus d'une heure dans les rues de la ville. Après une dernière tentative d'appeler le ranch, il renonça. La peur que Diana quitte la ville sans qu'il la revoie l'assaillit. Il fonça vers le *Manderly Inn* et pria le réceptionniste de composer le numéro de la chambre de Mlle Winchester. Il prit lui-même l'appareil. Diana décrocha à la seconde sonnerie, avec un « allô » un peu pâteux, comme s'il l'avait réveillée.

— C'est Travis, fit-il. Vous allez bien ?

— Qu'est-ce que vous voulez ?

— Une minute.

— Justement, je n'ai pas une minute à vous consacrer. Je vous prie de raccrocher, afin que je puisse appeler l'aéroport.

Quelque chose s'était produit durant les deux heures qui venaient de s'écouler... La note qui vibrait dans la voix de la jeune femme ne ressemblait pas à de la colère. Non. Elle avait peur.

— Diana, qu'est-ce qui se passe ?

— Ce n'est pas votre af... (Un son étranglé, puis :) C'est Amy. Elle est à l'hôpital.

— Pourquoi ?

— Qu'est-ce que ça peut vous faire ?

Elle lui raccrocha au nez.

Travis sourit au réceptionniste. C'était le frère cadet d'un de ses guides.

— Salut, Roger. Comment va?

Roger lui rendit son sourire. Il caressait le projet de suivre les traces de son aîné dans la plus grosse agence de tourisme de la région.

— On ne se plaint pas, fit-il. Et vous, m'sieur Martell?

— On fait aller... Dites, j'étais en train de converser avec une de vos clientes, vous savez, Diana Winchester. La communication a été coupée. Vous pourriez vérifier que sa ligne n'est pas en dérangement?

— Oui, sûr, m'sieur Martell.

Il consulta le registre, puis forma trois chiffres sur le cadran.

— C'est occupé, déclara-t-il.

— Elle doit être en train de me rappeler. Je ne sais plus quel est le numéro de sa chambre, le 207 ou le 208? dit Travis d'un ton nonchalant.

Il n'avait pu voir le dernier chiffre sur lequel Roger avait appuyé, sur son clavier.

— Le 207, le renseigna celui-ci.

— Merci. A charge de revanche...

— A vot' service, m'sieur Martell.

Travis préféra monter par l'escalier, plutôt que d'attendre l'ascenseur. La chambre de Diana donnait sur le palier. Il perçut sa voix, sans distinguer les mots qu'elle prononçait. Il frappa à la porte et attendit. Elle vint ouvrir presque aussitôt.

— J'avais peur que vous ne répondiez pas, dit-il.

— Je n'aurais pas ouvert si j'avais su que c'était vous.

Elle avait les yeux rouges, signe qu'elle avait pleuré.

— Puis-je entrer?

— Non. Je suis occupée.

Elle voulut refermer la porte. Il repoussa le battant.

— S'il vous plaît.

— Je suis au téléphone.

— J'attendrai.

174

Après une hésitation, elle le laissa entrer.

Sa valise trônait au milieu du lit, ouverte, vide. Il saisit la chaise placée derrière le bureau et s'y affala. Diana lui tournait le dos, l'écouteur à l'oreille, dégageant de sa main libre une mèche de cheveux de son visage.

— Votre prochain vol est pour quand? demanda-t-elle. Je dois rentrer à Minneapolis ce soir... Sur liste d'attente? Jusqu'à quand?... Non, merci, ce sera trop tard.

Elle reposa le combiné sur son support, se mit à feuilleter fébrilement l'annuaire téléphonique.

— Je pourrais m'en occuper pendant que vous bouclez vos bagages, proposa Travis.

Elle le scruta un instant, ne sachant pas si elle devait se fier à sa bonne foi ou pas. Enfin, elle hocha la tête.

— Peu m'importe le prix ou la compagnie, pourvu que je m'en aille le plus vite possible.

Il composa un numéro sans consulter le bottin. Un de ses vieux copains, qui lui devait une faveur, décrocha. Il parla à voix basse. Ayant raccroché, il se tourna vers Diana.

— Vous partez dans une heure.

Elle vida un tiroir de sous-vêtements directement dans la valise.

— A quelle heure dois-je être à l'aéroport?

— Je n'ai pas demandé. C'est un vol direct.

Elle le regarda.

— Je suppose que je devrais vous remercier. A moins que ce ne soit le contraire. Vous vouliez que je parte et voilà, c'est fait.

Il ignora l'allusion.

— Qu'est-il arrivé à Amy? demanda-t-il.

— Ne faites pas semblant de vous intéresser à elle.

— Nom d'un chien, cessez de me traiter en ennemi et dites-moi ce qui s'est passé.

— Un accident vasculaire cérébral. Ils vont l'opérer d'urgence.

Il ramassa par terre un dessous de soie rose et le remit dans la valise.

— Elle s'en tirera?

Diana ouvrit la bouche. Les mots se dérobaient. Le visage entre les mains, elle fondit en larmes. De nouveau, elle lui tournait le dos. Il entendait sa respiration saccadée. Sa terreur était presque palpable... contagieuse... Soudain, Travis eut envie de protéger cette sœur qu'il ne connaissait pas.

— Que puis-je faire? demanda-t-il.

Diana s'effondra sur le lit.

— Rien.

S'il s'était écouté, il l'aurait prise dans ses bras et bercée jusqu'à ce que ses larmes tarissent... Pendant qu'elle sanglotait, il sortit ses vêtements de la penderie et les plia avant de les ranger dans sa valise. Il passa ensuite dans la salle de bains d'où il ressortit les bras chargés d'un sèche-cheveux, de lotions et de crèmes hydratantes. Il cala le tout dans un coin de la valise.

— Mes chaussures! s'exclama Diana tandis qu'il s'apprêtait à refermer le couvercle.

Il les lui prit des mains, les rangea dans le coin opposé.

— Ce sera tout? fit-il.

— Oui, je crois.

— Restez ici. Je descends régler votre note et je remonte tout de suite.

— Je ne suis pas invalide.

— Non, mais vous êtes têtue comme une mule. Regardez dans quel état vous êtes.

Elle prit un mouchoir en papier, le centième depuis qu'il était là, et se moucha.

— Je serai prête dans une minute, marmonna-t-elle en fouillant dans la poche de son sac. Tenez, prenez ça, intima-t-elle en extirpant sa carte de crédit.

Il omit de lui rappeler que sans sa signature, la carte comptait pour des prunes... Il la glissa dans sa poche et descendit à la réception. Il remonta dix minutes plus tard.

Elle s'était coiffée, avait retouché son maquillage. A part ses yeux rouges, rien ne laissait deviner qu'elle avait pleuré.

— Prête? demanda Travis.

Diana acquiesça. Lorsqu'il voulut prendre la valise, elle dit :

— Je peux me rendre à l'aéroport par mes propres moyens. Vous n'êtes pas obligé de m'y emmener.

— Comment vous y prendrez-vous pour rendre votre voiture de location sans rater votre avion?

— Je prendrai la navette. Entre-temps, je téléphonerai à l'agence afin que quelqu'un vienne chercher la Jeep.

— Décidément, vous avez l'art et la manière de perdre du temps. Vous avez deux possibilités : ou je conduis votre voiture, ou vous venez avec moi en camionnette.

Elle lui jeta la clé, qu'il attrapa au vol.

— Je sais maintenant d'où Amy tient son opiniâtreté, dit-elle.

— Il s'agit, en effet, d'un trait de caractère des Martell.

Des larmes emplirent de nouveau les yeux de Diana.

— Elle a le droit de connaître sa famille. Surtout vous, Travis. Elle a toujours rêvé d'avoir un frère.

— Je suis désolé, Diana.

— Oui. Moi aussi.

L'idée qu'il pourrait rencontrer son père à l'aéroport n'avait pas effleuré Travis, jusqu'à ce qu'il se gare devant le terminal des jets privés. Au moment où il éteignait le moteur de la Jeep, il aperçut Gus, qui lui adressait de grands signes de la main.

— Regardez, dit Diana. Quelqu'un essaie d'attirer votre attention.

Travis se tourna vers la jeune femme.

— C'est mon père. Je sais que vous ne me devez rien,

pas plus qu'à ma famille... mais je vous en supplie : ne lui dites rien.

De l'orage à l'accalmie, les émotions se succédèrent sur le visage de la jeune femme.

— Pour le moment, je ne songe qu'à une seule personne, dit-elle. Amy.

— Merci.

Travis sauta de la Jeep pour saluer son père.

— Si je m'attendais à te voir ici! s'exclama Gus avec un large sourire. Je parie que ta mère n'y est pas pour rien.

— Pas du tout. Je n'ai pas vu Maman depuis ce matin. Je rends simplement service à une amie.

Le regard de Gus dériva vers Diana, qui émergeait de la voiture.

— Excusez-moi, dit-il en ôtant son chapeau et en lui tendant la main. Je ne vous avais pas remarquée.

— Papa, voici Diana Winchester. Diana, je vous présente mon père, August Martell.

— Appelez-moi Gus, mademoiselle.

— D'accord, Gus. Enchantée.

Elle le regarda avidement, comme pour mémoriser ses traits burinés.

— Vous arrivez ou vous repartez? demanda-t-il.

Travis tira la valise hors du coffre.

— Elle repart pour Minneapolis.

— Dommage. Je vous aurais invitée à souper avec nous ce soir. Avec les autres membres de la famille. (Il sourit.) Du moins ceux qui sont là.

Attendant la réponse de Diana, Travis sentit une boule se former au fond de sa gorge.

— J'en aurais été ravie, dit-elle. Peut-être la prochaine fois.

— Allons-y, coupa Travis. Brendan est pressé.

— Ha! ha! elle s'en va avec lui? dit Gus en ricanant. A votre place, mademoiselle, je ne détacherais pas ma ceinture de sécurité jusqu'à l'atterrissage. Brendan est un gar-

178

çon formidable, mais pardon! Il se prend pour un pilote d'essai.

Diana jeta un regard interrogateur à Travis, qui répondit :

— Je vous expliquerai.

— Très heureux d'avoir fait votre connaissance, dit Gus.

— Attends-moi à la voiture de location, Papa, lança Travis. Je te ramènerai en ville.

Alors que Gus s'éloignait en direction de la Jeep, il souleva la valise d'une main, saisit le coude de Diana de l'autre et entraîna la jeune femme vers une grille ouverte.

— Où sommes-nous? s'enquit-elle.

— Comme tous les vols réguliers étaient complets, j'ai demandé à un ami de vous conduire. (Il indiqua un avion privé sur le tarmac.) Voilà son appareil.

— Je... Je ne sais quoi dire.

— Alors, ne dites rien.

Brendan, qui les guettait, émergea du cockpit, la figure fendue d'un sourire radieux.

— Prochain arrêt, Minneapolis, annonça-t-il.

— Merci, Brendan. Je te dois une fière chandelle, dit Travis.

— Et moi donc! Il me faudra plus d'une douzaine d'allers-retours avant que nous soyons quittes...

Le pilote saisit le bagage de Diana et disparut dans la cabine.

— J'espère que tout ira bien pour vous, murmura Travis.

— Voulez-vous que je vous appelle?

Il était tenté, mais la raison supplanta les sentiments.

— Il ne vaut mieux pas.

Elle hocha la tête.

— J'aime bien votre père, dit-elle.

— Il est unique. (Un sourire inattendu illumina les traits de Travis.) Vous imaginez la tête de ma mère, si nous arrivions tous les trois au restaurant?

Diana sourit en retour, mais le cœur n'y était pas.

— Prévenez-moi si jamais vous changez d'avis, dit-elle.

Tous deux savaient qu'aucun changement ne surviendrait. Jamais. Pourtant, Travis demanda :

— Où puis-je vous joindre ?

Diana réfléchit un instant.

— Non... Ce n'est pas la peine. Je n'ai pas envie d'attendre un coup de fil qui ne viendra pas.

Brendan réapparut à la porte de l'appareil.

— C'est quand vous voulez, fit-il.

Diana commença à gravir la passerelle. A mi-chemin, elle se retourna. Ses yeux cherchèrent ceux de Travis.

— Vous auriez dû me déplaire. Mais ce n'est pas le cas.

Elle s'éclipsa avant qu'il ait pu répondre.

Il attendit que l'appareil ait décollé avant de regagner la Jeep où son père l'attendait.

Sur le chemin du retour, il baissa la vitre. La brise tiède lui caressa le visage, alors qu'il contemplait le décor familier de ses chères montagnes. Oh, il aurait voulu être seul, tout seul entre ciel et terre, sous les arbres bruissants... Un curieux pincement au cœur lui coupa le souffle.

— ... jolie fille, disait Gus. Pourquoi n'as-tu pas essayé de la retenir un peu plus longtemps ?

Travis mit sa main en visière, face à l'horizon embrasé par le soleil. « Oublier », pensa-t-il. Il souhaitait de toutes ses forces oublier Diana, ses yeux d'un brun ardent, ses jambes magnifiques, son sourire, sa volonté farouche de se battre pour ses idées. Et la raison pour laquelle elle était venue à Jackson.

— Elle n'est pas mon genre, Papa, répondit-il, sachant pertinemment qu'il mentait.

15

Dans l'esprit de Diana, les hôpitaux n'offraient pas l'aspect mystérieux et effrayant qu'ils possèdent pour la plupart des gens. Elle n'avait jamais elle-même compté parmi les patients mais, depuis sa plus tendre enfance, le métier de son père lui avait rendu familier ce décor.

Pourtant, lorsque deux semaines plus tôt elle avait ramené Amy à la maison, elle s'était juré de ne plus jamais revoir l'enfilade de couloirs aux murs verts et au sol de linoléum, où flottait un écœurant relent d'antiseptique.

Autrefois, elle avait rendu visite à des malades en tant que bénévole ; leurs souffrances l'avaient touchée, parfois même elle avait pleuré. Mais elle n'avait jamais eu peur... Cette peur affreuse qui l'avait tétanisée le jour où elle avait découvert Amy sans connaissance, peur accompagnée d'un épouvantable sentiment d'impuissance.

Une seule chose, en effet, la terrifiait : l'inconnu. Elle se sentait capable d'affronter le pire, à condition de savoir de quoi il retournait. Au travail, les mauvaises nouvelles ne l'avaient jamais prise de court. Elle étudiait le problème à fond, avant d'adopter une solution. Mais le problème auquel elle était confrontée à présent lui échappait. Elle n'avait plus qu'à attendre l'issue. Et cette attente pompait ses forces, la vidait de toute son énergie.

Elle avait appelé l'hôpital de l'avion ; elle avait parlé à

différents correspondants, infirmières, internes, soignants. Elle avait eu également Stephanie. Chacun avait répété la même phrase, sur un ton neutre : « Aussi bien que possible. » Qu'est-ce que cela signifiait, au juste ? Aussi bien que quelqu'un qui va se réveiller d'une minute à l'autre ? Ou aussi bien que quelqu'un qui n'ouvrira plus jamais les yeux ?

Le trajet en taxi entre l'aéroport et l'hôpital lui parut aussi long que le vol depuis Jackson. Elle se fit conduire devant l'entrée des urgences, sachant qu'il y avait toujours quelqu'un derrière le bureau de la réception. Un infirmier la pilota vers l'unité des soins intensifs.

— Oh, mon Dieu...

Elle s'immobilisa sur le seuil de la pièce, comme paralysée, comme si elle avait été prise dans un bloc de glace... Elle avait certes essayé d'imaginer le pire, mais ne s'était approchée que très peu de la réalité.

La salle de réanimation ne ressemblait guère à la chambre qu'Amy avait occupée lors de son précédent séjour. Ici, aucune fenêtre ne s'ouvrait sur l'extérieur, aucun poster n'ornait les murs. Il n'y avait même pas le traditionnel petit placard métallique où les malades rangent leurs affaires. Autour du lit, une demi-douzaine de moniteurs affichaient des graphiques correspondant aux pulsations du cœur, à l'oxygénation du sang, à la tension. L'un des écrans indiquait la pression à l'intérieur de la cavité crânienne. Des intraveineuses et autres goutte-à-goutte hydrataient le corps inanimé d'Amy. Pas de télévision, bien sûr, ni de radio, aucun bruit à part le souffle sourd et rythmé de l'appareil qui insufflait de l'air dans les poumons de la jeune femme.

Son visage disparaissait sous le tube enfoncé dans sa bouche et l'énorme bandage qui entourait sa tête. Elle semblait minuscule, d'une pâleur effroyable. Ses hématomes — qui à présent avaient viré au jaune marbré — constituaient les seules couleurs sur ses joues blêmes.

Diana eut conscience d'un mouvement dans un coin

de la pièce... Stephanie se leva de la chaise où elle était assise et vint enlacer son amie.

— Avant que je n'ouvre la bouche, dit-elle, une infirmière m'a dit que seuls les membres de la famille étaient admis aux soins intensifs... Alors j'ai répondu que j'étais la sœur d'Amy. (Elle prit le sac et la valise de Diana et les posa par terre.) Je ne sais pas si elle m'a crue, mais comme il n'y avait personne d'autre, elle m'a laissée.

— Comment va-t-elle? demanda Diana, incapable encore d'avancer vers le lit.

— Son état est stationnaire. Du moins, je le crois. Par moments, l'un des moniteurs s'emballe, mais avant que je panique, il redevient normal.

— Comment est-ce arrivé?

— D'après le médecin, ce serait une réaction tardive aux coups qu'elle a reçus sur la tête.

— Une chance encore que tu aies été avec elle.

Au téléphone, Stephanie lui avait tout raconté. Amy se plaignait d'une forte migraine depuis la veille au soir. Elle était descendue demander de l'aspirine, et là elle s'était évanouie.

— Oui, c'est vrai, répondit Stephanie.

— As-tu appelé mes parents? demanda Diana.

— Non. Quelqu'un d'autre a dû s'en charger. Il paraît que ton père est passé.

— Il est venu voir Amy?

Stephanie détourna son regard, gênée.

— Non. Un des médecins m'a rapporté qu'il a simplement parlé avec le chirurgien avant qu'ils opèrent.

Diana porta la main à sa gorge, comme pour apaiser une sensation d'étouffement...

— Quand est-elle supposée se réveiller? demanda-t-elle.

Stephanie ne répondit pas tout de suite; puis elle pensa que le silence était pire que tout.

— Elle ne devrait pas tarder, dit-elle.

Diana s'entoura de ses bras. Un froid intense, intérieur, lui glaçait le sang.

— Tu veux dire qu'elle devrait être réveillée depuis un moment, c'est ça?

— Je répète simplement les paroles du docteur, répondit Stephanie avec prudence.

— A d'autres... Toi qui te targues de savoir « lire entre les lignes », tu as sûrement une idée.

— D'accord... D'après ce que j'ai compris, dans le meilleur des cas, Amy se réveillera de l'anesthésie. Malheureusement, le cas contraire n'est pas inhabituel. Mais si cela peut te rassurer, ils ne se contentent pas de la maintenir en vie; ils lui administrent un traitement...

— Je vais chercher son médecin, coupa Diana.

Stephanie consulta sa montre.

— Il doit repasser dans une demi-heure.

— Je ne peux pas attendre.

Stephanie lui saisit le bras.

— Attends... Dis à Amy que tu es ici.

— Mais je croyais... tu m'as dit...

— Peu importe. Tu sais, il y a deux ans, j'ai fait un reportage sur des gosses qui ont failli perdre leur mère dans un accident de voiture. Ils se sont relayés à son chevet pendant qu'elle était dans le coma, et n'ont cessé de lui parler, de lire ou de chanter jusqu'à ce qu'elle se réveille. Je les ai interviewés. C'était Noël et j'étais persuadée qu'il s'agissait d'une de ces histoires miraculeuses qu'on nous sert toujours pendant les fêtes. Mais en parlant avec le médecin de cette femme, j'ai changé d'avis. La médecine l'avait condamnée mais ses enfants n'ont pas cessé d'espérer. A toi d'essayer de persuader Amy que la vie vaut la peine d'être vécue.

Diana comprit tout à coup que sa précipitation à sortir de cette chambre découlait en fait d'un besoin urgent de se protéger d'Amy. Car la peur la tenaillait... Et à moins d'être constamment occupée, la peur risquait de la submerger. Il fallait coûte que coûte arrêter de penser, de sentir.

Lorsqu'elle avait découvert Amy inanimée chez elle, cela avait été différent. Diana se croyait encore en possession de tous ses moyens. Elle se sentait capable de se contrôler. De tels drames survenaient tous les jours. On n'avait qu'à ouvrir un journal ou regarder la télévision pour être gavé de misère humaine.

Mais aujourd'hui, elle était bien forcée d'admettre que cela n'arrivait pas qu'aux autres.

Elle respira profondément avant de s'approcher du lit. Elle contempla un long moment la forme allongée, sans vraiment la reconnaître... Cette chose inerte n'était pas la petite sœur espiègle qui avait collé avec de la glu les chaussures des parents sur le parquet, le jour où ils avaient emmené son chat à la fourrière parce qu'il s'était fait les griffes sur une chaise... Son enveloppe charnelle se trouvait là — comme en témoignaient le petit grain de beauté au coin de la bouche et le sourcil gauche, légèrement plus haut que le droit —, mais son âme n'y était plus. L'espace d'une seconde terrifiante, Diana se dit que les machines mentaient, et qu'Amy était morte.

Un sanglot l'étouffa. Elle ne voulait pas vivre dans un monde privé de sa sœur.

Stephanie posa une main sur le genou d'Amy.

— Salut, bébé. Si tu voyais la mine que tu as, tu bondirais sur tes pieds. Ne le prends pas mal, mais j'ai déjà vu des carpes dans l'évier qui semblaient plus fraîches que toi... Il est grand temps de te réveiller et de rentrer à la maison.

Une goutte tomba sur le drap blanc amidonné, près du bras d'Amy. Elle forma une petite tache humide. Une autre tache apparut, puis une troisième. Diana s'aperçut alors seulement qu'elle pleurait. Demain, elle se montrerait peut-être plus courageuse, mais ce soir, le désespoir l'envahissait. Ce soir, elle avait le cœur brisé. Elle se pencha, déposa un baiser sur la joue livide de sa sœur.

— Pardonne-moi de ne pas avoir été là, ma chérie, murmura-t-elle.

Stephanie la poussa du coude.

— Je t'en prie, pas de propos tristes. Gronde-la plutôt de ne pas se réveiller, ou promets-lui qu'Helen lui préparera un monceau de cookies au chocolat.

— Tu entends, Amy? dit Diana, regardant sa sœur comme si elle attendait une réponse. Des cookies au chocolat. Une double fournée.

— Moi, je les préfère sans noix, intervint Stephanie.

Diana prit la main d'Amy. Une main douce et familière, bien que sans vie.

— Si jamais tu oses me quitter, ma vieille, je donne ta pendule à Maman!

Stephanie sourit.

— Excellent. Personnellement, je réagis toujours aux menaces.

Diana prit affectueusement son amie dans ses bras.

— Tu es la meilleure.

— Toi aussi, répondit Stephanie en l'enlaçant de même.

Elle prit congé une heure plus tard.

— Je passerai d'abord au bureau, dit-elle, tandis que Diana l'accompagnait jusqu'à l'ascenseur. J'ai un article à rédiger sur les pompiers. Et demain, je dois interviewer un fabricant d'appâts. Je serai ici vers onze heures au plus tard.

— Tu n'es pas obligée de...

Stephanie lui lança un coup d'œil sévère.

— Je ne veux plus entendre ce genre d'âneries. Compris?

Diana acquiesça.

— Compris, fit-elle. A demain matin.

— J'aime mieux ça. (La porte de l'ascenseur coulissa, Stephanie entra dans la cabine.) Tu m'appelles, s'il y a un changement? dit-elle tandis que la porte se refermait.

— Promis.

Alors qu'elle rebroussait chemin, Diana aperçut son père au bout du couloir. Il portait une blouse chirurgicale verte et semblait épuisé.

— Tu ne crois pas qu'il est temps que tu rentres chez toi? lança-t-il.

— Mais je suis là depuis à peine une heure.

— D'après l'infirmière, c'est toi qui as accompagné Amy ici.

Il ne s'était pas donné la peine de vérifier.

— Tu viens avec moi jusqu'à la salle de réanimation? proposa-t-elle.

— C'est idiot de rester, Diana. Il se peut qu'Amy ne se réveille pas avant plusieurs jours. On te préviendra s'il y a une amélioration. Ou une aggravation.

Carl Winchester était connu pour ses talents de chirurgien. Pas pour sa compassion à l'égard des malades... Diana se dit qu'il essayait de rester pratique, de juger la situation comme un médecin, pas comme un père.

— Tu ne veux pas la voir? demanda-t-elle.

— J'ai consulté sa fiche de soins.

Elle ravala une injure. Amy pourrait avoir besoin des compétences du Dr Winchester, ce n'était donc pas le moment de se disputer.

— Qu'est-ce que tu en as conclu?

— Elle va aussi bien que possible.

Diana s'adossa contre le mur. Elle commençait à ressentir les effets du manque de sommeil.

— N'importe qui me donnerait cette réponse, fit-elle.

— Que veux-tu que je te dise?

— Qu'elle s'en sortira.

— Personne ne peut affirmer une chose pareille. Au point où elle en est, on ne sait rien encore. Des complications sont à craindre.

— Quel mal y aurait-il à me donner un peu d'espoir?

— Préfères-tu de faux espoirs à la place de la vérité?

— Oui, exactement.

— En ce cas, adresse-toi à quelqu'un d'autre.

Carl repartit vers l'ascenseur et appuya sur le bouton.

— Passe mon bonjour à Maman, dit Diana.

— Je n'ai pas l'intention de vous servir d'intermédiaire, à ta mère et à toi. Si tu as quelque chose à lui dire, tu n'as qu'à l'appeler, répondit-il en écrasant impatiemment le bouton de l'ascenseur.

— Est-elle encore furieuse contre moi?

— Blessée, plutôt. (Enfin, l'ascenseur arriva.) N'attends pas trop longtemps avant de lui rendre visite, Diana. Tu sais comment elle peut réagir, parfois.

Avant que les portes coulissantes ne se referment, elle lança :

— Dis-lui que je l'invite à prendre le petit déjeuner avec moi demain. Rendez-vous dans la chambre d'Amy.

Carl aboya une réponse, mais Diana avait parfaitement calculé sa manœuvre. Les portes se fermèrent. Elle n'entendit pas un mot.

Une infirmière changeait le tube de l'intraveineuse quand elle regagna la salle des soins intensifs.

— Comment va-t-elle? s'enquit Diana.

— Aussi bien que...

— ... possible. Je sais.

— Désolée. Cela peut paraître dépourvu de sens mais c'est la vérité. (Elle toucha gentiment le bras de Diana, la regardant droit dans les yeux.) Nous avons tenté l'impossible pour la sauver. Le reste dépendra d'elle.

Une parfaite étrangère lui témoignait plus de compassion que son propre père.

— Je resterai ici ce soir, dit Diana. Savez-vous comment je peux me procurer une tasse de café, à l'étage?

— Je vous en apporterai une du bureau. Vous n'arriverez jamais à avaler le jus de chaussette qui sort des machines.

L'infirmière revint peu après avec une tasse fumante, avant de s'éclipser de nouveau. Les deux sœurs restaient seules. Diana tira la chaise près du lit, passa sa main entre les barreaux, saisit celle d'Amy.

188

— Te souviens-tu de cet été où Maman nous avait envoyées dans une colonie de vacances chic pour apprendre les bonnes manières ? Quand nous avons fait un lit en portefeuille à la vieille sorcière qui refusait de nous laisser dormir dans la même chambre ? Justement, aujourd'hui...

Elle parla pendant une heure. Une ou deux fois, elle se surprit à sourire à ses évocations. Tout en s'efforçant de chasser la pensée déprimante qu'à part ces quelques souvenirs elle n'aurait peut-être plus rien à partager avec Amy.

Elle avait dû s'endormir, mais depuis quand ? Elle n'aurait pas su le dire. La sensation d'une présence la réveilla. Quelqu'un entrait dans la pièce. Elle distingua une silhouette à contre-jour. Elle se redressa sur sa chaise en clignant des yeux.

— Qui est là ?

— Travis.

Elle battit des paupières.

— Que faites-vous ici ?

— Je suis venu voir ma sœur.

16

— Comment nous avez-vous trouvées? demanda Diana.

Il entra, laissant tomber son sac derrière la porte.

— J'ai appelé tous les hôpitaux de Minneapolis jusqu'à ce que je trouve celui qui comptait une Amy Winchester parmi ses patients.

Diana se leva. Elle se plaça entre Amy et lui, d'un air résolument protecteur.

— Quelle est la véritable raison de votre visite? demanda-t-elle.

— Je viens de vous le dire, répondit-il patiemment. Je voulais voir ma sœur.

Elle le sonda du regard en quête d'une motivation secrète. Mais ne décela rien à part l'épuisement et l'anxiété.

— Est-ce que votre mère sait que vous êtes ici?

— Elle sait que je suis parti. Elle ignore où.

De ses doigts il lissa ses cheveux qui rebiquèrent aussitôt dans tous les sens, puis passa sa main sur son visage comme pour en effacer les traces de fatigue.

— Quand vous êtes partie, j'ai commencé à réfléchir à tout ce que vous m'aviez révélé. Et à force de ruminer... eh bien, me voilà.

Visiblement, il ne cherchait pas à l'impressionner. Sinon il aurait préparé un discours plus élaboré.

— Je vous préviens, elle ne ressemble pas... (Diana s'interrompit et s'écarta du lit.) Enfin, voyez par vous-même.

Travis regarda l'étrangère qui était aussi sa sœur. Diana avait raison. Elle ne ressemblait guère à la ravissante jeune femme dont il avait contemplé les photos au restaurant. Cependant, malgré ses pansements et ses traits bouffis, il constata, au-delà du moindre doute, qu'elle était bien une Martell. Il en conçut une profonde et inexplicable sensation de perte.

Il se rapprocha davantage. Il en avait vu, des gens amochés, hommes et femmes, qui avaient fait des chutes en montagne, skieurs qui avaient percuté un arbre, victimes d'accidents de travail à la ferme. Aucun de ces blessés ne l'avait affecté autant qu'Amy. Peu importait qu'il ignorât son existence deux jours plus tôt. Elle faisait partie de sa famille.

— A quoi sert ce fil qui sort du bandage? demanda-t-il.

— Il est relié au moniteur qui calcule la pression à l'intérieur de sa tête.

— Comment se porte-t-elle?

— Aussi bien que... (La voix de Diana se brisa.) Elle est vivante, se reprit-elle. On n'en sait pas plus.

— Pourquoi êtes-vous toute seule à son chevet?

Elle se raidit, immédiatement sur la défensive.

— A quoi vous attendiez-vous? A une réception?

Il la dévisagea sans comprendre. Il avait simplement voulu savoir pourquoi les parents n'étaient pas là et s'ils n'allaient pas arriver d'un instant à l'autre. Sa présence pourrait alors les déranger.

— Diana... Je ne suis pas un ennemi. Je voudrais vous aider.

C'était presque la vérité. En fait, il n'avait pas encore mis un nom sur la force impétueuse qui l'avait poussé à venir... Il savait seulement qu'il n'aurait pas pu rester tranquillement à Jackson.

191

— Je ne vois pas comment! dit Diana.

Il faillit tourner les talons. Sa curiosité satisfaite, il pouvait parfaitement repartir. Mais il resta.

— En vous tenant compagnie? proposa-t-il.

— Qu'est-ce qui vous fait penser que j'ai besoin de compagnie?

Un signal d'alarme aigu jaillit d'un moniteur. L'infirmière de nuit arriva aussitôt. Elle examina la machine, puis les fils qui la connectaient au corps gisant sur le lit.

— Ce n'est rien. Un mauvais contact, expliqua-t-elle avec un sourire rassurant.

Ses yeux allèrent de Travis à Diana.

— Votre père n'a jamais mentionné que vous aviez un frère.

L'intérêt que la jeune infirmière témoignait à Travis n'aurait pas échappé à un aveugle. Diana, qui essayait de se persuader «qu'il n'était pas son genre», se dit que beaucoup de femmes devaient succomber à son charme de «dur à cuire»; elle se classa dans une minorité d'irréductibles.

— Travis est le frère d'Amy, dit-elle.

L'adoption n'avait jamais été un secret pour personne. D'ailleurs, ces dernières années, les parents n'avaient cessé de prendre leurs distances par rapport à Amy. S'ils avaient été présents, ils auraient pris les paroles de Diana pour une forme de coopération.

Un instant désarçonnée, l'infirmière parut cerner enfin le problème. Elle se tourna vers Travis.

— Alors, vous n'êtes pas d'ici?

— Non, dit-il. Je suis du Wyoming.

— C'est la première fois que vous venez à Minneapolis?

— La première, oui.

Elle remit en place l'alarme du moniteur.

— Dommage que ce soit dans de telles circonstances... Il faudra revenir quand votre sœur sera capable de vous faire visiter notre belle ville.

192

— Je n'y manquerai pas.

Il semblait complètement insensible aux œillades brûlantes de la jeune femme, qui finit par sortir.

— Au fait, comment êtes-vous entré dans l'unité des soins intensifs? demanda Diana.

— Un vieux stratagème... J'ai fait semblant de travailler ici.

La colère de Diana s'apaisait peu à peu. Cette colère qui l'avait opposée à Dorothy Martell, qui continuait de renier Amy, puis à Travis, qui ne songeait qu'à ménager son père.

— Je me fiche pas mal de la raison pour laquelle vous êtes venu, murmura-t-elle. Mais j'en suis contente.

— Je ne suis pas sûr de rester longtemps.

— Avez-vous réfléchi à ce que vous direz à Amy si elle se réveille?

— Vous voulez dire *quand* elle va se réveiller, n'est-ce pas? rectifia-t-il gentiment.

Si Stephanie avait raison, si Amy pouvait les entendre du fond de son coma, il fallait qu'elle fasse attention.

— Je voulais dire si elle se réveille avant votre départ.

— Je ne sais pas, fit-il. (Son regard se baissa sur Amy, avant de se lever vers Diana.) Je suppose que nous pourrions en parler.

— Sachez, d'abord, qu'Amy appartient à la catégorie des... incontrôlables. Une fois qu'elle saura qui vous êtes, c'est elle qui prendra la décision d'annoncer ou pas à votre père qu'il a une quatrième fille.

Un sourire lent se dessina sur les lèvres de Travis.

— Si vous essayez de me prévenir qu'elle est têtue, je crois avoir déjà admis qu'il s'agit d'un trait de caractère typique de notre famille.

Cette famille dont Diana aurait voulu tout savoir, afin de mieux comprendre Amy.

— Parlez-moi de Judy et de Faith, dit-elle.

— Elles sont inséparables. Comme si elles étaient jumelles. Et c'est normal. Il y a une telle différence d'âge entre elles, moi et Sharon. Si Amy avait grandi avec nous, ce fossé n'existerait pas. A l'évidence, aucun de nous ne serait exactement le même.

— Je ne serais pas la même non plus si elle n'avait pas atterri dans ma vie, renchérit sombrement Diana. Je n'arrive pas à imaginer mon enfance sans elle.

Travis regarda Amy comme s'il s'attendait à ce qu'elle participe à la conversation, racontant sa propre version de l'histoire.

— Diana, pourquoi nous avez-vous recherchés? Qu'est-ce qui n'a pas marché ici?

— Amy est malheureuse.

Elle s'interrompit une seconde, se demandant s'il méritait sa confiance. Elle ne le connaissait pour ainsi dire pas. Mais elle était déjà allée trop loin dans ses confidences.

— J'ai cru que sa vraie mère lui donnerait le bonheur qu'elle n'a jamais eu chez nous, reprit-elle. Ma mère n'a jamais témoigné d'amour maternel à Amy. Du jour où elle l'a ramenée à la maison, elle l'a confiée à une bonne d'enfants et n'a plus rien voulu savoir. (La suite était plus dure, mais elle parvint à continuer:) Le peu d'affection qu'Eileen Winchester peut ressentir, c'est à moi qu'elle l'a accordée.

— Quel lourd fardeau pour les frêles épaules d'une enfant.

— Amy n'a jamais reçu une caresse... un...

— Je parlais de vous, Diana.

Elle se tut, interloquée.

— De moi? J'ai eu une enfance dorée. J'avais tout ce que je voulais.

— Une enfance dorée? Alors que l'être que vous aimiez le plus au monde était constamment malmené?

— Je n'ai pas envie d'en parler maintenant.

— Vous semblez éreintée. Allez chez vous vous reposer. Je resterai auprès d'Amy.

La même offre émanant de Stephanie ou d'un de ses

194

amis, elle l'aurait acceptée avec gratitude. Venant de Travis, elle éveilla sa méfiance.

— Pourquoi feriez-vous cela? demanda-t-elle.

— Elle est ma sœur aussi.

— Excusez-moi, mais j'ai du mal à croire que vous ayez développé subitement un sentiment fraternel vis-à-vis d'une personne que vous ne connaissiez pas hier encore.

— Mais de quoi avez-vous peur, à la fin? Que je débranche les moniteurs dès que vous aurez le dos tourné?

L'accusation, si grotesque fût-elle, donnait à réfléchir... Oui, de quoi avait-elle peur exactement? Elle n'avait pas la réponse.

— De toute façon, dit-elle, je ne fermerai pas l'œil. Alors, autant que je sois ici.

— En ce cas, je ferais aussi bien d'aller chercher une autre chaise, car je reste aussi, déclara Travis.

Une curieuse sensation de soulagement envahit Diana, comme si un guerrier l'avait rejointe en pleine bataille pour combattre à ses côtés... Travis méritait au moins une bonne parole.

— Cela ne se voit pas, mais Amy a le sourire de votre père, dit-elle.

Il parut comprendre où elle voulait en venir.

— Il serait content de le savoir, répondit-il.

Stephanie passa le lendemain matin avec des beignets et une Thermos de café. Sur le point d'entrer, elle s'immobilisa. Un homme se tenait près du lit; Diana, pelotonnée sur deux chaises placées côte à côte, dormait à poings fermés.

— Qui êtes-vous? demanda-t-elle.

Il porta l'index à ses lèvres, l'invitant à baisser le ton.

— Elle vient juste de s'endormir, chuchota-t-il en indiquant Diana.

— Vous êtes médecin?

Il hésita.

— Non. Je suis un ami. Travis Martell.

Stephanie écarquilla les yeux.

— Le frère d'Amy?

Ainsi Diana avait caché à certains — sa sœur et ses parents — les motifs qui l'avaient conduite à Jackson; mais pas à tout le monde.

— Je suis arrivé tard dans la nuit, dit-il.

Stephanie posa la Thermos et le sac contenant les beignets sur la table de chevet.

— Diana a dû être surprise de vous voir, dit-elle.

— Oui, on peut dire ça.

Il s'adossa au mur, les mains derrière la nuque. Depuis deux jours il n'avait pas dormi, à part une heure ou deux dans l'avion, et il se sentait fourbu.

— Vous devez être Stephanie... Diana m'a dit que si vous n'aviez pas été avec Amy quand elle a eu son malaise, elle n'aurait peut-être pas survécu. Merci à vous.

— Que s'est-il donc passé? s'enquit Stephanie, ironique. D'après Diana, vous autres Martell ne vouliez pas entendre parler d'Amy. Qu'est-ce qui vous a fait changer d'avis?

Il en eut brusquement assez de se justifier. En temps normal, il aurait décoché à son interlocutrice une repartie agressive. Mais il se contenta de murmurer :

— C'est trop compliqué pour en débattre ici.

Diana ouvrit un œil, se redressa, s'étirant et étouffant un bâillement.

— Ça va, ma belle, fit-elle. Je l'ai déjà mis sur le gril... Il s'en est bien sorti.

— Emmenez-la donc chez elle, afin qu'elle prenne un peu de repos, suggéra Travis à Stephanie.

Celle-ci esquissa un rapide hochement de tête avant de se tourner vers Diana.

— Il a raison, fit-elle à contrecœur. Tu as une mine épouvantable.

— J'irai me reposer quand tu reviendras cet après-midi. Je ne veux pas laisser Amy seule.

Travis appuya sa tête contre le mur.

— Elle ne sera pas seule, dit-il. Je resterai avec elle, je vous l'ai déjà dit.

— C'est le frère d'Amy, intervint Stephanie après avoir lancé un regard menaçant à Travis. Je suis sûre qu'il te préviendra si jamais il se passe quelque chose.

Travis dut combattre un flot d'antipathie contre Stephanie Gorham... S'il n'avait pas déjà vu ses sœurs former un bouclier protecteur pour faire front à l'adversité, il aurait cédé à son envie de la faire taire.

— Exactement, dit-il en conservant miraculeusement son calme. Diana, donnez-moi votre numéro de téléphone et votre adresse, et allez-vous-en.

— Pourquoi son adresse? intervint Stephanie d'une voix pleine de suspicion.

— Pour que je cambriole son appartement, pendant qu'elle sera à l'hôpital...

— Arrêtez donc, vous deux! leur intima Diana. Même si Amy ne vous entend pas, elle doit sentir la tension.

— Tu as raison, reconnut Stephanie. Je prodigue des conseils que je ne mets pas en pratique, excuse-moi. (Elle saisit la Thermos et offrit une tasse de café à son amie.) Puisque tu sembles convaincue que M. Martell est l'homme de la situation, je te raccompagne à la maison.

Diana prit une gorgée de café. Elle avait les paupières lourdes. La fatigue gagnait du terrain. Bientôt, elle ne tiendrait plus debout.

— Bon, d'accord, concéda-t-elle. Je me rends.

Stephanie adressa un sourire forcé à Travis.

— Gardez les beignets, fit-elle.

Du moins, il pouvait penser raisonnablement qu'ils n'étaient pas empoisonnés.

— Merci, dit-il.

Diana se pencha par-dessus les barreaux du lit pour effleurer la joue pâle d'Amy d'un baiser.

— Je serai de retour dans deux heures. Soyez vigilant...
(De nouveau elle se pencha vers sa sœur.) A propos, dit-
elle à celle-ci, le type avec lequel je te laisse est ton grand
frère. Il a un tas d'histoires à te raconter, alors prête
l'oreille.

Diana saisit sa valise. Son regard se posa sur Travis.

— Appelez-moi quoi qu'il arrive. Je veux tout savoir,
même si elle a bougé un cil.

— C'est promis.

A peine furent-elles dans l'ascenseur que Stephanie
bombarda Diana de questions. Et elles étaient presque
arrivées à destination quand cette dernière termina le
compte rendu de ses différents entretiens avec Travis.

— Alors, il te plaît? demanda Stephanie.

— Oui... avoua-t-elle. J'ai sincèrement essayé de le
détester mais je n'y suis pas parvenue.

— Est-ce que le fait qu'il soit ici signifie qu'il est
d'accord pour mettre son père dans le secret?

— Je ne crois pas, marmonna Diana, éreintée. C'est
impossible.

Stephanie engagea sa voiture dans le parking souterrain
et s'arrêta près de l'ascenseur.

— Pourquoi tout le monde dans cette affaire semble
mériter d'être protégé, sauf Amy? s'indigna-t-elle. Pourquoi est-ce elle qui doit payer les erreurs de sa mère?

— Tu commences à parler comme moi, observa
Diana.

— As-tu eu au moins une réponse?

— Non, aucune. Travis m'a fait toutefois une
réflexion qui n'est pas dénuée de fondement : que ressen-
tirait Amy si son retour devait entraîner la destruction de
sa famille?

— Balivernes! dit Stephanie en ricanant. Nous voici
en plein mélodrame. Dorothy Martell a abandonné sa
fille il y a vingt-six ans. Un quart de siècle. C'est de l'histoire ancienne.

— Mais le mensonge qu'elle avait raconté alors semble toujours d'actualité.

Stephanie consulta sa montre.

— Oh, mon Dieu! Je suis en retard.

Diana poussa la portière et sortit, sa valise à bout de bras, tandis que son amie manœuvrait pour repartir. Avant de redémarrer, Stephanie baissa sa vitre.

— Appelle-moi quoi qu'il arrive, dit-elle. Sans nouvelles de toi, rendez-vous à l'hôpital cet après-midi.

Diana agita la main en direction de la voiture qui s'éloignait. Elle prit l'ascenseur, titubant de fatigue. La première chose qu'elle remarqua en ouvrant la porte de son appartement fut le sac à main d'Amy, trônant sur une table d'angle d'époque. La table n'était pas là lorsqu'elle était partie pour Jackson.

Amy avait donc cherché à effacer le souvenir de Stuart, et jusqu'à son passage dans cette maison, en remplissant le moindre espace vide... Elle prétendait que le mélange des styles épargnerait à Diana l'impression de vivre au rayon meubles d'un grand magasin.

Contrairement à son aînée, qui ne se voulait pas attachée aux choses matérielles, Amy adorait accumuler les objets. Une façon comme une autre de vivre entourée, disait-elle. Pour se sentir chez soi.

Amy aurait de la sympathie pour Travis, songea Diana. Pour son père également. Avec ses sœurs, le contact serait plus rude. Se sentant menacées, elles se rangeraient certainement du côté de leur mère.

Cela aurait été décidément plus facile si les Martell avaient été des escrocs ou des gens sans moralité... Diana serait revenue de son voyage apaisée, sachant que la providence avait envoyé Amy vers un meilleur destin. Mais elle était rentrée, au contraire, en proie aux regrets. Et à l'incertitude. Elle se demandait quelle aurait été la vie d'Amy si elle était restée là-bas, dans le Wyoming.

Elle s'aperçut qu'elle n'en voulait plus à Travis. Il était innocent. Tout comme Amy, il s'était trouvé entraîné malgré lui dans une situation créée par leur mère. Que peut-on reprocher à un fils qui cherche à protéger son père?

Travis rappelait à Diana les héros de ses romans favoris... Un homme honnête, droit. Un fils loyal, un bon frère. Le frère dont Amy ne connaîtrait jamais la tendresse, et cette gentillesse profonde qui l'avait poussé à se précipiter à son chevet parce qu'il avait jugé que c'était la seule chose à faire.

17

Diana se tourna sur le côté. Les yeux lourds de sommeil, elle jeta un coup d'œil étonné à la pendulette de sa table de nuit. Sa « petite sieste » avait duré six heures ! Il était trois heures de l'après-midi.

Et Travis qui ne lui avait pas téléphoné ! La pensée qu'il était peut-être reparti sans la prévenir s'évanouit avant de prendre vraiment forme... Elle ne le connaissait pas depuis plus de vingt-quatre heures, mais ses qualités paraissaient aussi évidentes que la neige en hiver. Il n'aurait jamais trahi sa promesse. Il n'aurait pas laissé Amy toute seule. Le plus probable, c'était que Stephanie l'avait remplacé. Diana éprouva un curieux pincement au cœur. Elle aurait voulu lui dire au revoir.

Sur le chemin de l'hôpital, elle fit une halte dans une épicerie fine où elle acheta un sandwich avant de reprendre la route.

Une fois arrivée, elle s'arrêta au bureau des infirmières pour demander des nouvelles d'Amy. Au lieu de l'invariable « aussi bien que possible », elles usèrent d'une nouvelle formule, « état stationnaire », pas plus réconfortante en vérité.

Elle venait de poser la main sur la poignée de la porte de la salle de réanimation, quand elle entendit la voix de Travis. *Il était encore là*. Elle s'immobilisa, prêtant l'oreille.

— Tu t'entendrais bien avec Sharon, disait-il. Elle ressemble à Diana. Pas physiquement, mais elles ont le même caractère.

Le cœur de Diana battit plus fort. Amy était-elle réveillée? Non, impossible. Elle l'aurait su par les infirmières. Tout doucement, elle poussa la porte. Elle aperçut Travis, de dos, affalé sur la chaise, ses pieds bottés posés sur la table de chevet. Il tenait la main d'Amy à travers les barreaux.

— Elles ont de la poigne, toutes les deux, poursuivait-il. Sharon menait Faith et Judy à la baguette, à la manière dont les cow-boys mènent leur troupeau. J'ai toujours pensé que Sharon prendrait un jour la direction du ranch. Dans ce domaine, elle était la meilleure de nous tous. La plus motivée aussi. Puis elle a épousé Davis, ils ont commencé à s'occuper du magasin et adieu le ranch! Davis est un garçon formidable, ils s'entendent à merveille, lui et Sharon. Celle-ci m'a présenté déjà un tas de vieilles amies de lycée, mais ça n'a marché avec aucune. Une question d'atomes crochus, paraît-il. Mais qu'est-ce qui fait qu'on a envie de vivre avec une femme et pas avec une autre? Chaque fois que j'y pense, je panique.

Il s'interrompit un instant, décroisa et recroisa ses chevilles sur la petite table.

— Je voudrais une ribambelle d'enfants, reprit-il. Ce qui veut dire rester marié suffisamment longtemps pour les voir grandir, puis voler de leurs propres ailes.

Diana eut soudain la désagréable sensation d'écouter aux portes... Elle ouvrit le battant, feignant d'arriver tout juste.

— Dites donc! L'infirmière vous tuera, si elle vous surprend les pieds sur la table.

Travis se déplia de tout son long pour se mettre debout.

— Elle me l'a déjà dit. Je lui ai répondu que cela

202

n'arrivera pas si elle a l'amabilité de frapper avant d'entrer.

— Désolée d'être en retard. J'ai dormi comme une souche.

— Je m'en suis douté.

Diana s'approcha du lit où Amy gisait, toujours inconsciente.

— Où est Stephanie? demanda-t-elle.

— Elle a téléphoné. Elle a été retenue à son bureau mais elle ne devrait plus tarder.

— Vous auriez dû me prévenir.

— Pour quoi faire?

— Pour me demander de venir ici, afin que vous puissiez vous reposer à votre tour.

Il eut un haussement d'épaules.

— Je ne suis pas fatigué.

— Ne faites donc pas le macho. Vous devez être lessivé. Pourquoi ne pas l'admettre?

Il lui lança un regard incrédule, avant de hocher la tête.

— D'accord. Je tombe de fatigue. Contente?

— Maintenant, expliquez-moi un peu cette histoire de « poigne », dit-elle sur un ton délibérément plus léger. Remarquez, ce n'est pas Amy qui vous contredira.

— Vous croyez vraiment qu'elle nous entend?

Prise de court par cette question, Diana le regarda.

— Pas vous?

— Je n'en sais rien. Mais j'aurais détesté découvrir trop tard qu'une partie de son cerveau fonctionnait et que personne n'aurait essayé de communiquer avec elle.

— Avez-vous songé à ce que vous lui direz quand elle se réveillera? s'enquit Diana.

— Oh! oui. Enormément. Hélas, je ne suis arrivé à aucune conclusion.

— Voulez-vous que nous en parlions? Après tout, je suis impliquée jusqu'au cou dans cette affaire. Primo : vous annoncez à Amy qui vous êtes. Secundo : vous refusez de lui expliquer comment vous avez su qu'elle était à l'hôpital...

— Tertio : je passe pour un crétin. Je veux bien que vous vous obstiniez à protéger votre sœur, mais de là à penser que vous détenez toutes les réponses, et les bonnes, il y a un monde !

— Mais je la connais mieux que... (Elle lui fit signe de s'approcher et baissa la voix :) Cessons de nous disputer ici.

Il se massa la nuque.

— C'est ça que j'appelais « avoir de la poigne »...

— Pourquoi n'allez-vous pas vous reposer ?

Il s'étira, afin de soulager les muscles endoloris de son dos.

— Y a-t-il un hôtel près d'ici ? demanda-t-il.

Diana posa le sac contenant le sandwich sur le bord du lit avant d'extirper ses clés de son sac.

— Tenez... Allez chez moi.

Travis regarda le trousseau qui luisait dans la paume tendue de la jeune femme.

— Je ne crois pas que ce soit une bonne idée, fit-il.

— Non ? Pourquoi ?

— Je ne sais pas. Une intuition.

— Voyons, Travis. Cela ne pose aucun problème.

Elle lui mit les clés dans la main.

— Et de plus, je saurai où vous joindre en cas d'urgence, ajouta-t-elle en fouillant dans son sac, à la recherche d'un stylo qu'elle trouva et d'un morceau de papier qui resta introuvable.

Elle dessina finalement un plan sur un Kleenex en poursuivant :

— Vous pouvez utiliser la salle de bains du bas et dévaliser le réfrigérateur.

Il désigna le sac brun sur le lit.

— J'espérais que cette merveille serait pour moi.

— Oh, pardon. Je ne pensais pas vous trouver encore ici. Je serai heureuse de partager avec vous.

Elle lui donna la moitié d'un sandwich à la dinde fumée et garda l'autre pour elle.

— Je ne me suis pas rendu compte que je mourais de faim avant d'avoir senti cette odeur appétissante.

Il engloutit un bon tiers de sa part en une seule bouchée.

Diana lui offrit des cornichons dans une petite boîte en carton.

— Ce sont les meilleurs de la ville, dit-elle.

— Vous n'en voulez pas, vous?

— Non, allez-y.

Visiblement, il n'avait rien mangé depuis les beignets de Stephanie. Elle se sentit coupable d'avoir coupé le sandwich en deux.

— Tenez, prenez l'autre moitié, dit-elle. Je n'ai pas faim.

Il sourit.

— Je déteste manger seul.

— Vous avez tort. A la maison vous ne trouverez que des crackers et du beurre de cacahuète.

Il posa la main sur son épaule.

— Je me débrouillerai. Il y a des années que je m'occupe de moi-même.

Elle le dévisagea.

— Vos sœurs vous ont gâté, quand vous étiez petit, non?

Il laissa échapper un rire.

— Qu'est-ce qui vous fait dire cela?

— Rien de précis. Vous semblez tellement à l'aise avec les femmes en général! Leur comportement ne vous déroute pas. Par exemple... la remarque de l'infirmière, tout à l'heure... Non seulement elle vous a laissé de marbre, mais vous en avez fait votre complice!

Il mordit dans un cornichon en haussant les épaules.

— Oui, peut-être. Parfois, mes sœurs me rendaient fou furieux avec leurs simagrées, mais dans l'ensemble, nous nous adorions... Nous nous adorons aujourd'hui encore.

205

La porte s'ouvrit et Stephanie passa la tête par l'entre-bâillement. La vue de Travis la laissa un instant sans voix, après quoi elle demanda :

— Comment va Amy?

— Pareil, répondit Diana.

— J'ai eu l'occasion de parler avec un de ses médecins cet après-midi, intervint Travis. D'après lui, il n'y a pas lieu de s'inquiéter parce qu'elle ne s'est pas réveillée... Enfin, pas encore.

Stephanie poussa un soupir.

— Alors? Quand devrons-nous commencer à nous faire du souci?

— Je ne le lui ai pas demandé. J'évite les pensées négatives. (Travis se pencha pour ramasser son sac de campeur.) Je m'inscris pour l'équipe de nuit, précisa-t-il à Diana.

— Partez tous les deux, suggéra Stephanie. Ma chérie, tu es là depuis aussi longtemps que Travis. Tu peux faire une pause.

— Je suis arrivée il y a seulement une demi-heure. Travis est resté près d'Amy pendant que je dormais.

Stephanie se tourna vers Travis :

— Alors dépêchez-vous de rentrer à votre hôtel.

Du regard, il envoya à Diana un message silencieux pour lui dire qu'elle avait toute latitude de dire ou non la vérité à son amie.

— Oui, j'ai hâte d'y être, dit-il.

— Prenez ma voiture, suggéra Diana. La Volvo marron près de l'ascenseur, au deuxième sous-sol.

Elle lui lança la clé qu'il attrapa au vol. Travis salua Stephanie d'un signe de tête.

— A plus tard, dit-il à Diana.

Dès qu'il fut sorti, Stephanie explosa.

— Tu n'es pas folle de confier ta voiture à un inconnu?

— Tu ne t'y attendais pas, n'est-ce pas?

— Ma foi, cela ne te ressemble guère.

Un demi-sourire brilla sur les lèvres de Diana.

— Alors, j'attendrai un peu avant de t'avouer le reste.

Durant les trois jours qui suivirent, Diana, Travis et Stephanie se relayèrent régulièrement au chevet de la malade; une sorte de routine, rythmée par la disponibilité de Stephanie. La journaliste affrontait de gros problèmes à son travail mais elle continua ses visites à l'hôpital chaque fois qu'elle le pouvait. Elle n'avait rien dit à ses collègues au sujet d'Amy, afin de couper court aux cancans.

Le mercredi, les médecins débranchèrent le respirateur. A la joie générale, la patiente parvint à respirer toute seule. Travis partit chercher des bouteilles de cidre et des gobelets en carton, et tout le personnel de la réanimation célébra l'événement avec Diana et lui.

Le jeudi matin, Stephanie conduisait Diana à l'hôpital pour relayer Travis, avant de repartir à son bureau, et pour la première fois depuis plusieurs jours, les deux amies riaient. L'espoir d'une issue heureuse de la maladie d'Amy leur procurait une étrange euphorie. A un moment donné, Stephanie fit allusion à un rendez-vous avec son mystérieux soupirant, qu'elle allait devoir annuler pour assurer le vendredi son rôle de garde-malade.

— J'ai hâte de vous le présenter, à toi et à Amy, dit-elle.

Diana l'aurait embrassée, pour avoir inclus spontanément Amy dans son projet.

— A combien de rendez-vous en êtes-vous aujourd'hui? voulut-elle savoir.

— Franchement, je ne sais plus. J'ai cessé de les compter voici deux mois.

Depuis qu'elles se connaissaient, Diana n'avait jamais encore entendu Stephanie évoquer un homme avec autant d'entrain.

— C'est sérieux? fit-elle.

— Oui. Cependant, il y a un petit problème : il est

marié... Mais il vit séparé de sa femme depuis plus d'un an, ajouta rapidement Stephanie. Pour une raison que j'ignore, elle fait tout pour retarder le divorce.

— J'ignorais que c'était encore possible.

— Stan prétend que cette situation ne le dérangeait pas, avant de me rencontrer.

Diana avait un mauvais pressentiment en ce qui concernait le dénommé Stan et son divorce. Elle garda le silence. Stephanie était une femme avertie, peut-être la plus intelligente qu'elle eût jamais comptée parmi ses relations. Elle n'était certainement pas de celles que l'amour rend aveugles.

— Oui, je vois, répondit-elle, soucieuse. (Elle ajouta, presque machinalement :) Fais attention quand même.

— Entendu. (Stephanie klaxonna à l'adresse de la voiture qui se trouvait devant elle, car elle n'avait pas démarré à temps au feu vert.) Tu me connais. Je doute de tout.

— Inutile de remettre ta sortie vendredi. Travis et moi resterons avec Amy.

— Non, je passerai. Stan est très compréhensif.

Pour rien au monde Stephanie ne serait revenue sur sa promesse.

— Viens après ton rendez-vous, insista Diana. Travis ou moi viendrons te remplacer tard le soir, et samedi tu feras la grasse matinée, si tu veux.

Elle n'avait pas pensé que le fameux rendez-vous de son amie ne se terminerait peut-être pas avant le lendemain matin... Stephanie ne releva pas ce détail.

— «Travis ou toi», répéta celle-ci, pensive. Comme c'est drôle...

— Oui, la situation paraît bizarre, admit Diana. (Puis, dans un regain de lucidité :) Dis, ma chérie, je n'essaie pas d'écourter ta soirée avec Stan...

Stephanie sourit.

— Voilà une subtile façon de me demander où nous en sommes de notre relation...

— Pas du tout. Mais si tu tiens à me le raconter, je ne dis pas non.

Leur conversation se déroulait sur un ton normal, quotidien. Elle était si banale qu'elle en devenait pour Diana presque surréaliste... Car depuis son retour du Wyoming, son existence s'était scindée en deux. Elle vivait sur deux planètes différentes : celle de l'hôpital, où dominait la peur de perdre à tout instant Amy, plongée dans son coma, et celle du dehors, où le monde était plein de mouvement et de bruit.

— Je n'ai jamais couché avec un homme dès la première fois que je suis sortie avec lui, dit Stephanie en jetant un regard de biais vers Diana. Sauf avec Stan.

— Reçu cinq sur cinq! Pour vendredi, ne t'en fais pas. Tu viens quand tu veux. Nous nous débrouillerons avec Travis.

— J'y serai à minuit. En rentrant, vous pourrez grignoter un morceau dans un troquet. Beaucoup sont encore ouverts à cette heure-là.

Stephanie tint parole. Elle se montra le vendredi au douzième coup de minuit. Sur le chemin du retour, Travis et Diana furent tentés de faire une halte dans un restaurant. Mais la fatigue d'une longue journée d'attente les incita à rentrer plutôt directement.

Le lendemain matin, Travis sortait de la douche, quand il entendit la sonnette de la porte d'entrée. Il présuma que Diana ouvrirait. Mais elle tintinnabula de nouveau.

Il ouvrit la porte de la salle de bains, passa la tête par l'entrebâillement.

— Diana?

Pas de réponse. En bas, la sonnette se fit entendre pour la troisième fois. Travis sauta dans son jean et dévala l'escalier quatre à quatre tout en se boutonnant. Torse nu, les cheveux mouillés, il ouvrit la porte d'entrée, restant à moitié caché derrière le panneau de bois. La femme qui se tenait dans l'embrasure l'enveloppa d'un regard étonné.

— Je crois que je me suis trompée d'étage, dit-elle.

— Qui cherchez-vous? s'enquit Travis.

— La résidence Kennedy-Winchester.

— Je ne connais aucun Kennedy mais Diana Winchester habite ici. Voulez-vous la voir?

— Est-elle là?

— Elle l'était en tout cas, il y a encore dix minutes. Ne bougez pas, je vais vous la chercher.

— Qui êtes-vous? demanda la femme. Et que faites-vous ici?

Le ton glacial de sa voix figea Travis sur place. Il l'examina plus attentivement. Oui, tout concordait. L'âge, les vêtements ruineux, le sac dont le cuir avait jadis appartenu à un lézard exotique... Eileen Winchester en personne, pensa-t-il. Il n'en fut guère impressionné.

— Je suis un ami de Diana, répondit-il. (Il fit exprès d'ajouter :) Et vous? Qui êtes-vous?

Elle le regarda comme s'il était invisible. Elle ne semblait pas impressionnée non plus.

— La mère de Diana, répondit-elle.

— En voilà une surprise! Quand êtes-vous revenue en ville?

Eileen fronça les arcs parfaits de ses sourcils.

— Revenue d'où? Je n'étais pas partie.

Travis eut conscience de s'avancer sur un terrain glissant. Il n'avait pas à se mêler des rapports entre Diana, Amy et leur mère. Or, durant ces cinq derniers jours passés entre l'appartement de Diana et l'hôpital, il s'était longuement demandé quelle sorte de parents étaient les Winchester pour abandonner non seulement leur enfant adoptive, mais aussi leur fille qu'ils prétendaient aimer par-dessus tout. Amy avait éveillé son instinct protecteur, bien sûr, mais plus il assistait au combat désespéré de Diana et plus il éprouvait à son égard un immense respect mêlé de tendresse. Parfois, elle lui faisait l'effet

210

d'une petite fille perdue à qui il aurait voulu tendre la main.

Son regard sonda celui d'Eileen, qui se dérobait.

— Vous voulez dire que vous vous trouviez ici pendant tout ce temps où Amy était à l'hôpital? dit-il. Et vous ne lui avez pas rendu visite une seule fois?

Il s'était efforcé de déguiser sa colère en incrédulité.

— Qu'est-ce que vous en savez... (Eileen se ressaisit.) C'est donc vous qui incommodez tout le monde à l'hôpital?... Non seulement vous n'êtes d'aucune utilité à cette pauvre Amy, mais les infirmières en ont assez de vous voir. D'ailleurs, elles vont demander bientôt à l'administration de vous interdire l'accès de la salle de réanimation.

— Pas possible! Voyons, mais quelles infirmières? Pas Denise, tout de même, ni Kathy, ni Katelyn ou Connor? Nous sommes devenus bons copains. Les infirmiers se montrent également très aimables, comme Rick, par exemple, ou ceux de l'équipe de jour, Paul, et John, et Shawn... Ils ne cessent de répéter combien c'est important qu'il y ait quelqu'un près d'Amy. Une présence, afin qu'elle sache qu'elle est aimée. (Il se frotta le menton, feignant de s'abîmer dans une profonde réflexion.) Franchement, non, j'ai du mal à admettre que l'un d'eux puisse être un hypocrite. Si quelque chose les dérangeait, ils me l'auraient dit en face. (Il lança à Eileen un regard pénétrant.) Etes-vous sûre que vous vous êtes adressée au bon hôpital?

Elle lui décocha à son tour un regard haineux. Eileen Winchester détestait perdre la partie. Le menton haut, elle fixa un point, quelque part au fond de la pièce.

— Ah, te voilà! hurla-t-elle, incapable de se contrôler. Où étais-tu passée? Pourquoi ne m'as-tu pas ouvert toi-même? Je commençais à me demander... (Elle lança un coup d'œil méprisant à Travis)... Bah! Peu importe.

— Bonjour, Maman, répondit froidement Diana en

resserrant la ceinture de son peignoir, tandis qu'elle s'approchait. Quel bon vent t'amène?

— Etant donné que tu n'as pas daigné répondre à mes messages, j'ai bien été obligée de me déplacer. Je voudrais discuter de certains points avec toi, Diana.

Diana posa la main sur l'avant-bras de Travis, dans un geste intime, presque possessif, et ce contact inattendu provoqua une sorte de petite secousse délicieuse à travers le corps du jeune homme. Il lui fallut quelques secondes pour comprendre ce qui se passait... Diana s'ingéniait à choquer sa chère mère. A l'induire en erreur. L'idée plut à Travis. Il ne demandait pas mieux que de la seconder. Il l'enlaça par la taille et la serra tendrement contre son cœur. Elle leva la tête et leurs regards se croisèrent. Comme s'il s'agissait de la chose la plus naturelle du monde, il se pencha et déposa un baiser sur ses lèvres.

De nouveau, la délicieuse petite secousse le fit tressaillir. Il se retint pour ne pas la reprendre dans ses bras. Il avait adoré l'embrasser. Plus que de raison.

— As-tu fini ce vulgaire exhibitionnisme, Diana? lança Eileen d'un ton désapprobateur.

La jeune femme avala sa salive. Sa belle assurance semblait envolée. Cependant, elle regarda Travis dans les yeux et réussit un «Avons-nous fini, chéri?» assez convaincant.

Il ne parvint cependant pas à déchiffrer le message de ses yeux, où l'arrogance le disputait à la confusion.

— Veux-tu que je te laisse seule avec ta mère? demanda-t-il.

— Ce serait peut-être mieux.

— Je monte. Si tu as besoin de moi, appelle-moi.

Il avait pesé chaque mot. Il n'aurait pas hésité à se battre contre des dragons pour sauver Diana. Spécialement contre ce dragon-là.

— Merci, dit-elle. Mais ça va aller.

Sitôt qu'il fut hors de vue, Eileen passa à l'attaque.

— Tu as quitté Stuart pour cet individu?

— Je n'ai pas quitté Stuart, Maman. C'est lui qui m'a larguée.

— Tu aurais pu le récupérer si tu avais essayé. Le pauvre garçon est désespéré. Il est parti parce qu'il ne voyait pas d'autre solution.

Ainsi, sa mère avait parlé avec Stuart. Elle aurait payé cher pour être une petite souris sous le tapis, pendant leur conversation.

— Et tu es venue rien que pour me parler de Stuart? fit Diana.

— Tu vas détruire ta dernière chance de faire un mariage décent si tu ne te débarrasses pas de ce type. On voit tout de suite qu'il n'est pas des nôtres.

— Pas des *nôtres*? Qu'entends-tu par là?

— Tu as très bien compris, s'écria Eileen, excédée. Il est tellement *ordinaire*!

Elle réservait ce qualificatif aux gens qui lui déplaisaient profondément.

— Tu ne le connais même pas, dit Diana.

— Je n'ai pas besoin de le connaître davantage.

— Sauf, peut-être, si je te disais qui il est?

Eileen hésita, flairant le piège.

— Je suppose qu'il s'agit d'un de tes collègues de...

— C'est le frère d'Amy, coupa Diana.

Pour la première fois de sa vie, Eileen Winchester resta sans voix.

— Comment as-tu osé? réussit-elle à souffler lorsqu'elle recouvra l'usage de la parole. Comment as-tu osé l'inviter à venir ici?

— Il est venu tout seul.

— Je présume que les autres membres de la famille camperont dans leurs tracteurs devant l'hôpital, la semaine prochaine...

— Ce que tu peux être désagréable quand tu t'y mets! jeta Diana avec lassitude.

— Réfléchis trente secondes. Tu n'as qu'à regarder Amy pour savoir à quoi ressemble son frère.

Diana posa la main sur la poignée de la porte.

— Si tu as terminé, je dois m'habiller. C'est l'heure où je vais à l'hôpital.

Sa mère la jaugea du haut de son mètre soixante.

— Ton père aimerait te parler.

— Il sait où me trouver.

Eileen pinça les lèvres.

— Comment peux-tu m'assener... nous assener un coup si bas ? Après tout ce que nous avons fait pour toi.

Sur ces mots, elle ressortit sur le palier. Mais Diana avait trop souffert pour céder à la culpabilité. Elle avait épuisé ses réserves d'émotion ; il ne restait plus rien pour ses parents.

— Mais sûrement parce que je suis une garce sans cœur ! cria-t-elle, et elle vit le dos d'Eileen se raidir. Ce qui veut dire que je tiens de toi, chère mère.

Eileen s'en alla sans se retourner.

Diana claqua la porte. En se retournant, elle vit que Travis l'attendait.

18

— Veux-tu parler de ce qui vient de se passer? demanda Travis.

Diana secoua la tête.

— Je dois me préparer.

— Pas si vite, fit-il.

Elle sentit ses doigts se refermer sur son poignet. Avec une lenteur délibérée, il l'attira dans ses bras. Il la sonda des yeux un instant, puis l'embrassa. Après une seconde de surprise, les lèvres de Diana s'entrouvrirent sous le baiser. Elle sentait tout contre elle le corps tremblant de Travis. Lorsque celui-ci desserra son étreinte et que leurs bouches se séparèrent, un soupir langoureux échappa à la jeune femme. Sans un mot, elle toucha du bout des doigts la joue de l'homme. Alors, il l'embrassa de nouveau.

Ce fut un moment extraordinaire, à la fois magique et effrayant. De sa vie, Diana n'avait éprouvé des sensations aussi fortes. Elle, qui s'était toujours targuée d'exercer un contrôle absolu sur ses nerfs, avait à présent l'impression de se tenir au bord d'un abîme... Une petite voix dans son subconscient la mettait en garde. Ils étaient en train d'accomplir un geste irréparable. Un geste qu'ils regretteraient. La fatigue, l'anxiété, le trop-plein d'émotions leur avaient joué un sale tour.

Les paumes à plat sur le torse nu de Travis, elle le repoussa doucement.

— Excuse-moi. Tout cela est ma faute. Je t'ai entraîné dans une mauvaise plaisanterie. Tu as le droit de penser que je t'ai provoqué, mais ce n'est pas le cas. Ma mère me rend folle.

— As-tu fini? demanda-t-il patiemment.

— Oui, répondit-elle, la tête baissée.

Elle avait détruit leur amitié. Comme un ballon brillant gonflé à l'hélium, qui s'envole et qui soudain éclate, la confiance qu'ils se vouaient l'un à l'autre s'était évanouie dans les airs.

— La raison pour laquelle je t'ai embrassée n'a rien à voir avec la comédie que nous avons jouée à ta mère... lui dit Travis. Ou plutôt si, ajouta-t-il après un silence. Je voulais m'assurer que ce que j'ai éprouvé tout à l'heure est vrai.

— Et alors? ne put-elle s'empêcher de demander.

— Ça l'est.

— Mais nous avons commis une grave erreur. Te rends-tu compte?

— Et comment! répondit-il d'un ton presque cassant. Comment avons-nous pu?

— C'est très simple.

Elle n'avait pas cessé de se le répéter, afin de s'en persuader...

— Le stress constant auquel nous sommes soumis, expliqua-t-elle. L'inquiétude... L'étrange aventure à laquelle nous nous sommes trouvés mêlés du jour au lendemain. Cela ne peut être vrai, Travis. Nous nous connaissons depuis une semaine à peine... Même pas! rectifia-t-elle après une brève réflexion. Depuis cinq jours. Six, si l'on compte nos rencontres impromptues à Jackson, où l'on ne s'est d'ailleurs pas vus plus d'une heure. (Elle s'aperçut brusquement qu'elle s'empêtrait.) Mon Dieu, Travis!... Je ne veux pas perdre ton amitié.

— Tu ne la perdras pas, affirma-t-il. Cela n'arrivera plus. Je te le promets.

Bizarrement, au lieu qu'elle se sente rassurée, une sournoise déception l'envahit. La vérité était qu'elle brûlait de goûter de nouveau à ses baisers, et peu lui importaient les conséquences.

— Peut-être si nous nous rencontrions une autre fois...

— Les circonstances n'auront pas changé, dit-il. Il y aura toujours Amy entre nous. Elle fait partie de nous-mêmes, de nos vies.

— Tu as raison. Je vais m'habiller.

Elle voulut se diriger vers l'escalier mais Travis la retint.

— Qui est ce M. Kennedy? dit-il.

Diana le regarda, stupéfaite.

— Pourquoi veux-tu le savoir?

— Par pure curiosité.

— Il n'y a pas grand-chose à dire. Il a déménagé il y a environ un mois, quand Amy a eu des ennuis. Je ne l'ai pas revu depuis.

— Et s'il voulait revenir?

— Il ne reviendra pas.

— Supposons qu'il change d'avis.

— Je ne l'ai jamais aimé, dit-elle à contrecœur. J'ai accepté de vivre avec lui, justement parce que je savais que je ne souffrirais pas si jamais il me quittait.

Sa relation avec Stuart demeurait à ses propres yeux un mystère. Elle ignorait même pourquoi elle était restée avec lui aussi longtemps.

— J'ai découvert que je ne peux pas faire confiance aux gens qui prétendent m'aimer, poursuivit-elle, à part Amy. L'amour, pour ce qui est des autres, je le mets au conditionnel.

— Je m'en souviendrai.

— Es-tu satisfait de ma réponse?

— Totalement. (Il esquissa un sourire inattendu.) Puisque te déclarer ma flamme semble impossible,

217

puis-je au moins confesser que tu me plais... énormément?

Elle sourit malgré elle.

— Je ne te rends pas la vie facile, n'est-ce pas?

Travis la scruta d'un air sérieux.

— Désolé, Diana, mais ton subterfuge ne marche pas. Prétendre qu'il ne s'est rien passé entre nous n'arrangera pas les choses.

— Travis, il faut essayer. Au moins jusqu'à ce qu'Amy...

La sonnerie du téléphone l'interrompit. Diana leva les bras.

— Pourvu que ce ne soit pas l'hôpital!

Affolée, elle courut décrocher dans la cuisine.

— Je suis contente de t'avoir eue avant que tu partes, fit la voix de Stephanie au bout du fil. Il y a quelqu'un ici qui voudrait te parler.

Qui? Son père?

— Qui est-ce? demanda Diana, mais Stephanie avait déjà passé le téléphone à quelqu'un d'autre.

— Comment... était-ce... Jackson?

— Amy? Oh! mon Dieu, c'est toi?

Travis entra dans la cuisine; Diana se retourna pour s'assurer qu'il avait entendu, et il lui sourit.

— Je... crois bien, répondit la voix d'Amy. Pas sûr... Je ne sais plus comment je m'appelle... J'ai un pansement sur la tête...

— Tais-toi. Ne te fatigue pas. Ne parle pas. J'arrive.

Sans s'en apercevoir, elle avait saisi la main de Travis et la serrait de toutes ses forces.

La voix de Stephanie revint sur la ligne.

— Comme tu sais, il n'y a pas de fenêtres ici, mais je parie que dehors le soleil brille...

— Quand s'est-elle réveillée?

— Il y a une demi-heure. Je n'ai pas pu t'appeler parce que la chambre s'est transformée en une sorte de zoo plein de médecins et d'infirmières. Et puis, j'ai pensé

218

qu'il serait mieux que ce soit Amy qui t'annonce la bonne nouvelle.

— Tu as eu raison. A tout de suite.

Diana raccrocha, radieuse. Au lieu de lâcher la main de Travis, elle entraîna celui-ci vers l'escalier.

— Viens! Dépêche-toi de t'habiller.

— Je ne peux pas aller avec toi, dit-il.

C'était la dernière chose à laquelle elle s'attendait.

— Non? Pourquoi? Nous avons tellement attendu ce moment!

— Je ne saurai pas quoi dire à Amy. Je ne sais pas même si je dois me montrer. Suppose qu'elle me voie débarquer à l'hôpital. Elle voudra sûrement savoir qui je suis, alors que tu lui as caché le véritable but de ta visite à Jackson. Comment allons-nous nous y prendre pour lui expliquer toute l'histoire?

— Nous trouverons bien une solution.

— Il n'y en a pas, Diana. Elle vient juste d'ouvrir les yeux. Sûrement pas pour contempler quelqu'un qu'elle n'a jamais vu. Et si elle conçoit des soupçons sur ta sincérité, si elle pense que tu lui mens à mon sujet, elle ne tardera pas à se méfier de toi, de moi, de tout.

Il avait raison, bien sûr. Comment pouvait-il si bien prévoir les réactions d'Amy, alors qu'il ne la connaissait pas?

— Très bien, admit Diana du bout des lèvres. Que vas-tu faire pendant mon absence?

— Je retournerai à Jackson au moins pour quelques jours. J'ai du travail en retard.

Il avait lâché la main de Diana et s'était croisé les bras sur la poitrine, comme si, déjà, il se repliait sur lui-même...

— Tu ne reviendras pas, n'est-ce pas? demanda-t-elle.

Le ton de sa voix, d'un calme olympien, démentait l'ouragan qui se déchaînait dans son esprit.

— Je n'en sais rien, répondit-il avec une franchise brutale. J'ai besoin de réfléchir. Et toi aussi.

Oh! elle en avait assez de lui donner raison. Surtout, elle n'avait aucune envie de le perdre. Non. Pas maintenant.

— Pendant combien de temps? s'enquit-elle.

— Quelle que soit notre décision, elle devra être prise par rapport à Amy. Elle compte plus que nous tous.

— Même plus que ton père? dit Diana doucement.

Travis ne répondit rien.

Il se mit à appeler les compagnies aériennes dès que Diana eut quitté l'appartement. Le premier vol à destination de Jackson ne partait pas avant neuf heures du soir. Toute la journée à tuer... Plutôt que de courir le risque de revoir Diana, il appela un taxi qui le déposa à l'aéroport. Le premier adieu l'avait vidé de ses forces. Autant en éviter un deuxième.

Il acheta une pile de magazines, s'efforça de se concentrer sur des articles dont il ne put lire plus que le premier paragraphe... Finalement, il se leva et partit. Peu après, il roulait en direction de la ville.

Il descendit du taxi devant l'hôpital au moment où, comme par un fait exprès, Diana en sortait. Auraient-ils eu rendez-vous, ils n'auraient pas été plus ponctuels. Elle ne l'avait pas aperçu et se dirigeait vers l'aire de stationnement, donnant à Travis l'opportunité de l'observer à loisir, tandis qu'elle s'approchait. Il essaya d'imaginer qu'ils étaient étrangers. Qu'ils allaient se croiser sans se reconnaître. Force lui fut d'admettre que des yeux de Diana irradiait cette intelligence limpide qui l'avait attiré d'emblée, et qu'elle était la femme la plus sexy, la plus érotique qu'il lui avait jamais été donné de rencontrer.

Elle le reconnut soudain. Elle sourit. Son sourire lui fit l'effet d'un rayon de soleil.

— Je te croyais parti, dit-elle simplement.

Il fourra ses mains dans ses poches pour s'empêcher de l'attirer contre lui.

— J'ai failli...

Le sourire de la jeune femme s'épanouit.

— En route vers l'hôpital, j'ai songé à mille choses que j'avais envie de te dire. Et maintenant, je ne m'en souviens plus... Plus d'une seule phrase... Oh, Travis, je suis contente que tu sois là.

— Mon avion ne décolle pas avant neuf heures. Je meurs de faim et je suppose que tu n'as pas déjeuné. Je me suis dit que nous pourrions grignoter un morceau ensemble. (Mais depuis quand était-il devenu aussi lâche?) En vérité, avoua-t-il, je suis revenu pour te voir.

— J'ai passé un sale quart d'heure, moi aussi, fit-elle non sans humour, en balayant une mèche de cheveux de sa joue.

Il aurait voulu que ce soit sa main à lui qui ait accompli ce geste. Comme une caresse.

— Tu ne me demandes pas des nouvelles d'Amy? fit-elle.

— Ce n'est pas la peine. La réponse est inscrite sur ton visage.

— Elle s'en sortira, déclara Diana, ravie. (Puis, consultant son bracelet-montre :) Si ton avion part à neuf heures, nous n'aurons pas le temps de dîner.

— Je n'ai pas vraiment faim.

— Moi non plus.

Le silence qui suivit aurait été pesant si entre eux tout n'avait pas semblé si naturel...

— Allons fêter la guérison d'Amy, proposa Travis. Tu as eu une semaine épouvantable... Café et dessert, ça te tente?

Diana réfléchit un instant.

— J'ai une meilleure idée.

Ils prirent sa voiture. D'abord, ils s'arrêtèrent dans une épicerie où Diana acheta un pain de maïs et deux salades. Peu après, ils roulaient en direction d'un petit parc qui déployait sa verdure luxuriante autour d'une mare. Il n'y avait personne, à l'exception d'un couple qui s'enlaçait et d'un vieux monsieur qui promenait son chien.

— Parfois, je viens déjeuner ici, expliqua Diana.

Ils descendirent de voiture et s'avancèrent vers un banc devant la mare, où s'ébattait une colonie de canards et d'oies. Sitôt qu'ils furent installés, les palmipèdes s'approchèrent du rivage.

— On dirait qu'ils te souhaitent la bienvenue, observa Travis.

— Erreur. Ils ont reconnu le sac de l'épicerie, expliqua Diana en coupant un morceau de pain, geste qui fut salué par une incroyable cacophonie de caquètements et piaillements approbateurs.

Une oie particulièrement audacieuse se détacha du groupe pour picorer les miettes tombées aux pieds de Diana. Celle-ci la récompensa d'un quignon de pain que l'oiseau attrapa avec un criaillement triomphant avant de replonger dans la mare. Les autres avancèrent, pleins d'espoir. Diana passa le pain à Travis et extirpa du sac les salades.

— Essaie de ne pas désavantager les plus timides, dit-elle.

Un tourbillon de plumes empêcha Travis de répondre. Il lui fut impossible de penser à autre chose pendant qu'ils nourrissaient les canards, mais une paix merveilleuse l'envahit. Il était heureux de partager cet instant privilégié avec Diana. Ils se mirent à rire des facéties des oiseaux. De petites pattes palmées piétinaient leurs chaussures et ils reçurent d'impatients coups de bec sur les doigts, toujours dans un concert de caquètements affamés.

Le festin terminé, tout rentra dans l'ordre. Les canards et les oies regagnèrent les eaux vertes de la mare. Le silence retomba. Le moment était propice pour renouer le dialogue.

— Ton bureau est loin d'ici? demanda Travis.

Diana lui indiqua un bâtiment à l'orée du parc, dont on apercevait la façade cossue à travers les branches d'un frêne bruissant.

— Là-bas, dit-elle. L'immeuble avec les fenêtres étroites, au dernier étage.

Travis regarda la direction qu'elle lui indiquait.

— Près de l'horloge? demanda-t-il.

— Exact.

— Impressionnant... Aimes-tu travailler pour *Sander's Food*?

— Oui. Les choses se sont un peu gâtées dernièrement, mais j'ai bon espoir que cela va s'arranger après la campagne de lancement.

Elle mit ses mains derrière sa tête, yeux fermés, offrant son visage à la caresse du soleil.

— J'ai eu ce job par hasard. Un de mes amis m'avait dit qu'ils embauchaient sans tenir compte des études des candidats. Le principal étant qu'ils aient de l'imagination. Tant de largesse d'esprit m'a plu. Je me suis présentée, j'ai été engagée sur-le-champ. J'ai signé un contrat à durée déterminée, car j'attendais l'ouverture d'un programme artistique de la mairie.

Tandis que Diana parlait, Travis l'admirait à son insu : son profil adorable, sa peau translucide dans la lumière poudreuse du crépuscule.

— Un programme artistique? répéta-t-il.

Elle ouvrit les yeux, tourna la tête vers lui avec un sourire.

— Quand j'étais à l'université, je nourrissais le projet ambitieux de rendre l'art accessible aux enfants défavorisés.

— Et après, tu as changé d'avis.

— Pas vraiment. J'ai été accaparée par autre chose. Mon travail, mes obligations, la vie en un mot. *Sander's Food* est une des compagnies les plus sérieuses de la région. Ils ont un plan de retraite formidable... Oh, mon Dieu! s'interrompit-elle. Je parle comme Stuart!

— Combien de temps êtes-vous restés ensemble?

— Quatre ans. Dont deux sous le même toit.

— Qui des deux n'a pas voulu se marier?

— Moi.

— Et Stuart s'est plié à ta décision sans discuter?

Elle fut plus longue à répondre.

— Je crois qu'il était d'accord, dit-elle enfin. A partir du moment où l'on vivait maritalement et que mes parents approuvaient cette union libre... Oui, cela ne le dérangeait pas.

Il décela une note d'amertume dans sa voix. Chaque fois que Diana évoquait Stuart, elle se demandait pourquoi elle était restée aussi longtemps avec lui.

— Et Amy? Est-ce qu'elle l'aimait bien? demanda Travis.

— A peu près autant que du chewing-gum collé à ses semelles...

Il éclata de rire.

— C'est une citation d'elle, n'est-ce pas?

— Non. Elle n'a jamais rien dit. Elle cachait soigneusement son antipathie envers Stuart. Pour rien au monde elle ne m'aurait forcée à choisir entre elle et lui.

— Et si elle l'avait fait?

De nouveau, il posait des questions indiscrètes. Il en avait conscience, mais tant pis. Il voulait tout savoir maintenant.

— Amy sera toujours la première dans ma vie, répondit Diana.

Il eut la sensation d'un avertissement plutôt que d'une simple déclaration. Il sut qu'il était allé trop loin, que leurs rapports risquaient de se refroidir. Il regarda sa montre pour se donner une contenance.

— Si je ne pars pas, je vais rater mon avion, dit-il.

Ils ramassèrent les sacs de papier, les jetèrent dans une corbeille publique en retournant à la voiture. Malgré les protestations de Travis, Diana insista pour le conduire à l'aéroport.

Elle le déposa devant le terminal.

En regardant les feux arrière de la voiture s'éloigner, Travis comprit soudain que les liens qui l'attachaient à Diana n'avaient rien à voir avec Amy. Constatation qui l'enchanta et lui fit aussi très peur.

19

Travis atteignit sa destination bien après minuit. Alors qu'il roulait sur l'autoroute déserte, il songea à déclencher son système de chauffage par téléphone, puis se ravisa. Le froid s'accordait mieux à son humeur sombre. Jusqu'alors, sa vie avait été facile. Il appartenait à une famille fortunée, respectée. Pourtant, par un simple caprice du destin, une inversion de l'ordre des naissances, il aurait pu se trouver à la place d'Amy. Amy qui n'avait rien demandé à personne, et qui avait été sacrifiée.

« Pourquoi ai-je échappé à un tel sort ? »

La fatalité n'était certainement pas l'unique cause. Il devait y avoir une autre raison. Et comme il tenait à la paix de son esprit, il voulait la connaître.

Il était cinq heures du matin lorsqu'il se coucha. Il aurait dormi volontiers jusqu'à midi... Mais à huit heures, il était de nouveau sur la route.

En arrivant au ranch, il apprit que son père venait de partir en ville, comme tous les matins. Sa mère, elle, était là. Le temps qu'il saute de voiture, elle apparut sur le perron, une tasse de café fumant à la main.

— Tiens, dit-elle avec un sourire, en lui tendant la tasse. Tu en as plus besoin que moi. Quand es-tu rentré ?

— Ce matin.

— Entre. Je veux tout savoir sur ton voyage. As-tu acheté la jument de tes rêves?

Il avait presque oublié qu'il avait prétexté, pour s'absenter, une foire aux chevaux.

— Il faut que nous parlions, dit-il.

— Pourquoi cet air lugubre? demanda Dorothy en le suivant à l'intérieur de la maison. Que se passe-t-il?

— Dans quel but Diana Winchester était-elle ici, l'autre jour?

Le sang de Dorothy se glaça dans ses veines.

— Je lui avais pourtant conseillé de te laisser tranquille.

Sa nature soupçonneuse reprit le dessus. Peut-être Travis prêchait-il le faux pour connaître le vrai.

— Que veux-tu savoir, Travis? L'as-tu revue?

— Nous avons parlé... dit-il, restant exprès dans le vague.

Des bruits de vaisselle en provenance de la cuisine rappelèrent à Dorothy la présence de Felicia. Elle attira son fils dans son bureau. Sitôt installée, elle demanda :

— De quoi avez-vous parlé?

Travis sirota une gorgée de café, tout en fixant sa mère par-dessus le bord de la tasse.

— Je sais tout, dit-il.

— C'est-à-dire? s'enquit Dorothy prudemment.

— Que ma sœur n'est pas morte.

— Comment?... Je l'ai pourtant prévenue, cette petite peste, qu'elle ne devait pas approcher ma famille.

— Oui, mais vu que la « petite peste » a grandi avec l'une de tes filles, elle est devenue aussi têtue que nous autres...

— Ce n'est pas ma fille.

— Son nom est Amy, dit Travis.

— Je me fiche éperdument de son nom. Elle n'a jamais fait partie de notre famille. Ni avant, ni maintenant.

Se penchant en avant, elle décocha à Travis un regard acéré.

— Jamais, m'entends-tu? répéta-t-elle.

Travis feignit de ne pas avoir remarqué son ton menaçant.

— Pourquoi l'as-tu abandonnée? demanda-t-il.

— Mêle-toi de ce qui te regarde.

Il se mit à se balancer sur sa chaise, sachant que cela agacerait Dorothy.

— Si tu préfères que je pose la question à Papa...

Pour la première fois, elle parut faiblir.

— Tu n'apprendrais rien de plus, dit-elle. En ce qui le concerne, elle est morte et enterrée.

— Et visiblement, tu entends qu'il demeure ignorant de la vérité.

Dorothy manifesta cette fois des signes d'inquiétude.

— Que veux-tu dire? fit-elle.

Travis laissa planer un silence chargé de tension, un silence électrisé... Puis, il répéta :

— Pourquoi l'as-tu abandonnée?

— Tu ne comprendrais pas.

— Réponds-moi quand même.

— Ainsi tu prends parti pour quelqu'un que tu ne connais même pas, et contre ta propre mère! Je ne te le pardonnerai jamais, Travis.

— Je tiendrai le coup.

— Je t'en prie, réfléchis. Grâce à moi, notre famille reste unie. Je suis le lien qui vous maintient attachés les uns aux autres. Sinon, vous seriez déjà à la dérive. C'est ça que tu veux?

Il ne répondit rien. Le silence était sa meilleure arme. Les manigances de sa mère, redoutable manipulatrice, n'avaient plus d'effets sur lui. Il savait lui cacher ses sentiments, bons ou mauvais. C'était une façon comme une autre de se préserver.

— Personne ne vous demande des comptes, à toi et à tes sœurs, dit-elle, arborant soudain un air de martyre. Qu'est-ce qui m'oblige à me repentir de mes erreurs passées?

Elle était une excellente comédienne.

— Maman, tu perds ton temps. J'exige des réponses. Si tu ne me les donnes pas, je m'adresserai ailleurs.

— Tu ne peux pas comprendre ce que j'ai enduré à l'époque.

— Je te promets d'essayer.

Il se pencha, cherchant à lui saisir la main dans l'espoir que ce geste tendre la rassurerait. Mais elle se déroba à cette démonstration d'affection et s'adossa à son siège, les poings serrés.

— Travis, ne me force pas à des aveux qui me répugnent. Je t'en voudrai toute ma vie si tu insistes.

— Eh bien, j'insiste, dit-il. Vas-y, les confessions soulagent.

Elle pinça les lèvres. Puis soudain prit une profonde inspiration, telle une nageuse avant de se jeter à l'eau.

— J'étais enceinte de six mois quand j'ai reçu la lettre m'annonçant la mort de ton père, commença-t-elle. Marié, avec deux enfants, il n'était pas obligé d'aller au Vietnam. Mais il avait décidé de se porter volontaire alors que la guerre touchait à sa fin... Comme son père et son grand-père avaient combattu pour notre pays, il estimait qu'il devait suivre leur exemple.

En grandissant, Travis avait tenté d'arracher à son père quelques informations sur la guerre. Il n'avait récolté que des réponses vagues. Jusqu'à un jour d'hiver glacial. Ils traversaient à cheval la plaine gelée. Sans raison apparente, Gus avait alors longuement parlé de sa petite fille, morte à sa naissance, pendant qu'il sillonnait la jungle à l'autre bout du monde. Travis avait depuis longtemps oublié les mots, mais leur douloureuse musique s'était à jamais gravée dans sa mémoire.

— Tous les jours, il y avait des défilés où les manifestants scandaient des slogans pour la paix, et Gus, lui, faisait le tour des centres de recrutement, poursuivit Dorothy d'une voix amère. Je l'ai imploré, supplié de ne pas partir, il n'a rien voulu entendre. Il savait combien il serait dur pour moi de rester seule. Je détestais vivre près de ses parents. Harold, mon beau-père, entrait chez nous sans frapper, de jour comme de nuit, et chaque fois que je sortais dans le jardin, Gladys, ma belle-mère, mettait le nez à la fenêtre... J'ai assisté à leur enterrement les yeux secs. On dit que les grandes douleurs sont muettes; du moins, les gens l'ont cru... Ils se trompaient. Je me réjouissais. Je célébrais en secret ma liberté.

Il suffisait que Dorothy évoque ce passé lointain pour que sa colère rejaillisse, intacte comme au premier jour. Ses griefs contre ses beaux-parents n'étonnèrent pas Travis outre mesure. Il connaissait bien sa mère. Dorothy Martell portait ses rancunes et ses ressentiments comme un sac de charbon, en décrétant qu'il était rempli de diamants.

— Pourquoi as-tu quitté Jackson, quand tu as cru que Papa était mort? voulut savoir Travis.

Dorothy prit un stylo dont elle tapota la pointe contre le papier buvard posé sur son bureau.

— Pendant les trois premières semaines, ta grand-mère n'a pas cessé de pleurer. J'en devenais folle.

— Qu'a-t-elle dit quand elle a su que tu partais?

— Elle m'a suppliée de rester. Oh, pas pour moi. Pour vous. Selon elle, les enfants de son Gus étaient tout ce que Dieu lui avait laissé; elle n'aurait pas supporté de vous perdre, vous aussi. Je lui ai répondu que nous rentrerions après la naissance du bébé. (Dorothy poursuivit, ne pouvant dissimuler un sourire :) Je n'ai peut-être pas de diplômes universitaires, mais je suis assez intelligente pour ne jamais donner tout pour rien.

— Tu disais vrai à propos de notre retour?

Elle jeta le stylo sur le bureau. Involontairement, Travis avait lancé de l'huile sur le feu. La vieille colère, qui ne s'était jamais éteinte, flambait de nouveau dans les yeux de Dorothy.

— Ton père m'a laissée sans un sou. Il avait une assurance qui couvrirait tout juste les frais de ses obsèques;

plus les chèques minables que le gouvernement envoyait aux veuves de guerre. A part cela, rien. Harold lui versait un salaire de misère. Nous vivions comme des mendiants. Nous étions à la merci de tes grands-parents... Harold avait réussi à convaincre Gus que son travail représentait un investissement sur l'avenir de notre famille. Et c'était vrai, tant que ton père était vivant. Lui mort, j'étais perdue. Ton grand-père ne m'aurait jamais couchée sur son testament. Le seul argument qu'il me restait, c'était vous... Et si je ne privais pas Gladys et Harold de votre présence, ils n'étaient pas en mesure d'apprécier à sa juste mesure mon sacrifice... si je me décidais à rester.

— Tu veux dire que tu es partie uniquement pour obliger Grand-père et Grand-mère à te céder les intérêts de Papa dans le ranch?

— Tu vois? Je le savais! s'écria Dorothy d'un ton dramatique. Tu n'essaies même pas de me comprendre.

— Je suis désolé.

Ce n'était pas une phrase vide que prononçait là Travis. Il était réellement désolé de ne pas prendre la défense de sa mère. Mais il était hors de question pour lui de mettre dans la balance l'amour de Dorothy pour les enfants qu'elle avait gardés et l'abandon de sa petite fille.

— Je ne pensais pas qu'à moi, tu sais, dit-elle. Vous aviez besoin de protection vous aussi. Je me battais pour vous. Tes grands-parents m'agitaient sous le nez votre héritage, afin que je revienne.

— N'aurais-tu pas été plus forte, face à eux, avec trois petits-enfants?

— J'ai longuement pesé le pour et le contre. Si j'avais eu un deuxième fils, je l'aurais gardé, en dépit de tout le reste.

— De tout le reste? répéta Travis.

— Je ne pouvais pas me permettre de mettre tous mes œufs dans le panier des Martell. Il me fallait une position de repli au cas où ils se découvriraient capables de vivre sans nous. Je me suis dit qu'il serait dur de trouver un homme prêt à accepter deux enfants. Avec trois, c'était impossible.

Travis considéra sa mère, stupéfait. Le voilà, pensa-t-il, le détail qui a décidé du sort d'Amy. Aurait-elle été un garçon, elle aurait eu une chance de rester au sein de sa famille.

— Je m'étonne que tu aies songé à trouver un autre mari alors qu'on venait de t'annoncer la mort de Papa, fit-il.

— Je n'avais pas le temps de jouer les veuves éplorées. J'étais enceinte de six mois, je te l'ai déjà dit.

— Est-ce que ta mère... Grand-mère Hart... est au courant pour Amy?

— Oui, bien sûr. C'est elle qui m'a adressée à l'avocat qui s'est occupé de l'adoption.

Travis passa la main sur son visage comme pour effacer la fatigue qui lui tirait les traits.

— Bon, admettons. Mais pourquoi ne pas avouer la vérité à Papa? Il se sentirait moins coupable s'il savait qu'Amy est vivante.

— As-tu vraiment l'impression que je suis uniquement préoccupée par l'éventuelle réaction de ton père?

— Ce n'est pas le cas?

Dorothy esquissa un geste de lassitude.

— Gus me pardonnerait n'importe quoi, dit-elle.

Une fois de plus, Travis se sentit pris de court.

— Mais alors, fit-il, je ne vois pas où est le problème.

Dorothy se leva, longea le mur agrémenté de plaques de bronze et de titres honorifiques encadrés, qui lui avaient été remis par les autorités municipales et divers organismes de charité. Elle contempla un instant ces trophées avant de se retourner vers son fils.

— J'ai travaillé dur pour en arriver là, dit-elle. Et je ne permettrai pas à une revenante de démolir tout ce que j'ai construit à la force du poignet.

— Mais qu'est-ce que tu racontes? Comment veux-tu qu'Amy te porte préjudice?

— Ne joue pas au plus fin avec moi, Travis. Nous vivons dans une petite ville, tout le monde nous connaît. Quand on saura que j'ai menti à Gus au sujet de sa fille, je deviendrai vite le mouton noir de la communauté. Ici, ton père est vénéré comme une sorte de saint... S'il volait dans le tronc de l'église, les paroissiens organiseraient une collecte en sa faveur.

Travis gardait le silence. Il découvrait une facette de sa mère qu'il ignorait et qu'il aurait préféré laisser dans l'ombre. On eût dit quelqu'un de différent. Une étrangère.

— Je suis sûr que s'ils savaient combien tu regrettes, ils...

— Travis, ceci n'arrivera jamais. Il est donc inutile de l'envisager.

Elle se rassit sur son fauteuil, qu'elle rapprocha du bureau.

— Maintenant, si tu as fini, j'ai mille choses à faire.

Travis se leva, s'appuya sur le bureau, regarda sa mère dans les yeux.

— Comment comptes-tu m'empêcher de mettre Papa au courant?

Elle lui adressa un de ces regards intimidants dont elle avait usé depuis sa plus tendre enfance, et qui d'habitude était suivi d'un « parce que tu dois obéir ». Sous-entendu : la désobéissance entraînerait quelque terrible et mystérieuse punition.

— Je t'interdis de lui en parler! intima-t-elle.

Travis cligna des paupières, stupéfait.

— Crois-tu vraiment que je vais me conformer à tes ordres?

— Ton père serait bouleversé...

— Tu aurais dû y penser plus tôt, Maman.

Il remit sa casquette de base-ball, et d'une pichenette redressa d'un centimètre la visière.

— Tu m'aurais peut-être convaincu si tu me prouvais que tu ne t'intéresses pas qu'à toi-même, dit-il.

— Pourquoi me jettes-tu sans cesse le blâme?

— Et qui devrais-je accuser, à ton avis?

— Ton père. Il savait pertinemment qu'il risquait de se faire tuer dans cette guerre stupide, mais qu'a-t-il fait pour protéger sa famille au cas où il mourrait? Rien. Rien du tout. Comment étais-je censée élever trois gosses, avec la pension misérable du gouvernement?

Elle marqua une pause, espérant avoir gagné du terrain, avant de poursuivre :

— J'ai agi pour ton bien. Et pour celui de Sharon.

— C'est au nom du bien que l'on commet les pires horreurs.

— Tu le regretteras, Travis, menaça Dorothy. Oh! oui, tu t'en mordras les doigts si jamais la fantaisie te prend de ramener cette fille dans notre famille.

L'image d'Amy sur son lit d'hôpital fulgura dans la mémoire du jeune homme.

— Si tu essaies une nouvelle fois de l'exclure, je veillerai personnellement à ce que tout le comté sache l'injustice dont tu t'es rendue coupable.

Dorothy bondit sur ses pieds et contourna le bureau.

— Comment peux-tu t'acharner contre ta propre mère? Où est passée ta loyauté? Pourquoi me trahis-tu?

— Pourquoi as-tu trahi ta propre fille?

— Mais je ne l'ai pas trahie! Je ne l'ai pas jetée dans le caniveau, bon sang! Je l'ai confiée à des gens bien. Le père était médecin. Un homme riche. Ils la voulaient. Pas moi! J'ai fait pour le mieux. Pourquoi dois-je être punie après tant d'années?

Travis garda le silence. Les arguments de sa mère ne l'avaient pas ému. Seul le choc qu'il causerait à son père le retenait encore. Mais cette sœur abandonnée? N'avait-elle pas des droits, elle aussi?

— Peut-être que lorsque Amy découvrira la vérité, elle ne voudra plus entendre parler de nous, murmura-t-il.

Une lueur d'espoir s'alluma dans les yeux de Dorothy.

— Tu veux dire qu'elle ne sait rien ?

« Non, parce qu'elle était dans le coma », pensa Travis. Mais il dit :

— Je voulais d'abord clarifier certains points avec toi.

Dorothy sauta sur l'occasion de plaider sa cause.

— Ne lui dis pas, Travis. Tu la perturberais. Elle a construit sa vie ailleurs, auprès d'autres gens, dans une autre ville. La vérité est destructrice, parfois.

Mais Amy n'avait attendu personne pour se détruire, se dit Travis avec tristesse. Sa mère possédait l'art et la manière de convaincre les autres qu'ils n'avaient pas d'autre choix que d'admettre son point de vue... Il la regarda.

— Vas-tu l'annoncer à Papa toi-même ? demanda-t-il aussi gentiment qu'il le pouvait, ou préfères-tu que je m'en charge ?

Dorothy réprima un haut-le-corps.

— Comment ? Tu insistes, malgré tout ?

— Je suis navré, mais...

— Une étrangère ! fulmina-t-elle. Oseras-tu prendre le parti d'une parfaite inconnue contre ta mère ?

— Tout est une question de choix.

— Très bien ! Passe outre à ma volonté, et tu n'es plus mon fils. Je ne te reverrai plus, Travis. Plus jamais !

— A condition de ne plus sortir de la maison. Et de ne pas ouvrir les rideaux... Je n'abandonnerai pas Papa. Tant qu'il sera ici, je resterai près de lui.

20

Sur le chemin de la ville, où il comptait rencontrer son père, Travis en eut brusquement assez de son rôle... Comme s'il cherchait à se substituer à Dieu... Il eut peur de ce rôle trop encombrant, trop dur à assumer, de ce personnage trop écrasant.

Une fois que son père serait au courant de l'existence d'Amy, il n'y aurait plus moyen de revenir en arrière. Il faudrait en subir les conséquences. Plus que tout autre homme, August Martell s'impliquait dans la vie de sa progéniture. Il n'aurait jamais accepté de tourner le dos à l'un de ses enfants, comme on abandonne un animal blessé sur le bas-côté de la route.

Il restait encore un laps de temps pendant lequel Gus, fidèle à ses illusions, croirait vivre dans un monde parfait, régi par la justice... Ayant décidé de laisser à son père quelques heures de répit, Travis prit la direction de la montagne, qui se dressait derrière sa maison. Il laissa sa voiture au bout d'une route poussiéreuse, poursuivit à pied l'ascension jusqu'à une clairière ceinte de pins, un champ traversé par un cours d'eau sans cesse alimenté par les neiges éternelles qui couronnaient les cimes lointaines.

Un rocher lavé par les pluies, poli par les vents, recouvert par endroits de lichen sombre, dominait la petite rivière. C'est là que Travis cherchait refuge chaque fois qu'un problème le préoccupait. Il s'asseyait sur le rocher, se laissant imprégner par la paix environnante. Souvent, il s'y rendait pour réfléchir à l'heure où les lueurs pourpres du crépuscule se fondaient peu à peu dans la nuit. Mais aujourd'hui, le ciel était d'un bleu d'été ; les aiguilles des pins bruissaient doucement. Les écureuils et les tamias, disparus à son approche, ne tardèrent pas à repointer leur museau à travers les feuillages, avant de vaquer à leurs occupations.

Il aurait voulu naître ici des siècles plus tôt, quand les Indiens étaient les seuls résidants de la vallée... En ce temps-là, les Blancs n'avaient pas encore détruit l'harmonie du paysage, ni les pistes de migration des cerfs et des élans, avec leurs fermes, leurs clôtures et leurs routes. Son arrière-grand-père avait raconté à ses enfants ces combats entre la faune et les chasseurs. Lors d'un hiver particulièrement rigoureux, disait-il, un colon avait parcouru deux kilomètres à pied sur des cadavres d'animaux à moitié enfouis dans la neige... Aujourd'hui, les élans et les cerfs, parqués dans des réserves naturelles, constituaient une des attractions touristiques les plus courues du comté.

Lorsqu'il conduisait des groupes de touristes en rase campagne, Travis cherchait à leur communiquer sa passion de la nature. Il voulait leur faire découvrir les étoiles, si étrangement brillantes en l'absence de toute lumière artificielle. Et la sensation du danger, qui déverse une décharge d'adrénaline dans vos veines, la jubilation de voir jaillir du sous-bois des animaux sauvages, en toute liberté.

Sharon le taquinait. D'après elle, il finirait en ermite dans un cabanon niché au flanc de la montagne. Sa barbe balaierait ses genoux et il aurait un ours pour seul ami. Mais elle n'avait pas complètement raison. Travis avait besoin de compagnie... Peut-être même d'une compagne, pour être tout à fait juste, se dit-il en contemplant les eaux changeantes de la rivière.

Le besoin de partager sa vie avec une femme avait germé dans sa tête sans qu'il s'en aperçoive. Subitement. Son attirance bizarre pour Diana ne s'expliquait pas autrement. Ils se connaissaient à peine, mais cela n'avait guère d'importance. Depuis qu'il avait quitté Minneapolis, il avait été incapable de la chasser de son esprit... Et pas seulement parce qu'elle était intimement liée à Amy. Sans cesse ses pensées se tournaient vers Diana. Il se rappelait leur premier baiser. Ses cheveux si doux et soyeux. Son sourire.

Mais d'autres priorités s'imposaient pour le moment. Son père. Et Sharon. Avant de quitter la ferme, il avait intimé à sa mère l'ordre de mettre Gus au courant, lui se chargerait de Sharon. Celle-ci serait une alliée précieuse au cas où Amy reviendrait. Comme Travis, elle se souvenait du bébé que leur mère n'avait pas ramené à la maison. Elle était alors assez âgée pour ressentir de la peine.

Le soleil déclinait. Il plongeait vers les pics, derrière le rocher où Travis était assis, striant la prairie de longues ombres. Le jeune homme se redressa. Il avait froid. Il était grand temps de finir ce qu'il avait commencé. Sa mère s'était engagée à mettre Gus au courant. Travis lui fournirait les détails, s'il le fallait. Il estimait que son père avait le droit de savoir la vérité : une vérité que seule Dorothy pouvait lui fournir.

Il se hissa sur le siège avant de sa camionnette, démarra et fit une halte chez lui. Aucun message de Diana sur le répondeur le renseignant sur la santé d'Amy. Déçu, il ressortit. Du perron, il aperçut la voiture de Gus dans l'allée. Son père sortit du véhicule. Il arborait une expression grave. Du premier coup d'œil, Travis sut pourquoi il était venu.

— Je suis content de t'avoir trouvé, dit Gus.

— Entre. Veux-tu une tasse de café ?

— Oui... Volontiers.

Il retira son Stetson cabossé et le jeta sur la chaise de la véranda. En silence, ils entrèrent dans la cuisine. Gus s'installa près de la table, tandis que Travis mettait la cafetière électrique en marche. L'eau bouillante passa dans le filtre, qui contenait une double dose de café. Des gouttes noires remplirent peu à peu le pot; un lourd parfum emplit la pièce. Travis prit deux tasses, ajouta du sucre dans celle de son père.

Gus but une gorgée, puis reposa sa tasse avec un claquement de langue satisfait.

— Ton café est toujours aussi bon, dit-il.

— J'ai eu un excellent professeur.

Ils étaient assis face à face, comme d'habitude — deux personnes prêtes à parler de la pluie et du beau temps. A ceci près qu'une subtile tension crispait leurs traits.

— Nos excursions avec ta mère me manquent, déclara Gus de but en blanc. Je ne connais rien de plus beau que d'émerger d'un sac de couchage, le matin en plein soleil.

— Il n'y a pas de raison de ne pas recommencer, répondit Travis, souhaitant effacer la tristesse qu'il lisait dans les yeux de son père.

— Oui, j'aimerais bien...

Le silence retomba entre eux comme une chape de plomb.

— Est-ce que Maman t'a dit? finit par demander Travis.

— Oui. Du moins une partie.

Gus prit une autre gorgée de café. Il tenait la tasse entre ses paumes, les yeux fixés sur le liquide sombre comme pour y lire l'avenir.

— Je suis venu ici pour apprendre le reste, acheva-t-il sans lever les yeux.

Le reste! Un bien grand mot. Travis commença par le début, tel que Diana le lui avait conté. L'enfance d'Amy. Ses vains efforts pour s'attirer l'affection de l'homme et de la femme qui l'avaient adoptée.

Gus posait des questions. Travis répondait comme il le pouvait. Lui-même savait peu de choses. Soit que Diana n'eût pas voulu dévoiler les secrets de sa sœur, soit qu'elle les ignorât elle aussi. Travis ne savait pas de quelle couleur étaient les yeux d'Amy, mais il répéta à Gus que, d'après Diana, elle avait son sourire. Il ne savait pas non plus si Amy était timide ou téméraire, quelles étaient ses lectures préférées, ou si même elle aimait lire. Il ne savait rien de la musique qu'elle écoutait, et ignorait tout, enfin, de la brute qui l'avait récemment agressée.

— A quoi penses-tu ? demanda-t-il à son père, quand celui-ci cessa de lui poser des questions.

— Je n'ai jamais compris pourquoi je n'arrivais pas à oublier cette petite fille, dit alors doucement Gus. (Du poing, il frappa sa poitrine :) Elle a toujours été dans mon cœur, toutes ces années. Je mettais cette sensation sur le compte de la culpabilité. Je me suis longtemps reproché sa mort. Je me disais que si j'avais été présent, ta mère ne l'aurait pas perdue.

Sa voix, pleine d'une peine immense, fit tressaillir Travis. Il avait vécu près de cet homme toute sa vie, mais ne s'était pas rendu compte combien il souffrait.

— Mais... tu n'en parlais jamais, murmura-t-il.

Gus hocha la tête.

— Je ne pouvais pas.

— Que vas-tu faire, maintenant ?

Gus se leva, porta sa tasse vide à l'évier. Le dos tourné à son fils, il regarda dans la cour, par la fenêtre.

— Moi, je ne compte pas. Tout dépendra d'Amy. Amy... C'est un joli prénom, tu ne trouves pas ? J'ai connu une Amy autrefois. Elle était...

Il s'interrompit, saisit un mouchoir en papier, se tamponna les yeux et se moucha. Puis reprit la parole :

— J'ai toujours su que ce serait une petite fille. Dès le début. Je disais à Dorothy que je voulais l'appeler Diane — comme la déesse de la Chasse. La nuit où elle a été conçue était une nuit de pleine lune. La plus belle que j'aie jamais vue. Je me disais que cette enfant serait sûrement quelqu'un d'exceptionnel. Et quand on m'a dit

240

qu'elle était morte... je crois qu'une partie de moi-même est morte en même temps.

Il se tourna vers Travis.

— Diane... Diana... Drôle de coïncidence, n'est-ce pas?

Travis soupira. Il n'avait pas quitté son père des yeux, essayant de comprendre ce qu'il éprouvait. Gus avait vécu vingt-six ans dans le deuil d'une petite fille inconnue. Il venait de découvrir qu'elle était vivante. Et que sa femme lui avait menti pendant tout ce temps-là.

— Qu'en penses-tu, Travis? Voudra-t-elle revenir?

— Je ne sais pas, répondit Travis avec franchise. Elle semble avoir certains problèmes qu'elle est la seule à pouvoir résoudre.

Appuyé contre l'évier, Gus dévisagea gravement son fils.

— Quel genre de problèmes?

Travis hésita un instant. Inutile de prétendre qu'Amy était sortie indemne de l'enfance qu'on lui avait imposée.

— Diana m'a dit qu'elle a consulté un psychiatre au sujet d'Amy... Elle aurait une tendance à l'autodestruction.

— Tu veux dire qu'elle veut mourir?

— En quelque sorte. Mais pas consciemment. Te souviens-tu du fils de Jack Fender, qui avait toujours des ennuis?

— Oui.

— Eh bien, Amy est pareille. Elle est suicidaire. Elle trouve toujours le moyen de se mettre dans le pétrin.

— Cela n'arriverait pas si son papa lui mettait la main sur l'épaule.

— Ce n'est pas aussi simple. Amy est très forte, quand elle s'y met.

— Explique-toi plus clairement, Travis.

— Je veux dire que, parfois, elle vit dangereusement.

— Je t'en prie, ne tourne pas autour du pot.

Il n'y avait pas moyen d'embellir la réalité.

— Elle a fait partie d'un programme de réinsertion sociale pour alcooliques et toxicomanes.

Il épargna à Gus l'affaire de prostitution. Amy l'informerait elle-même, si l'occasion se présentait. L'important, c'était que Gus comprenne qu'elle était sur une mauvaise pente.

Dans une ville comme Jackson, où régnaient les préjugés contre l'alcool et la drogue, surtout à l'égard des femmes, le nom des Martell serait vite traîné dans la boue... Mais le père de Travis ne parut pas y songer.

— Va-t-elle mieux maintenant? s'enquit-il.

Question piège! se dit Travis. Il se demanda comment répondre sans affoler son père davantage.

— Oui, du moins Diana le croit. En ce qui concerne la drogue et la boisson... Papa, s'interrompit-il, il y a autre chose... (Il ne souhaitait ni mentir — Gus avait eu son lot de mensonges — ni trahir Amy.)... mais elle te le confiera elle-même, si elle en a envie.

— As-tu demandé à Diana pourquoi elle nous a recherchés? voulut savoir Gus.

— Oui. Elle a répondu qu'Amy avait besoin de sa vraie famille.

— Mais pourquoi aujourd'hui? Après toutes ces années?

Gus rassemblait les pièces du puzzle à sa manière. Lentement mais sûrement.

— Un incident a tout déclenché, dit Travis. Et Diana a décidé de nous rendre Amy plutôt que de la perdre pour toujours.

Gus passa la main sur son visage.

— Ta mère s'oppose à ce projet.

— Je le sais.

— As-tu parlé à Sharon?

— Pas encore.

— Alors dépêchons-nous de le faire, avant que ta mère ne nous devance. Nous aurons besoin du soutien de Sharon quand Amy reviendra à la maison.

Travis regarda son père, la gorge nouée d'émotion. Il ne l'avait jamais aimé et admiré autant qu'à ce moment.

— Et Maman? fit-il.

Gus s'éloigna de l'évier.

— Quoi, « Maman »?

— Elle se battra contre toi bec et ongles.

— Aucune importance... (Gus traversa la pièce, boitillant à cause d'une vieille blessure à la jambe qui datait du Vietnam.) Non, les désirs de Dorothy n'ont plus aucune importance.

Travis eut la sensation que l'univers qu'il connaissait venait de basculer dans le vide... Une faille s'était creusée sur la terre ferme, qui ne se refermerait jamais. Comment réagirait Amy quand elle saurait qu'elle avait provoqué cette fracture?

21

Diana se débarrassa de ses escarpins, tandis qu'elle allumait le plafonnier du vestibule. En accrochant son sac au portemanteau, elle se rendit compte qu'elle mourait de faim. Vingt-deux heures quinze et elle n'avait rien mangé depuis midi! Elle se sentait fourbue. Ses pieds, son dos, sa tête lui faisaient mal mais un sourire brillait sur ses lèvres. Aujourd'hui, Amy allait mieux. Presque aussi bien qu'avant son hospitalisation. A tel point qu'il avait été question qu'elle sorte de l'unité des soins intensifs dans deux jours.

Stephanie et Diana passaient toutes leurs heures libres à l'hôpital. Or, leurs visites ne ressemblaient plus guère à l'épuisant marathon qu'elles avaient couru depuis le début du cauchemar. Ce matin, Diana avait regagné son bureau afin d'assister à la réunion de l'équipe de la publicité. Elle avait pu même se concentrer sur la campagne prévue pour le lancement de nouveaux produits.

Elle avait eu ensuite une conversation avec Bill Summersby. Elle l'avait entretenu des progrès accomplis par Amy et tout en se montrant profondément touché, il lui avait laissé entendre qu'ils avaient désespérément besoin d'elle. Elle avait déjà manqué la plupart des réunions lors du premier séjour d'Amy à l'hôpital.

Elle traversa la salle de séjour en déboutonnant sa veste et en s'attaquant aux agrafes de son chemisier... Elle jeta au passage sa veste et son pantalon sur la rampe de l'escalier pour les monter plus tard dans sa chambre. Un coup d'œil au répondeur l'avertit qu'il n'y avait pas de message. Elle ressentit le familier petit pincement au cœur. Parti depuis maintenant quatre jours, Travis n'avait donné aucun signe de vie. Elle s'était persuadée qu'il l'appellerait, sinon pour rester en contact avec elle, du moins pour demander des nouvelles d'Amy.

Peut-être de son côté attendait-il qu'elle lui téléphone ? Il lui avait laissé ses deux numéros, chez lui et à son travail, sur un autocollant qu'il avait mis sur la porte du réfrigérateur, accompagné des horaires auxquels elle pourrait le joindre. Puisqu'elle voulait tant entendre sa voix, elle n'avait qu'à l'appeler... Mais comment leurs rapports étaient-ils devenus aussi compliqués ?

Si elle n'avait pas de nouvelles d'ici à demain, elle lui passerait un coup de fil. Et tant pis si c'était elle qui prenait l'initiative de le recontacter ! Elle avait d'excellentes raisons de l'appeler. Jusqu'à ce qu'il se décide à annoncer l'existence d'Amy à son père, Diana cacherait à celle-ci sa rencontre avec les Martell. Et de toute façon, mieux valait attendre son départ de l'hôpital pour la mettre au courant.

Elle entra dans la cuisine où elle inspecta les placards. Conserves de sauce tomate, de haricots, d'olives... Ils contenaient toutes sortes d'aliments et pourtant rien à se mettre sous la dent. Aucun vrai repas. Elle aurait commandé une pizza si seulement elle en avait eu envie. Sa faim commençait à s'apaiser. Il n'y avait, dans le réfrigérateur, que des yoghourts au citron — les préférés d'Amy, un parfum que Diana ne supportait pas.

Un de ces quatre, elle allait devoir se résoudre à faire des emplettes au supermarché, mais jusque-là... eh bien, jusque-là, il fallait se débrouiller avec les moyens du bord. Elle mit un bol de pop-corn dans le micro-ondes. Elle avait connu des dîners plus fades. Au moins, le pop-corn contenait des fibres, quelques lipides, du sel... La sonnette de la porte retentit en même temps que celle du micro-ondes. Le rendez-vous de Stephanie s'était terminé bien tôt, ce soir, pensa-t-elle en posant le bol dans l'évier et retournant dans le vestibule.

— Déjà là? fit-elle en ouvrant la porte.

Ce n'était pas Stephanie. Son souffle se bloqua au fond de sa poitrine. Elle s'était souvent efforcée de se figurer ce qu'elle éprouverait en revoyant Travis... Elle aurait du plaisir à le retrouver, elle n'en doutait pas. Mais elle n'avait pas imaginé que son cœur s'emballerait et que son cerveau s'arrêterait net de fonctionner.

Elle considéra l'arrivant, l'œil rond.

— Excuse-moi... Je croyais que c'était...

— J'aurais dû téléphoner avant, admit-il. (Il embrassa du regard les pieds nus de la jeune femme et remonta le long de ses jambes, où flottaient à mi-cuisses les pans du chemisier.) Heureusement, mon avion avait du retard, sinon j'aurais sûrement interrompu quelque chose d'important...

— Quoi donc? fit Diana sans comprendre.

Travis remonta sur son épaule la lanière de son sac de campeur.

— Visiblement, tu avais de la compagnie, fit-il.

— Pas du tout. Je reviens tout juste de l'hôpital. (Elle prit soudain conscience de sa tenue.) Oh...

— Ce n'est pas grave, déclara Travis. Je voulais juste te prévenir de mon arrivée. En passant.

Un sourire involontaire éclaira le visage de Diana.

— Tu as cru que j'étais avec un homme?

Il haussa les épaules, feignant une désinvolture que démentait son expression ulcérée.

— Pourquoi pas? Stuart et toi avez le droit de repartir de zéro.

— Est-ce que cela te dérange? demanda-t-elle avec une hardiesse dont elle fut la première étonnée.

— Ce ne sont pas mes affaires. Tu es libre de voir qui tu veux.

246

— Mais cela te dérange ? répéta-t-elle, insistante.

Il la fixa un long moment avant de répondre :

— Oui.

— Alors, rassure-toi, avec Stuart, c'est bel et bien terminé. Maintenant que nous voilà dépêtrés de cet obstacle, tu ne veux pas entrer ?

Travis s'exécuta et laissa tomber son sac par terre. Ils échangèrent un regard qui n'en finissait pas, puis il la prit dans ses bras. Elle poussa un petit cri de soulagement, tandis qu'il la serrait contre son cœur. Il l'embrassa à pleine bouche, comme s'ils étaient déjà amants, intimement, sans retenue. Eût-il eu du remords, il se serait volatilisé dans la façon dont Diana lui rendit son baiser... La chaleur qui émanait d'elle l'enveloppait dans une sensation d'une sensualité inouïe.

Il ne pensa plus qu'à elle ; qu'à eux. Le reste lui était parfaitement égal. Il ne chercha plus à se demander pourquoi ils étaient attirés l'un par l'autre. Et si cette attirance avait jailli d'un état psychologique commun, ou d'un ouragan émotionnel dont les spirales les retenaient prisonniers. Elle était forte, belle, en pleine santé. Et elle le rendait heureux.

Il lui encadra le visage de ses paumes, lui caressant les joues de ses pouces. Avec un sourire, il reprit à son compte son expression :

— « Maintenant que nous voilà dépêtrés de cet obstacle », dis-moi comment va Amy ?

Elle posa ses mains par-dessus les siennes.

— Un instant, murmura-t-elle. Il faut que je reprenne mon souffle.

Jusqu'alors, des règles immuables régissaient l'existence de Diana. Un code très strict lui dictait son attitude en toutes circonstances, ses sentiments, ses pensées. Toute sa vie, elle avait été confinée dans un cocon sécurisant. Travis, lui, n'appartenait pas au même monde. Il se comportait en homme libre. Sans entraves, sans faux-semblants.

— Est-ce que tu es toujours aussi... (Elle déploya un effort surhumain pour trouver le mot adéquat.)... aussi sûr de toi?

— Ai-je fait quelque chose de mal?

— Là n'est pas la question.

— Alors qu'y a-t-il?

— Je n'ai jamais connu quelqu'un comme toi, Travis.

Elle avait peine à rassembler ses idées.

— Comment aurais-tu réagi si Stuart était revenu? s'enquit-elle.

Elle voulait connaître sa réponse.

Il sourit.

— Je me serais demandé ce que tu fais avec lui, alors que tu éprouves une telle passion pour moi.

— Comment peux-tu savoir ce que j'éprouve?

— Je le vois dans tes yeux. (Il s'approcha d'elle, avant d'ajouter à voix basse :) Comme cela se voit dans les miens.

Une vague de désir submergea Diana. Son corps s'enflammait comme sous d'exquises caresses, alors qu'il ne l'avait même pas touchée. Comment parvenait-il à lui procurer un tel plaisir avec des mots, alors que Stuart, même au lit, n'y était pas arrivé?

— Ça va trop vite, murmura-t-elle tout en reculant et le repoussant doucement du plat de la main.

— Tu as raison, convint-il en ramassant son sac. Je ne voulais pas te brusquer.

— Où vas-tu?

— A l'hôtel.

— Mais pourquoi?

Il lui lança un regard exaspéré.

— Tu parles sérieusement?

— Oui... Non... (Elle commença à reboutonner son chemisier, puis laissa tomber, se trouvant ridicule.) Je ne sais pas ce que je veux.

— Moi si, dit-il doucement. Mais n'aie crainte. Rien n'arrivera sans que tu sois d'accord.

248

— Travis, ne pars pas... Pas encore. Je ne t'ai même pas donné de nouvelles d'Amy.

Il reposa son sac.

— Et moi, je ne t'ai rien dit à propos de Papa et de Sharon.

— Ils savent? Et toi qui n'étais pas prêt à leur dire! Qu'est-ce qui t'a poussé à changer d'avis?

— D'abord, parle-moi d'Amy. Comment se porte-t-elle?

— Comme un charme! C'est fantastique, elle est presque aussi belle qu'avant. Ils lui ont enlevé le pansement. Son visage n'a plus cette horrible couleur grise. Après-demain, elle sortira de la salle de réanimation. Elle ira dans une chambre normale.

Elle s'exprimait avec volubilité. Dieu, qu'elle était contente qu'il soit revenu! Il lui avait manqué comme la lumière du soleil après une interminable nuit de pluie. Comme lorsqu'on se lève le matin pour découvrir une journée splendide. La guérison d'Amy l'avait enchantée, bien sûr. Mais l'arrivée de Travis avait transformé sa joie en exaltation. Maintenant, elle savait pourquoi.

— Je veux la voir, dit-il. Seigneur, qu'est-ce que je vais lui raconter?

Il avait de larges cernes sombres sous les yeux, remarqua Diana. Le voyage, les heures d'insomnie avaient dû l'épuiser.

— Suis-moi à la cuisine et nous en parlerons, dit-elle. Je partagerai volontiers mon bol de pop-corn.

— Après... Si je ne trouve pas d'hôtel, il sera trop tard pour repartir.

Lui prenant la main, elle l'attira vers la chambre d'amis, à l'autre bout du vestibule.

— Dans l'état de fatigue où tu es, mieux vaut que tu restes ici. Tu chercheras une chambre d'hôtel demain.

Il jeta son sac à dos sur le lit.

— D'accord. Mais je ne prendrai pas le risque de t'embrasser pour te souhaiter bonne nuit.

De nouveau, elle ressentit la chaleur traîtresse, le feu qui couvait sous la cendre...

— Tout à fait d'accord, approuva-t-elle.

Le lendemain matin, Travis dormait toujours quand Diana partit à son travail. Elle lui laissa un mot sur la table de la cuisine, à côté de la Thermos de café.

Travis,
Si tu te réveilles à midi, viens déjeuner avec moi. Si tu te lèves plus tôt, sers-toi dans les placards. (J'admets que l'offre tient davantage du défi que de la générosité.) Surtout ne t'approche pas du réfrigérateur. Tous les produits sont périmés et je ne voudrais pas que tu finisses à l'hôpital, toi aussi. Je sais que tu es pressé de voir Amy mais depuis qu'elle est réveillée, le matin n'est pas propice aux visites. C'est l'heure de la toilette, des soins, etc. D'ailleurs, il nous faut « plancher » sur ta fameuse explication, chose que nous pourrions faire pendant le déjeuner. Stephanie m'accompagnera au bureau, de manière que tu puisses utiliser ma voiture. Les clés sont sur la table du vestibule. Appelle-moi, afin que nous convenions d'un restaurant.

Diana.

Il était neuf heures et demie à la pendule murale. Travis se servit une tasse de café. Il but une gorgée du liquide anémique et fit la grimace.

Le téléphone sonna. Il songea à laisser se déclencher le répondeur, puis décrocha, espérant qu'il entendrait la voix de Diana.

C'était son père.

Gus ne dissimula pas sa surprise.

— Je m'attendais à tomber sur une machine, déclara-t-il après un silence.

— Bonjour, Papa. Tu vas bien ?

Il lui avait donné le numéro de Diana, en cas d'urgence.

— Je voulais te joindre avant que tu ne parles à Amy, répondit Gus. Lui as-tu dit quelque chose?

— Je ne l'ai pas encore vue. Mon avion avait du retard. Il a atterrit tard dans la soirée. Je suis réveillé depuis cinq minutes.

Long silence à l'autre bout de la ligne.

— Tu viens tout juste de te lever et tu réponds au téléphone chez Diana Winchester?

Travis ferma les yeux et serra les dents. Il s'était évertué à cacher ses relations pour le moins ambiguës avec Diana, et voici qu'un stupide coup de fil allait le trahir.

— Ne va pas imaginer n'importe quoi, dit-il d'un ton délibérément léger. Comme il était fort tard, Diana m'a offert l'hospitalité. J'ai dormi dans la chambre d'ami.

— Elle est gentille, remarqua Gus.

August Martell appartenait à cette catégorie de personnes bien intentionnées dont la confiance vous désarme. Travis s'en voulut de lui mentir, même par omission. Mais après tout, il ne s'agissait que d'un demi-mensonge.

— Que voulais-tu me dire à propos d'Amy? demanda-t-il à son père.

— De ne pas lui parler de nous avant... deux ou trois jours.

Travis tourna les yeux vers la fenêtre. De gros nuages anthracite s'amoncelaient dans le ciel, charriés par le vent d'ouest.

— Pourquoi? demanda-t-il. Que s'est-il passé?

— Sharon m'a téléphoné. Ta mère a réussi à contacter Faith et Judy dans le sud de la France. Leur retour est imminent. Cet après-midi, je crois... (Gus respira profondément avant de poursuivre :) J'ignore comment elle leur a présenté la situation. Je pense qu'il vaut mieux laisser Amy en dehors de tout cela, jusqu'à ce que je sache de quoi il retourne. Parce que si jamais l'envie lui prenait de m'appeler...

— Amy ne t'appellera pas tout de suite, Papa.

— Que s'est-il passé? Son état a empiré?

— Non, elle va beaucoup mieux. Mais elle est encore aux soins intensifs. De toute façon, je ne lui dirai rien avant qu'elle soit tout à fait remise.

— Quand, à ton avis?

— Je me ferai une meilleure idée cet après-midi, quand je l'aurai vue.

— Tu m'appelleras... après?

Travis se livra à un rapide calcul mental, en tenant compte de la différence d'heure entre les deux Etats.

— Où seras-tu ce soir? demanda-t-il.

— A la maison.

— Si pour une raison ou une autre je te ratais, puis-je laisser un message à Maman? Ne crains rien, ce sera le genre anodin : « Je l'ai vue et elle va bien. »

— Ta mère ne sera pas là.

Quelque chose dans le ton de la voix de Gus mit Travis en alerte.

— Non?... fit-il. Pourquoi?

— Elle est partie.

Il se sentit terrassé par une brusque fatigue. Il se laissa tomber sur une chaise.

— Partie? Mais... quand?

— Il y a deux jours.

— Et tu ne m'as rien dit! s'exclama Travis en passant ses doigts dans ses cheveux.

— Tu avais tes soucis... Et puis, je répugne à impliquer mes enfants dans mes problèmes de couple. C'est entre votre mère et moi, vous n'avez pas à prendre parti.

Dorothy, pourtant, œuvrait en ce sens. Travis comprit mieux la raison qui l'avait incitée à ordonner à ses filles cadettes de revenir sur-le-champ. Le café vira à l'acide dans son estomac.

— Où est-elle? demanda-t-il. Chez Sharon?

— Ta sœur a refusé de l'accueillir, justement, pour ne pas se mêler à cette histoire. Ta mère s'est réfugiée chez Roger.

C'était le beau-frère de Sharon, un producteur de jeux électroniques non-violents destinés à un public d'adolescents. Il possédait une maison à Teton Village, souvent photographiée par des magazines pour son architecture moderne. Dorothy détestait cet endroit et ne se privait pas de le clamer.

— Je suis navré, Papa. Je n'aurais jamais cru qu'on en arriverait là.

— Ne le sois pas, répondit Gus d'un ton dur. Tu as eu raison d'agir comme tu l'as fait. Je suis fier de toi, mon fils.

— Et si Amy décide de ne pas revenir chez nous, après tout? dit Travis. Ç'aura été beaucoup de bruit pour rien...

— Le fait de savoir qu'elle n'est pas morte me suffit. Toutes ces années de culpabilité...

La voix de Gus était si faible que Travis avait du mal à l'entendre.

— ... J'en suis libéré, à présent, acheva Gus.

— Veux-tu que je rentre pour parler à Faith et Judy?

— Non. Ta mère s'en chargera.

— Mieux vaut qu'elles aient les deux sons de cloche, insista Travis.

Parfois, la foi de son père en la justice des autres frisait la naïveté.

— Elles auront les deux versions en temps et en heure, affirma Gus.

Il était inutile d'insister davantage. Travis s'inclina.

— Entendu, dit-il. Alors, à ce soir, au téléphone.

— Mon Dieu, ce que j'aurais aimé être là-bas, avec toi! J'ai tant de choses à lui dire!

— Oui. Moi aussi j'aurais aimé que tu sois avec moi.

Travis raccrocha. Une prière monta sur ses lèvres. Pourvu qu'Amy accepte seulement de l'écouter...

22

La première vague de clients du restaurant se composait d'élégantes désœuvrées, avec les sacs de leur shopping à la main. Elles déjeunaient deux par deux, ou trois par trois, épluchant le menu tout en jacassant inlassablement et en sirotant du vin. La seconde était constituée d'hommes et de femmes habillés de couleurs sobres — noir, gris ou bleu marine —, qui échangeaient de vigoureuses poignées de mains, étudiaient les plats proposés en silence et buvaient de l'eau minérale.

Travis fixait la porte à tambour. Son choix s'était arrêté sur un sandwich campagnard, après quoi il avait essayé de deviner quelle serait la commande de Diana, quand elle arriverait. Elle opterait sûrement pour une salade au poulet.

Il la vit enfin franchir la porte. Elle portait, elle aussi, l'uniforme du cadre — tailleur-pantalon finement rayé de bleu marine, conçu pour dissimuler les courbes de son corps, ce qui enflamma l'imagination de Travis.

Elle l'aperçut, et son visage s'illumina de ce sourire attendri et plein de chaleur de la femme amoureuse; c'était comme si Travis avait été le seul homme dans la salle. Il répondit par un sourire analogue. Plus aucun doute ne subsistait. Quelque part, alors qu'ils faisaient tranquillement connaissance, les vœux de leur cœur avaient dépassé ceux de leur raison... seul un événement cataclysmique parviendrait à renverser la situation, et encore !

Travis avait l'impression d'avoir déjà vécu cet instant magique, car il en avait rêvé comme on espère une chose alors qu'on ne croit plus à rien. Il se leva, avança la chaise de Diana — un geste de politesse désuet, qui fut récompensé d'un autre sourire.

— As-tu attendu longtemps? s'enquit-elle.

— Non, mentit-il.

— J'ai été retardée au bureau. Nous venons d'ouvrir une nouvelle agence de publicité et nous ne savons plus où donner de la tête.

— Est-ce un travail fatigant?

Elle le scruta par-dessus le bord de son menu.

— Tu n'es pas obligé de faire semblant de t'intéresser.

— Mais je ne fais jamais semblant. Ma sœur me le reproche suffisamment...

— Laquelle de tes sœurs? demanda-t-elle.

Travis pouvait deviner, à son air sérieux, que la question lui avait coûté. La veille au soir, alors qu'ils se gavaient de pop-corn, elle avait déjà admis que l'idée de partager Amy commençait à lui peser...

— Sharon, répondit-il. Elle aimerait me couler dans le moule de ce qu'il est convenu d'appeler un « homme du monde ».

Le serveur arriva. Diana choisit d'abord la « pasta du chef », mais quand Travis eut passé commande, elle voulut elle aussi goûter au sandwich campagnard.

— J'avais parié que tu prendrais une salade, dit Travis quand le serveur se fut éloigné.

— Pourquoi?

— Parce que tu es si maigre...

— Je ne suis pas maigre, rétorqua-t-elle, sur la défensive. Mon tailleur a été étudié pour cacher mes...

— Excuse-moi, je voulais dire mince. Tu vois ce qui arrive quand Sharon n'est pas là pour me corriger...

— Ce n'est pas ta faute. Tu ne pouvais pas savoir. Je

me suis promis, pourtant, de ne plus jamais marcher dans ce jeu.

— Mais de quoi parles-tu?

— Stuart disait toujours que j'étais maigre quand il pensait que j'avais pris du poids. C'était sa façon de m'indiquer qu'il était grand temps de me mettre au régime.

— Je ne joue pas à ces jeux idiots, Diana. Ton poids m'importe peu. Ce qui m'attire chez toi est plus... comment dire... basique. Par exemple j'aimerais savoir comment tu es toute nue, comment sont tes yeux quand tu es tourmentée par le désir... (Son regard se porta tour à tour sur la poitrine de la jeune femme et sur sa taille, puis remonta de nouveau vers son visage.) Te faire l'amour serait sans doute aussi fantastique que ce que j'imagine... et j'y pense à chaque instant. Maintenant, par exemple. J'aurais volontiers sauté un repas pour savoir ce qui se cache sous cet horrible tailleur.

— Qu'est-ce qui te fait croire que nous nous entendrions au lit? le défia-t-elle. Et d'abord, qu'as-tu contre mon tailleur? Et que veut dire «sauter un repas»? Je mériterais que l'on renonce aux repas d'une semaine, non?

Il éclata de rire.

— Ah, je retrouve la vraie Diana Winchester. Spirituelle, mordante... Où était-elle passée quand tu vivais avec ce crétin de Stuart?

— Je n'en sais rien. Je me suis posé cent fois la question, depuis qu'il est parti.

Le serveur revint, avec un panier rempli de pain de campagne et une bouteille d'huile d'olive. D'un geste étudié, il versa un filet d'huile dans chaque assiette, dessinant un cercle barré d'un X. Ce rituel terminé, il s'inclina, puis s'en fut. Diana regarda l'huile qui formait une petite mare dans son assiette.

— Je n'ai jamais eu le courage de leur avouer que je préfère le beurre, déclara-t-elle.

Travis était à cent lieues de là. Le remords l'assaillait. Il n'aurait pas dû faire des avances à Diana, surtout après leur compromis de la nuit précédente. Il avait trop tendance à prendre ses désirs pour des réalités; à comparer chaque instant passé près de Diana à un îlot protégé de la tempête qui se déchaînait autour d'Amy. Il se leurrait sur tous les plans, il le savait. Il avait déjà désiré des femmes, or ce qu'il éprouvait pour Diana ne se résumait pas à une simple passion charnelle. C'était un sentiment beaucoup plus fort. Beaucoup plus complet.

— Coucou! fit-elle. Je t'ai perdu...

— Je suis là, répondit-il doucement.

— Tu as tort de plaisanter avec moi, tu sais. Que ferais-tu si je te prenais au mot?

— Essaie.

— Nous ne devrions pas dépasser les limites, murmura-t-elle.

Il avait besoin d'entendre ces mots; il hocha la tête.

— Tu as raison. Ce n'est ni l'endroit ni le moment.

Il n'avait plus envie de pain, qu'il fût beurré ou dégoulinant d'huile, mais il fallait bien s'occuper... Sa main plongea dans le panier, rompit un morceau de mie chaude et odorante qu'il trempa dans l'huile avant de l'offrir à sa compagne. Il recommença l'opération, s'accorda une bouchée.

— J'étais en train de me dire que ma vie était différente, il y a encore deux semaines, murmura-t-il.

— Je ne m'autorise pas de telles pensées, répondit Diana. Je deviendrais folle.

— A chaque jour suffit sa peine, n'est-ce pas?

— J'ai peur d'envisager l'avenir. Il y a certains éléments que je ne peux pas contrôler et qui m'effraient.

— Lesquels?

— Ton père. Ta sœur. Tu ne m'as pas raconté comment ils ont réagi. Est-ce que Gus a été bouleversé?

Il lui fit un compte rendu succinct, finissant par :

— Pour le moment, il est préoccupé par Judy et Faith.

Elles seront forcées de prendre parti. Il ne voudrait pas qu'Amy revienne à la maison pour se retrouver en pleine bagarre.

— « Revenir à la maison »... Comme c'est étrange. Amy n'a jamais mis les pieds dans le Wyoming.

— Préférerais-tu que ce soient eux qui viennent?

Elle n'avait pas réfléchi à ce cas de figure... Et puis, non! Minneapolis avait toujours été comme une prison pour Amy. Elle avait besoin de s'évader, pas de recevoir des visites.

— Je ne crois pas, dit-elle. Elle voudra y aller.

Le serveur revint avec les sandwiches. Ils les dégustèrent, silencieux, trop heureux de se concentrer sur leurs assiettes. Ce fut Diana qui, finalement, rompit le silence.

— Je n'irai pas avec toi à l'hôpital cet après-midi. Une réunion au bureau, à laquelle je ne peux pas échapper. Et...

Elle hésita à poursuivre. Son père l'avait appelée. Il avait insisté pour qu'elle le rencontre, avec sa mère.

— ... et un autre rendez-vous d'affaires, acheva-t-elle. Je voulais appeler l'infirmière de garde mais Stephanie, qui passera à l'hôpital, m'a promis de prévenir Amy.

Elle picorait dans la salade de chou qui accompagnait le sandwich, sans aucun appétit.

— Encore une chose, reprit-elle. J'aurai besoin de la voiture. Je passerai te chercher à l'appartement dès que je pourrai.

— Y a-t-il une raison pour que je n'aille pas à l'hôpital par mes propres moyens? demanda-t-il.

Elle leva le nez de son assiette.

— Amy trouverait bizarre qu'un étranger lui rende visite, tu ne crois pas?

— Je lui dirai que je suis un ami à toi.

— Un homme charitable, qui va voir des malades dans les hôpitaux?

Sans le vouloir, elle avait adopté un ton sarcastique.

— Diana, fais-moi un tout petit peu confiance, dit Travis.

— Je pense que ce serait plus facile si tu attendais.

— Plus facile pour qui?

— Pour Amy, bien sûr, répliqua-t-elle, un peu irritée. Il n'y a qu'elle qui compte.

— Tu te comportes comme si elle était ta propriété.

— Parce que je l'aime. Et je ne suis pas prête à laisser un...

Elle se reprit, mais trop tard.

— Un quoi, Diana? Un étranger? (Le repas étant terminé, Travis posa sa serviette sur la table.) Tu oublies que je suis son frère. Si tu voulais la garder pour toi toute seule, il ne fallait pas venir dans le Wyoming. Les Martell s'occupent toujours des membres de leur famille.

La colère flamba dans les yeux de Diana.

— Si c'était vrai, elle ne serait pas ici.

L'argument porta. Elle vit Travis vaciller.

— Exact, fit-il.

La colère de Diana tomba alors d'un seul coup.

— Je suis désolée.

— Moi aussi. Je ne sais pas ce qui m'a pris.

Elle le scruta, surprise par ses propres contradictions.

— Toute ma vie, je me suis battue pour Amy. Je me bats aujourd'hui pour moi-même... Nous avons toujours été très proches, à cause de la différence que faisaient entre elle et moi mes parents. Je m'acharnais à racheter leurs fautes... Je suis tout ce qu'elle a au monde... Et c'est réciproque, acheva-t-elle avec une brusque clairvoyance.

— Plus maintenant, rectifia gentiment Travis.

C'était elle qui avait lancé toute l'affaire, et maintenant qu'ils s'approchaient du but, elle semblait en souffrir terriblement.

— Veux-tu que j'appelle Stephanie pour lui dire qu'elle n'aille pas à l'hôpital? demanda-t-elle.

— Dis-lui simplement que j'y serai aussi.

Diana respira profondément.

— Je suppose que je te verrai plus tard.

— A quelle heure?

Cela dépendrait de ce que son père voulait, et de la durée de leur discussion...

— Je n'en sais rien, dit-elle. En tout cas, pas avant cinq heures.

Elle consulta sa montre. La réunion commençait dans un quart d'heure. Travis sortit les clés de la voiture de sa poche.

— Vas-y, dit-il. Je trouverai bien l'hôpital.

Elle avait du mal à le quitter.

— Je peux te conduire. Cela ne me retardera pas de plus de cinq à dix minutes.

— A plus tard, Diana.

A contrecœur, elle repoussa sa chaise et se leva.

— Comment arrives-tu à laisser ton travail aussi longtemps? demanda-t-elle.

— C'est très simple. Je suis le patron.

Très simple, en effet, songea Diana. Chaque fois qu'elle avait l'occasion de regarder derrière la façade que cet homme lui opposait, elle aimait ce qu'elle découvrait. Mais elle ne pouvait s'empêcher de penser que quelque part il devait y avoir une faille car, se disait-elle, personne n'est entièrement bon.

Travis mit plus d'une heure pour trouver Amy. Les infirmières des soins intensifs lui apprirent qu'elle avait quitté l'unité. Elles omirent de préciser pour quel service. Il essaya plusieurs étages sans résultat, avant de s'adresser à l'accueil des visiteurs au rez-de-chaussée.

Alors qu'il se dirigeait vers les ascenseurs, il passa devant un chariot rempli de fleurs destinées à des patients. Il fit demi-tour. Un bouquet serait idéal pour célébrer la sortie d'Amy des soins intensifs... Mais il n'avait pas la moindre idée de ses goûts. Il se fia aux siens et acheta un bouquet touffu et coloré.

En arrivant à l'étage d'Amy, il se surprit à douter. Un

inconnu, un vague « ami de Diana » aurait-il apporté des fleurs ? Rien de moins sûr. Il emprunta un couloir. Il avait hâte maintenant de dire à Amy la vérité. Il avait horreur du mensonge. Mais il avait promis d'attendre.

Elle dormait lorsqu'il pénétra dans sa chambre. Il en fut presque soulagé. Deux lits étroits, deux tables de nuit, deux chaises composaient le mobilier de la pièce peinte en vert pâle. Amy était allongée sur le lit situé près de la fenêtre. L'autre, du côté de la porte, était inoccupé. Travis posa les fleurs sur une étagère, en face d'Amy. Ensuite, il s'approcha et regarda son visage.

Elle avait repris figure humaine. Plus aucun fil ne la reliait à un moniteur quelconque. Elle n'avait même plus d'intraveineuse. Le bandage avait disparu. Restait, sur le côté de la tête, là où on lui avait rasé les cheveux et peint le cuir chevelu en orange, un carré de gaze. Ce détail mis à part, elle semblait en aussi bonne santé que lui.

Poussé par un irrésistible besoin de se prouver qu'elle était vivante, il lui effleura la joue du bout des doigts.

Il ne parvenait pas à décider si elle ressemblait ou non à ses autres sœurs. Dans le sommeil, avec ses pommettes hautes et son menton volontaire, elle avait un faux air de Judy. En revanche, ses sourcils épais, bien dessinés, et son nez légèrement retroussé faisaient d'elle le portrait de Sharon. Travis se demanda comment il réagirait s'il apprenait soudain qu'il avait un frère, quelque part, qui lui ressemblait. Ressentirait-il cela comme une intrusion dans sa vie ? Ou comme un puissant lien personnel ?

Il avait tenté de préparer Sharon à la venue d'Amy. Il n'était pas sûr de l'avoir convaincue. Comment était-ce possible d'accepter une telle nouvelle avec sérénité ? Les attaches existaient, certes, mais au regard de la réalité, elles paraissaient superficielles. Sharon et Amy partageaient peut-être le même code génétique mais pas les mêmes expériences ; elles avaient grandi dans deux mondes différents... deux univers opposés.

Peut-être que si leur mère posait le regard sur Amy,

force lui serait de reconnaître que cette dernière était sa fille?

Oui, et il pousserait des ailes aux cochons, et le tracteur se réparerait tout seul! se dit-il...

Les poings fourrés dans les poches, il alla se placer face à la fenêtre.

Amy ignorait ce qui l'avait réveillée. Mais elle sut tout de suite qu'elle n'était pas seule dans la chambre. Elle demeura immobile, à l'affût d'un bruit, et finit par entendre une sorte de chuintement — une chaise que l'on déplace, avant de s'asseoir. Ce n'était pas Diana, elle en aurait mis sa main au feu.

La curiosité supplanta la fatigue. Elle ouvrit les yeux en bougeant lentement les paupières. C'était fou, les efforts qu'elle devait déployer pour accomplir un mouvement aussi simple.

La première chose qu'elle vit fut un énorme bouquet trônant sur l'étagère... Nul doute, il avait été posé là par Diana. Elle seule savait son aversion pour les savants arrangements floraux, son goût pour les bouquets sauvages. Par ailleurs, elle avait fait promettre à sa sœur et à Stephanie de garder sa maladie secrète. Pour plus de sécurité, elle avait prié Diana de laisser sur son répondeur une annonce disant qu'elle n'était pas en ville, afin que ses amis ne se mettent pas à sa recherche.

Son regard dériva vers la fenêtre, puis vers la chaise en vinyle, d'où un homme lui adressa un sourire... Elle ne l'avait jamais vu, mais une sensation singulière l'envahit.

— Comment te... vous sentez-vous? demanda-t-il.

Il avait une voix chaude, douce et caressante. Qui était-ce? Un médecin? Elle fronça les sourcils.

— Bien, répondit-elle.

— Avez-vous besoin de quelque chose? L'infirmière est passée il y a une minute.

— Je vous connais?

Elle n'avait pas dû parler assez fort, car il rapprocha sa chaise du lit.

— Mon nom est Travis Martell. Je suis un ami de Diana.

— Diana est ici?

— Elle avait une réunion cet après-midi. Elle viendra dès qu'elle aura fini.

Sa voix éveillait en elle un souvenir flou, des images qui ne se fixaient pas.

— Pourquoi ai-je l'impression de vous connaître?

Visiblement, sa question le mit mal à l'aise.

— Je suis passé quand vous étiez encore en réanimation. Peut-être, inconsciemment, vous rappelez-vous le son de ma voix.

— Peut-être.

L'explication était un peu tirée par les cheveux mais il devait y avoir, en effet, une raison à ce sentiment insensé de douceur qu'elle éprouvait... Une pensée jaillit spontanément.

— Vous m'avez rendu visite aux soins intensifs?

— Oui, répondit-il d'un ton anxieux.

— Seule la famille est autorisée à entrer dans l'unité.

A présent, il avait l'air vraiment inquiet, comme le chat qui, une fois en haut du toit, se rend compte qu'il ne peut pas redescendre.

— Ils ont dû changer les consignes... Stephanie était là également.

— Elle a dit aux infirmières qu'elle était ma sœur.

Elle attendit une réponse qui ne vint pas.

— Et vous? Qu'est-ce que vous leur avez dit? demanda-t-elle.

— Ecoutez, vous semblez fatiguée et je...

— Qu'est-ce que vous leur avez dit? insista-t-elle.

La sensation de douceur se muait en une sorte de peur qu'elle ne s'expliquait pas.

Il s'efforça de sourire, ne réussit qu'à esquisser une grimace.

— J'ai suivi son exemple. J'ai dit que j'étais votre frère.

Un souvenir brutal traversa la mémoire d'Amy. Le coup de fil qu'elle avait reçu juste avant de se précipiter chez Stephanie.

Elle le regarda longuement, intensément. Enfin, elle demanda :

— Et vous l'êtes ?

23

Helen ouvrit la porte de la cuisine au moment où Diana descendait de sa voiture. Quand la jeune femme s'engagea dans l'allée, la gouvernante porta son index à ses lèvres. Elle attendit que Diana s'approche davantage avant de souffler :

— Je ne sais pas ce qui se passe... Attention, petite...

Diana ne cilla pas. La fatigue, sans doute, ajoutée aux épreuves qu'elle avait traversées le dernier mois l'empêchèrent de s'inquiéter de cet avertissement.

— Quoi qu'il y ait, j'espère que cela vaut le déplacement. J'ai annulé une réunion pour venir, répondit-elle.

Helen lui prit le bras, comme si ce geste pouvait la fortifier plus que les mots.

— Il est furieux, murmura-t-elle. Il tempête, il hurle, il insulte. Je n'ai jamais vu ton père dans un tel état, pas même le jour où tu as démoli sa Mercedes.

D'habitude, son père exprimait sa colère par un silence glacial.

— Où est-il? demanda-t-elle.

— Dans le salon avec ta mère.

Une fois à l'intérieur, Diana baissa le ton de sa voix. Eileen aurait renvoyé Helen sur-le-champ si elle l'avait surprise en train de comploter avec sa fille.

— As-tu une idée de ce qui le contrarie? demanda-t-elle.

Helen secoua la tête.

— Non, désolée. Je n'ai rien compris à ce qu'il raconte. Il était question d'un chèque. Ta mère a répondu qu'elle voulait seulement aider.

Diana sourit, ce qui fit écarquiller les yeux d'étonnement à la brave Helen.

— Ne t'inquiète pas, chuchota-t-elle en serrant la vieille femme dans ses bras. Je me débrouillerai.

Le salon était pour Diana le temple du mauvais goût, à cause de ses riches ornements, qu'elle détestait. Le décorateur l'avait copié sur une revue qui publiait des intérieurs de stars et autres célébrités... « Trop » semblait le seul mot apte à décrire cette pièce. Trop de meubles, trop d'objets, trop de dorures. Pendant les travaux, Diana avait eu le tort de comparer les photos choisies par sa mère à des « aménagements pour espaces vides ». Eileen ne lui avait jamais pardonné cette remarque. Ayant transformé son salon en *show-room*, elle s'était refusée à en alléger le décor surchargé.

Dès qu'elle entra, Diana aperçut ses parents. Sa mère, de dos, assise dans un fauteuil imitation Chippendale, qui avait coûté une fortune. Carl, accoudé à la cheminée, entre les deux chiens en céramique de Staffordshire.

— Tu es en retard! lança-t-il à sa fille sitôt qu'il la vit.

— Je suis en avance... de deux minutes, rétorqua-t-elle.

— Ferme la porte.

Elle s'exécuta et s'adossa aux panneaux à caissons.

— Tu voulais me voir?

Il la scruta d'un air dur.

— Qu'est-ce que tu as fait de l'argent?

Elle n'allait pas lui faciliter la tâche.

— Quel argent? feignit-elle de s'étonner.

— Tu as encaissé le chèque que ta mère a donné à Amy. (Il leva la main, prêt à lui couper la parole). Ne le nie pas! Les employés de la banque, à qui j'ai demandé des explications, m'ont raconté comment tu les as manipulés. Après investigation, je n'ai pas trouvé trace de cette somme, ni sur le compte d'Amy, ni sur le tien. Alors, je te demande : où est-elle ?

— Je n'ai pas à te répondre.

Il se tourna brusquement pour la dévisager. Son bras heurta l'un des chiens de céramique, qui tomba. Eileen bondit sur ses pieds, les mains tendues en avant, dans une tentative dérisoire de sauver le bibelot; celui-ci heurta le sol violemment, vola en éclats. Eileen lança un regard noir à sa fille.

— Regarde ce que tu as fait !

— Vas-tu nous laisser tranquilles avec ce fichu chien ? hurla Carl.

Petite fille, puis adolescente, Diana n'avait jamais entendu son père hausser le ton. Elle attendit la réaction de sa mère, qui ne pouvait être qu'hystérique... Mais Eileen s'effondra sur son siège, en pleurs. Décidément, c'était la journée des premières.

De nouveau, Carl se tourna vers Diana.

— J'exige une réponse, fit-il. C'est mon argent et j'entends le récupérer.

— Le chèque a été libellé au nom d'Amy. Il s'agissait donc de son argent à elle.

— Elle a dit qu'elle n'en voulait pas, intervint Eileen, les yeux fixés sur les débris de céramique.

— En ce cas, dit Diana, pourquoi le lui as-tu laissé ?

Jusqu'à ce moment, elle avait réussi à garder ses distances, observant la bataille en spectatrice plutôt qu'en participante. Mais le souvenir d'Amy inanimée dans son appartement raviva tout à coup son ressentiment envers ses parents.

— Je l'ai fait pour ton père, déclara Eileen, hautaine. Pour qu'il soit débarrassé de la honte que lui a causée l'arrestation d'Amy.

Diana resta de marbre. Son regard se porta tour à tour sur sa mère et sur son père.

— Si vous avez terminé, j'aimerais y aller avant l'heure des embouteillages, fit-elle.

Carl s'avança vers elle, en proie à une rage froide.

— Tu n'iras nulle part avant de m'avoir expliqué où se trouve l'argent.

— Quelque part, en sécurité. Tes menaces ne m'impressionnent pas.

Carl leva la main, mais avant qu'il ne l'abatte sur le visage de Diana, celle-ci lui écarta brutalement le bras.

— Si jamais tu me frappes une seconde fois...

— Tais-toi donc! fulmina-t-il. Tu es ma fille!

— Cela ne t'autorise pas à te comporter comme si je t'appartenais.

— Diana, ne commence pas à hausser le ton!

— Ose seulement me gifler et je porte plainte!

Eileen crut bon de s'en mêler.

— Comment peux-tu te permettre de parler ainsi à ton père? Demande-lui pardon, tout de suite.

— C'est à lui de s'excuser! s'écria Diana, à bout de nerfs.

Carl recula.

— Hors d'ici, intima-t-il. Ne t'avise pas de remettre les pieds dans ma maison. Je ne veux plus te voir.

Eileen avala sa salive.

— Oh, Carl, sois un peu plus indulgent... Diana est...

— Diana n'est plus rien pour moi. Tant qu'elle ne m'a pas rendu mon bien, elle n'est plus ma fille. Laisse-la garder cette somme, puisqu'elle y tient tant. Mais ce sera la dernière.

— Diana, dis quelque chose, supplia Eileen.

Diana avait la gorge nouée. Aucun mot ne put franchir ses lèvres. Le choc était trop puissant, la blessure trop profonde. Elle avait mal comme si elle avait reçu un coup de couteau. En une phrase, son père l'avait renvoyée hors de sa maison... hors de sa vie... A tâtons, elle chercha la poignée de la porte.

— Et ne va pas croire que je changerai d'avis! l'avertit

Carl. A moins de restituer les deux cent cinquante mille dollars que tu m'as dérobés, je te défends de revenir.

Il attendit une réponse qui ne vint pas.

— Est-ce clair ? vociféra-t-il.

Des yeux, Diana quémanda un appui auprès de sa mère.

— Tu n'aurais pas dû... murmura Eileen en détournant la tête.

C'était sans espoir. Sa mère eût prononcé un mot en sa faveur, elle aurait trouvé le courage de se réconcilier avec son père. Mais une telle démarche lui parut inutile. Elle et ses parents ne s'entendraient jamais. Ils n'avaient même plus la moindre envie d'essayer.

Sa colère céda le pas à une indicible tristesse, tandis qu'elle traversait la maison, puis la cour où elle reprit sa voiture. Les larmes jaillirent lorsqu'elle franchit la grille, en pensant que c'était pour la dernière fois.

Diana ne cessa de pleurer pendant le trajet qui la menait à l'hôpital. Dans le parking, elle retoucha son maquillage, effaçant de son mieux les traces de larmes. Elle ne voulait pas expliquer à Travis et à Amy pourquoi elle avait pleuré. Pas tout de suite. Pas alors que la blessure saignait encore.

Elle entra dans l'ascenseur. Avec un peu de chance, Amy était réveillée et avait fait la connaissance de Travis. Quelle ironie du sort ! Amy trouvait sa famille au moment où elle, Diana, perdait la sienne à jamais.

Une infirmière lui apprit que sa sœur avait quitté les soins intensifs. En arrivant à l'étage où se trouvait dorénavant Amy, Diana, toute à son excitation, faillit ne pas voir Travis, assis dans la salle d'attente. Mais elle l'aperçut par la porte vitrée. Il avait un profil de médaille, remarqua-t-elle, le cœur serré. Il était l'homme de ses rêves. Et tout en lui, sa façon de bouger, de sourire, le son même de sa voix, contribuait à créer le sortilège.

Hélas, à trop rêver, elle risquait de tomber des nues. Travis Martell était entré dans sa vie au mauvais moment.

— Que fais-tu là? demanda-t-elle.

— Il faut que nous parlions, répondit-il.

— Un instant. Je voudrais voir Amy d'abord.

Il se leva, l'attira par la main dans la pièce.

— Je ne crois pas que ce soit une bonne idée.

Elle le regarda, s'efforçant de déchiffrer son expression. Le visage de Travis demeurait impénétrable. Le cœur de Diana se mit à battre plus fort.

— Pourquoi? fit-elle. Il est arrivé quelque chose à Amy?

— Nous ne pouvons plus attendre, Diana. Nous devons lui dire qui je suis, ce soir même.

Diana posa la paume de sa main sur la poitrine de Travis, dans un geste rassurant.

— Non, dit-elle. C'est trop tôt. Nous étions d'accord pour ne pas lui parler avant sa sortie de l'hôpital.

— Amy a ses propres priorités. Elle ne nous attendra pas.

— Que veux-tu dire?

Il lui prit la main.

— Elle n'est pas idiote. A peine a-t-elle posé l'œil sur moi qu'elle a commencé à me poser des questions... Je suis sorti de sa chambre pour ne pas être obligé de lui mentir.

— Elle n'a pas pu deviner seule... Tu as dû dire quelque chose qui lui a mis la puce à l'oreille.

Diana s'assit sur la banquette.

— Et toi?... Qu'est-ce qui t'arrive? demanda Travis.

Elle leva le regard sur lui. Il ne manquait pas d'intuition.

— Rien, répondit-elle. Je suis juste un peu fatiguée.

— Je ne te crois pas.

Sa sollicitude toucha une corde sensible. Diana sentit ses larmes lui brûler les yeux. Elle détourna le visage.

— Je t'expliquerai plus tard.

Travis hocha la tête, puis revint à la charge.

— Je n'ai pas voulu révéler mon identité à Amy avant de t'avoir vue. Tu n'es pas forcée d'assister à mes aveux.

— Mais elle te posera un millier de questions!

— Je répondrai à certaines et te laisserai le soin d'éclaircir les autres. (Il s'assit près d'elle, lui saisit le poignet.) Rien ne sert de reculer pour mieux sauter.

Il avait raison. A ceci près que Diana n'était pas prête à affronter la vérité. Libérant sa main, elle croisa les bras sur sa poitrine. Une peur étrange l'oppressait.

— Je voudrais être présente quand... quand tu lui diras.

— Alors, allons-y maintenant.

Diana approuva de la tête. Mais elle ne bougea pas.

— Mon Dieu, dit-elle. Elle sera furieuse contre moi.

— Pourquoi donc?

— Je lui avais promis de ne plus jamais me mêler de sa vie.

— Elle s'en remettra.

Diana considéra Travis, irritée.

— J'en ai assez, à la fin! explosa-t-elle. Tu te comportes comme si tu étais le parent le plus proche d'Amy, alors que tu ne sais rien d'elle.

Travis se leva, la dominant de toute sa stature.

— J'ai beaucoup de patience, Diana. Je veux bien t'écouter si tu as envie de parler. Te tenir compagnie si tu te sens seule. Mais en aucun cas je n'accepterai que tu te serves de moi pour guérir tes déceptions. Maintenant, est-ce que tu viens ou est-ce que j'y vais tout seul?

— Je viens...

Couchée sur le côté, dos à la porte, Amy entendit la voix de Diana. Elle aurait préféré avoir plus de temps pour faire le point de la situation, le temps d'apprivoiser sa fureur... Peu à peu, telle une bactérie mutante, sa rage avait envahi chaque parcelle de ses pensées, au détriment de toute tentative de se raisonner. A présent la colère flambait en elle, comme un brasier irréductible. Oh, certes, Diana avait agi par altruisme. A la rigueur, Amy pouvait comprendre ses motivations. Mais comprendre ne voulait pas dire pardonner. Sa sœur avait pris une grave décision à sa place. Elle lui avait retiré la seule chose qui n'appartenait qu'à elle. Il n'y avait plus moyen de revenir en arrière, non, et plus moyen d'excuser l'injustifiable.

— Amy? fit doucement Diana.

L'espace d'une seconde, la jeune femme ferma les yeux, feignant de dormir. Puis elle les rouvrit. Inutile d'essayer de passer à travers les gouttes, pensa-t-elle. La confrontation semblait inévitable. Pourquoi remettre au lendemain ce qu'elle pouvait faire aujourd'hui? Elle roula sur le dos, calant sa tête sur l'oreiller, de manière à pouvoir dévisager Diana sans se tordre le cou. Travis était présent également, et elle ne put s'empêcher de le regarder.

Son *frère*... Quelle étrange sensation que de le voir là, en chair et en os. Combien de fois, pendant toutes ces années, ne s'était-elle pas efforcée d'imaginer sa vraie famille? Son rêve le plus familier consistait à se figurer son frère, son grand frère qui l'aimait et qui prenait soin d'elle.

— Comment te sens-tu? demanda Diana.

— Manipulée.

Diana se figea.

— Comment as-tu deviné? murmura-t-elle.

— Quelle importance?

— Je ne sais pas... Aucune, je suppose. J'espérais que nous aurions le temps de t'expliquer.

Elle avait capitulé très vite, ce qui ne lui ressemblait pas.

— Désolée d'avoir gâché tes plans, dit Amy.

— Diana a pensé qu'il serait mieux pour nous d'avoir l'occasion de faire connaissance, intervint Travis.

— Oh, je vois... répondit Amy d'une petite voix blessée. Ainsi, si vous ne vouliez pas de moi, vous pouviez refaire vos valises et repartir. Ni vu ni connu. Sans compter que vous ne heurtiez pas mes sentiments. Quelle générosité !

Travis fourra ses poings dans les poches revolver de son pantalon. Un sourire, lent et triste, apparut sur ses lèvres.

— On croirait entendre Judy ! s'exclama-t-il. Jusqu'à aujourd'hui, je la prenais pour l'être le plus susceptible de la terre. Tu m'as détrompé...

Il l'avait tutoyée spontanément, remarqua Amy.

— Qui est Judy ? demanda-t-elle.

— Ma sœur... notre sœur. Elle est née juste après toi. Vous vous ressemblez comme deux gouttes d'eau. Voilà sans doute pourquoi vous avez aussi le même caractère.

Amy se toucha la joue comme pour s'assurer de cette ressemblance. Toutes ces années qu'elle avait passées à se demander ce que l'on éprouvait à se découvrir dans les traits d'une personne qui vous ressemble — une mère, par exemple !

— J'ai une sœur ? fit-elle.

Diana tressaillit comme sous l'effet d'une douleur physique. Mais il était trop tard pour la convaincre qu'il s'agissait d'une réaction instinctive, pas d'un sentiment.

— Tu en as trois, répondit Travis. (Ayant aperçu à son tour l'expression meurtrie de Diana, il se rattrapa de justesse :) Quatre, avec Diana, rectifia-t-il. Chez nous, tu as une sœur aînée et deux plus jeunes.

Un poids énorme écrasa la poitrine d'Amy, au point qu'elle eut du mal à respirer. On venait d'effacer d'un seul coup tous les rêves de son enfance... Petite fille, elle avait fabriqué un scénario selon lequel des brigands l'avaient enlevée, malgré les larmes et les supplications de sa mère. Et voilà qu'à la fin brutale de ses espérances s'ajoutait l'humiliation d'avoir été abandonnée volontairement, elle seule sur cinq enfants. Pourquoi ? Elle n'osait encore le demander.

Elle se tourna vers Diana.

— Je voudrais te parler... Seule.

Après une hésitation, Travis opina de la tête.

— Je serai dans la salle d'attente, dit-il.

Lorsqu'il s'éclipsa, les deux jeunes femmes se regardèrent longuement.

— Comment as-tu su? s'enquit Diana d'une voix blanche.

— Un appel téléphonique, pendant ton absence... Une femme, qui m'a prise pour toi et qui m'a demandé si je voulais d'autres renseignements sur « la famille de ma sœur » et s'il fallait me les envoyer directement ou passer par « Mlle Gorham ».

— Et tu n'as rien dit...

— J'ai oublié... J'ai reçu le coup de fil juste avant d'aller m'évanouir sur le tapis de Stephanie.

— Je suis désolée que tu l'aies découvert de cette façon.

Amy s'accrocha à la barre métallique pour s'asseoir dans son lit.

— Désolée? s'écria-t-elle. C'est tout ce que tu trouves à dire? Désolée? De toute ma vie je n'ai jamais rien eu à moi, à part cette chose sacrée, ma vraie famille. Moi seule avais le droit de la rechercher, et ce droit, tu me l'as usurpé!

Diana leva les mains en un geste d'impuissance.

— Je voulais seulement t'aider.

— Oh, non, ma belle! Sûrement pas! Avoue plutôt que tu cherchais un moyen de m'écarter de ta vie.

— Ne dis pas cela, Amy. Ce n'est pas juste.

Telle la digue qui s'effondre sous l'assaut des flots, Amy se sentit submergée par la fureur.

— Juste ou pas, cela n'a rien à voir avec la vérité, fit-elle.

— Tu es ma sœur. Je t'aime.

— Tu aimais ton poney, aussi, mais tu n'as pas empêché Maman de s'en débarrasser!

Les forces d'Amy s'épuisaient. Relâchant la barre métallique, elle retomba en arrière, sur l'oreiller.

— Je ne t'en veux pas, Diana. N'importe qui à ta place chercherait à rendre plus léger le poids que je représente.

— Arrête! Je t'en prie!

Amy posa son avant-bras sur ses yeux, rentrant dans sa coquille.

— Je suis fatiguée, dit-elle. J'ai sommeil.

— Amy... Je ne t'ai pas parlé de mes recherches parce que j'avais d'abord l'intention de voir quel genre de personne est ta mère biologique.

— Et elle n'a rien voulu entendre, n'est-ce pas?

— La situation est compliquée, admit Diana.

Amy laissa tomber son bras le long de son corps et regarda fixement son interlocutrice.

— Elle veut me voir, oui ou non?

— Non, finit par avouer Diana.

L'ultime lueur d'espoir qu'Amy avait si soigneusement entretenue au tréfonds de son âme, des années durant, s'éteignit. Elle avait vécu avec l'image d'une femme qui, quelque part dans le monde, pensait à la petite fille dont elle s'était séparée en dépit de sa volonté. Et chaque soir, cette femme inconnue adressait au Tout-Puissant une prière, demandant de retrouver son enfant. Comme elle pleurerait, le jour où elle la reverrait! Comme elle la supplierait de revenir à la maison!

Hélas, en un instant, le rêve avait cédé la place à la hideuse réalité. Il n'y avait plus rien. Rien qu'une immense solitude.

— Va-t'en! murmura-t-elle. Je veux rester seule.

Diana se rapprocha.

— Pas avant que tu aies entendu toute l'histoire.

Amy tourna son visage vers le mur.

— Cela ne changera rien, dit-elle. Rien du tout.

24

— Amy a besoin de temps, disait Travis, tandis que coulissaient les portes de l'ascenseur sur le palier de Diana. Ce mois-ci a été fertile en émotions.

Il se répétait. Pendant le trajet en voiture, Diana avait tenté de le persuader qu'elle était capable d'affronter la colère de sa sœur. Il n'en avait pas cru un mot. L'expression désespérée de la jeune femme démentait sa belle assurance. Elle avait des yeux de chien abandonné par ses maîtres, de chien errant qui sait, au fond, que la mort est proche, qu'elle sera pénible, lente mais inéluctable.

Ils entrèrent dans le vestibule, Diana alluma le plafonnier.

— Tu n'as pas faim? Nous aurions dû nous arrêter à l'épicerie du coin, soupira-t-elle.

— Je peux descendre chez le traiteur chinois, si tu veux.

— Non, merci, répondit-elle en accrochant son sac au portemanteau et en déboutonnant sa veste. Mon estomac ne supporterait aucune nourriture.

— Il faut bien que tu manges quelque chose.

Une colère irraisonnée enflamma soudain les pommettes de Diana.

— Cher ami, il s'agit de *mon* estomac et de *ma* vie. Je fais ce qui me plaît avec ce qui m'appartient, d'accord?

— D'accord. D'ailleurs, si me gifler peut te soulager,

je te tends la joue, répondit Travis d'un ton égal. Jeûner ne t'empêchera pas d'affronter demain matin les foudres d'Amy... Quant à moi, je ne bougerai pas de Minneapolis tant qu'il ne sera pas possible de la ramener dans le Wyoming. Calme-toi, Diana. On ne peut défaire ce qui est déjà fait.

— Quelle journée épouvantable! Et dire que demain, cela va recommencer... Je vais prendre un bain. Pendant ce temps, tu n'as qu'à commander un repas chinois pour toi.

Elle s'avança vers l'escalier, au bas duquel elle se retourna, étonnée de ce que Travis ne l'ait pas suivie.

— Qu'est-ce qui ne va pas? fit-elle.

— Je pense que ce n'est pas une bonne idée de passer la nuit ici, répondit-il d'une voix enrouée.

— Non?

— Non. Visiblement, tu n'es pas prête à assumer ce qui ne manquerait pas de se produire.

Il était ridicule de feindre qu'ils étaient «copains»; qu'il n'éprouvait à son égard que de l'amitié, alors que le désir le consumait. Diana ouvrit la bouche pour protester.

— Où iras-tu? demanda-t-elle à la place.

— Probablement dans un hôtel près de l'hôpital.

Travis ouvrit la porte d'entrée, ressortit sur le palier.

— J'aurais aimé que tu restes, dit Diana doucement. Je ne suis pas la créature solitaire que tu crois.

Sauf que s'il restait, leurs relations changeraient, il le savait. D'autres problèmes viendraient s'ajouter à leur vie déjà suffisamment compliquée. Travis n'avait pas le goût du secret... Et de toute façon, il se devait de s'en aller. Pour le bien de Diana. Et par respect pour elle. Il posa la main sur la poignée.

— Eh bien, à demain, dit-il. Je te verrai à l'hôpital.

Elle agita la main en signe d'au revoir, un mélancolique sourire aux lèvres.

— A demain. N'oublie pas de me donner ton numéro de téléphone.

— Dès que j'ai une chambre, je t'appelle.

Il referma la porte derrière lui, comme on se sert d'un bouclier, et se précipita dans l'ascenseur comme s'il avait le diable aux trousses... Il s'apprêtait à héler un taxi, quand il s'aperçut qu'il avait oublié son sac. Il rebroussa chemin. Ses coups de sonnette restèrent sans réponse. Supposant que Diana était dans son bain, il décida d'entrer; mais la porte s'ouvrit.

— Navrée d'avoir mis aussi longtemps, murmura Diana. J'étais dans ma chambre.

Elle portait un peignoir vert sombre qu'elle tenait fermé d'une main. Des plaques rouges couvraient ses joues. Son mascara avait coulé, formant deux demi-lunes noires sous ses yeux. D'emblée son aspect fragile éveilla l'instinct protecteur de Travis.

— Diana, qu'y a-t-il? Pourquoi est-ce que tu pleures? demanda-t-il.

Un nouveau flot de larmes brouilla la vue de la jeune femme.

— Je ne sais pas. C'est venu, et puis voilà. Impossible de m'arrêter. (Elle ébaucha un pauvre sourire.) Inquiétant, n'est-ce pas?

De ses mains, il lui encadra le visage, estompant des pouces les sillons brillants de ses larmes. Diana avait subi les accusations d'Amy avec un stoïcisme admirable. Maintenant, ses nerfs avaient lâché. Il la regarda, le cœur serré, avant de lui effleurer la tempe d'un baiser.

— Je n'aurais pas dû te laisser, chuchota-t-il tout contre ses cheveux. Surtout pas ce soir.

Elle tourna la tête, pressa sa joue inondée de larmes contre la main de Travis.

— Pourquoi es-tu revenu?

— J'ai oublié mon sac.

Elle recula, refermant une fois de plus les pans de son peignoir qui s'obstinait à s'entrebâiller.

— Je vais te le chercher, dit-elle.

— Ne te donne pas cette peine. Je ne vais plus nulle part.

Ce disant, il l'attira dans ses bras. Diana se raidit. Mais presque aussitôt, la terrible tension qui la tétanisait s'envola; alors, elle se laissa aller. Ses larmes se muèrent en sanglots, profonds, irrépressibles. Ses bras se refermèrent autour de la taille de Travis, ses doigts s'accrochant à sa ceinture comme on s'agrippe aux sangles d'un parachute.

Il pensa d'abord que la pression à laquelle elle était soumise depuis des mois avait provoqué cette crise de larmes. Pourtant, son instinct l'avertissait qu'il y avait autre chose. Mais quoi? Il attendit que les sanglots refluent, cédant la place à une respiration saccadée, signe indéniable d'épuisement. Alors, il la fixa au fond des yeux.

— Il semble que nous ayons là un problème, dit-il.

Elle pêcha au fond de sa poche un mouchoir en papier, s'essuya les yeux et le nez.

— Excuse-moi. Cela ne m'était jamais arrivé.

— Justement. Que se passe-t-il?

— La fatigue. L'anxiété. Tout m'est tombé dessus d'un seul coup.

— Si tu préfères ne pas en parler, je respecte ta décision. Mais pas de mensonges entre nous, je t'en supplie. Je ne suis pas un étranger, Diana. Tu peux me faire confiance.

— J'ai passé une mauvaise journée...

— C'est plus qu'une mauvaise journée, insista-t-il.

Elle parut se concentrer sur le deuxième bouton de la chemise de Travis...

— Bon, d'accord. Tout va mal. Mon travail... je l'ai négligé ces derniers temps, tant et si bien que j'ai peur de le perdre. (De l'index, elle se mit à dessiner des cercles autour du bouton.) De plus, je me suis disputée avec mes

279

parents cet après-midi. Et... oui, tu as raison, je préfère ne pas en parler.

— Tu dois regretter amèrement d'avoir fait faire cette enquête sur le passé d'Amy.

— Non, au contraire. Je me suis attiré son animosité, bien sûr, mais je suis sûre d'avoir fait ce qu'il fallait. Je suis convaincue que retrouver sa vraie famille — toi, surtout — l'aidera à vaincre ses démons.

Une larme miroitait encore au bout de ses longs cils. Travis essuya d'un léger coup de langue la petite goutte salée... Il eut la sensation de boire à la source de sa souffrance, et n'en fut que plus bouleversé. Cependant, il n'osait continuer. Ce fut elle qui fit le premier pas. Elle noua ses mains autour de la nuque de Travis et approcha son visage du sien. Dès l'instant où leurs lèvres se touchèrent, il sut qu'il était vaincu... Il répondit au baiser avec une sorte de faim vorace, un instinct primitif et sauvage.

Travis avait déjà embrassé beaucoup de femmes, avec plus ou moins de passion, avant, pendant et après l'amour. Jamais il n'avait éprouvé de telles sensations. On eût dit que Diana s'insinuait en lui, qu'elle faisait partie de lui, de son cœur, de son esprit. C'était une étreinte intime, sensuelle et infiniment pure. Il sentait son odeur sur ses mains, dans sa bouche. Chaque fois que leurs corps se frôlaient, une longue flamme le transperçait.

— Je te veux, Diana, murmura-t-il en plongeant les doigts dans la masse auburn de ses cheveux. Je me fiche éperdument que ce soit trop tôt.

— Oui...

De nouveau, leurs lèvres s'unirent, mais Travis laissa échapper peu après un soupir de frustration.

— Je n'ai pas de protection, dit-il.

— J'en ai, fit Diana tout contre ses lèvres qui la dévoraient.

Ces simples mots eurent le don d'électriser Travis. Son corps brûlait. Ses sens ne demandaient plus qu'à être assouvis. Il fit glisser ses mains le long du dos de Diana, vers ses hanches. Elle était nue sous le peignoir de soie. Il tira sur l'étoffe, dévoilant une peau douce et crémeuse. La jeune femme ne protesta pas, n'esquissa pas le moindre geste pudique pour l'arrêter lorsqu'il lui effleura les seins. Sa chair fondit sous cette caresse. Il passa et repassa le pouce sur une pointe de sein, qui durcissait à ce contact. Avec un petit gémissement, Diana s'arc-bouta contre lui.

Le souffle de Diana se bloqua au fond de sa gorge quand, de la langue, Travis traça un ruban incandescent entre ses seins et sur son ventre plat... Elle était prête pour l'accueillir. Prête et impatiente. Elle tira la chemise de Travis hors de son jean, pour sentir sous ses paumes la peau fine de son torse.

Il ne ressemblait pas aux hommes qu'elle avait connus jusqu'alors. Il avait développé ses muscles en travaillant, pas dans des salles de gymnastique. Et ses gestes, sûrs, tendres, précis, ne rataient jamais leur cible. Quand sa main rampa à l'intérieur des cuisses de la jeune femme, vers sa toison, elle comprit soudain qu'elle voulait lui livrer son corps et qu'elle avait attendu ce moment toute sa vie.

Tremblante, elle défit les boutons de son jean; il poussa un cri de plaisir. Il se pencha, la regardant avec une intensité qui la laissa muette. Sans prononcer un mot, il la souleva dans ses bras. Une minute plus tard, il l'étendit sur le lit de la chambre d'amis, où il ne dormirait plus jamais... Ils avaient atteint le point de non-retour.

Elle le regarda se déshabiller. La lumière du vestibule l'éclairait à contre-jour. Il était bâti comme un nageur : les épaules larges, les hanches étroites, les jambes longues, fuselées, fortes. Les hommes qu'elle avait connus avant lui menaient leurs combats en milieu urbain... Leur armure se composait de costumes à veston croisé, de cravates, ou de blouses de laboratoire et de stéthoscopes. Elle comprenait ces hommes, leurs espoirs, leurs projets, leurs motivations. Travis, lui, était une énigme. En dehors de la gentillesse qu'il avait témoignée à Amy, elle ne savait rien de lui. Une aura de danger l'entourait. On sentait que des courants impétueux se mouvaient sous la surface calme...

Nu, il s'allongea près d'elle. Ils s'enlacèrent tel un couple mythique qu'aurait créé un sculpteur de génie. Elle l'implora de la prendre, mais il se contint. Avec une exquise lenteur, il explora son corps, découvrant chaque point secret, la libérant peu à peu de toutes ses inhibitions. Lorsqu'il eut fini de la caresser, elle n'avait plus rien à lui refuser.

Enfin, il se coucha sur elle et la pénétra doucement. Une fois dans sa chaleur, il oublia jusqu'à la notion du temps. Le plaisir les surprit au même moment, dans un éblouissement, et il crut que la pièce tournoyait sur elle-même, dans un brouillard irisé.

Ils mirent longtemps à redescendre du septième ciel. Ils se laissaient flotter sur les ailes du plaisir, encore pantelants... Travis se sentait à sa place. Comme un navire qui, après avoir bravé mille tempêtes, retourne enfin à bon port. Il attira Diana dans ses bras, lui embrassa une longue et brillante mèche de cheveux.

— Maintenant, dis-moi ce qui s'est passé aujourd'hui, fit-il.

Elle secoua la tête. Elle ne laisserait pas les soucis ternir ce moment magique. Demain, il serait temps de faire face aux pénibles réalités : son travail, la dispute avec ses parents, les griefs d'Amy. Pour l'heure, la joie d'être dans les bras de Travis la comblait tout entière. Appuyée sur un coude, elle le regarda. Et, sans réfléchir davantage, sans compter qu'un tel aveu pourrait l'effrayer, le refroidir, peut-être même lui faire prendre la fuite, elle déclara :

— Je crois que je suis en train de tomber amoureuse de toi.

Il arbora un air si étonné qu'elle se serait mordu la

langue. Elle aurait voulu ravaler ses paroles, mais il était trop tard...

— Désolée, dit-elle. Je n'aurais pas dû. Cela m'a échappé.

Il lui écarta les cheveux du visage, sans la quitter des yeux. Il ne cherchait pas à gagner du temps. Il essayait d'analyser ses propres sentiments : Diana avait rempli tous les coins vides de son cœur. Sa présence lui procurait une indicible allégresse. Une porte s'était ouverte sur l'avenir...

Il sut alors que sa vie ne serait plus qu'un long chemin dans l'ombre s'il ne la partageait pas avec elle.

Il murmura :

— Tu as eu raison de me le dire, au contraire. Parce que moi aussi, je suis en train de tomber amoureux de toi.

Un sourire brilla sur les lèvres tremblantes de la jeune femme.

— Depuis quand? demanda-t-elle.

— Depuis la nuit des temps, répondit-il en la prenant dans ses bras et en l'embrassant tendrement. Il fallait juste que l'on se retrouve.

— Je suis contente que tu m'aies attendue.

Il la regarda dans les yeux un long moment.

— De toute façon, je n'avais pas le choix, répondit-il.

25

Le lendemain matin, le téléphone sonna tandis que Diana sortait de la douche. Elle décrocha dans sa chambre, en même temps que Travis depuis le poste du rez-de-chaussée. C'était Stephanie.

— Travis est arrivé très tôt, remarqua celle-ci après avoir salué le jeune homme, qui raccrocha.

— Il reste ici de nouveau, répondit Diana d'un ton vague.

Ils avaient décidé de garder secrètes leurs relations, du moins jusqu'à ce qu'Amy sorte de l'hôpital et que Diana s'habitue aux changements spectaculaires qui bouleversaient son existence.

— C'est plus facile qu'à l'hôtel, se crut-elle obligée de rajouter.

Dieu merci, Stephanie changea de sujet.

— Comment va Amy? Je n'ai pas eu le temps de passer à l'hôpital hier soir.

— Elle n'est plus en réanimation. Et elle sait que Travis est son frère.

— Déjà? Vous n'y allez pas un peu vite?

— Elle a tout compris. Grâce à son intuition... et à un coup de fil de Margaret McCormick.

— Notre détective? Je ne comprends pas.

Diana remonta la serviette de bain qui glissait sur son corps nu.

284

— C'est une longue histoire, dit-elle. Je te la raconterai une autre fois.

— Tu déjeunes avec moi?

— Stephanie, ce n'est pas important. Juste compliqué... Comme d'habitude.

— Il s'agit d'autre chose, dit son amie d'un ton mystérieux. Je me déteste de te demander cette faveur, avec tout ce qui t'arrive, mais j'ai besoin de tes conseils.

Diana avait caressé le projet d'un déjeuner en tête à tête avec Travis. Mais Stephanie lui avait rendu tant de services et se montrait toujours si peu exigeante que, décemment, elle ne pouvait refuser.

— Très bien, dit-elle. Au petit restaurant italien, près de ton journal.

Elle leva les yeux. Travis se tenait sur le seuil de la chambre, souriant. Sa première réaction fut de vérifier que l'ample serviette éponge était en place, geste hautement ridicule, si l'on considérait la lenteur méthodique avec laquelle il avait exploré son corps, toute la nuit. Un voile incarnat colora les joues de la jeune femme au souvenir de leurs ébats.

— Midi trente, d'accord? fit-elle au téléphone.

— Je réserve une table, dit Stephanie.

— A tout à l'heure, fit Diana avant de raccrocher.

Elle se tourna vers Travis.

— Excuse-moi. Je ne pouvais pas lui dire non.

Il traversa la pièce, s'assit sur le lit, lui tendit une tasse de café. On eût dit un rituel qu'ils avaient déjà partagé des centaines de fois.

— Des ennuis? demanda-t-il.

— Je ne sais pas... Elle avait une voix bizarre.

Diana but une gorgée de café. Le liquide chaud et corsé brûla son estomac comme de l'alcool. Elle s'étrangla, puis se mit à tousser.

— Trop fort? dit Travis en souriant, lui reprenant la tasse pour la poser sur la table de nuit.

— Non, pas du tout.

— Menteuse.

— Peut-être un peu, oui.

— Avec le temps, on s'habitue. (Il regarda sa montre.) A quelle heure pars-tu, au fait?

— Pourquoi? Qu'as-tu en tête?

— La même chose qui me tourmente depuis que je t'ai vue pour la première fois.

— Ha! ha! Qui ment, maintenant?

Il ne l'avait pas touchée mais sa voix profonde lui fit l'effet d'une caresse. Sans réfléchir davantage, elle se leva et s'avança vers lui, le drap de bain autour des reins, les seins nus; elle avait hâte de sentir les mains de cet homme sur sa peau.

— Je te parie que tu ne te rappelles plus la première fois que tu m'as vue.

Il se pencha, léchant du bout de la langue une gouttelette sur son épaule.

— Au restaurant. Avec tes cheveux qui te tombaient sur les épaules et ton nez qui regardait en l'air. Eh bien, qui l'eût cru!...

Elle effleura une minuscule cicatrice sur son menton, une autre sur sa tempe. Elle savait si peu de lui. Presque rien. Et elle avait tant à apprendre.

— Je ne crois pas au coup de foudre, déclara-t-elle.

— Moi non plus.

Il tira sur la serviette, qui atterrit sur le parquet.

— Alors, qu'est-ce qui nous arrive?

— Va savoir. Sans doute la preuve que nous sommes immatures, tous les deux?

Il écarta la masse de cheveux auburn et posa ses lèvres sur le petit creux, derrière l'oreille de Diana.

— Du désir, murmura-t-elle en glissant les mains sous la chemise de Travis. De la luxure. As-tu déjà envisagé cette hypothèse?

— Non.

— Comment peux-tu en être aussi sûr?

C'était pourtant bien le désir qui faisait jaillir cette

286

source brûlante au centre de son corps... Il lui saisit le menton, la forçant à le regarder.

— Ma chérie, de quoi as-tu peur?

— De te perdre, répondit-elle avec une franchise absolue.

— Il n'y a pas de risque.

— Tu me le promets?

Il l'embrassa à pleine bouche. Elle savoura leur baiser, se sentant chavirer. Pour le moment, cette réponse lui suffisait.

Stephanie, attablée au fond de la trattoria, fit signe à son amie de s'approcher.

— As-tu vu Amy, ce matin? demanda-t-elle tandis que Diana s'installait et dépliait sa serviette à carreaux.

— Non... Et je n'irai pas avant ce soir, c'est décidé. Elle était furieuse après moi, hier. Travis passera la journée avec elle.

Elle fit un rapide compte rendu de leur confrontation de la veille, avec Travis dans le rôle du médiateur.

— Ce garçon n'est pas réel! s'extasia Stephanie. Il est d'une gentillesse rare de nos jours.

Diana se retint pour ne pas lui exposer les autres talents de Travis. Mais ils s'étaient promis de ne pas trahir leur secret.

Elle feignit d'avoir des doutes sur ses bonnes intentions.

— Ou il est vraiment gentil, ou c'est un grand comédien, dit-elle.

— Non! penses-tu. Cela se voit qu'il a un cœur d'or. Le crois-tu capable de convaincre Amy de se rendre dans sa famille?

— On verra... Depuis que les Martell ont appris son existence, ils se sont séparés en deux camps. Connaissant Amy, elle se sentira sûrement coupable.

— Seigneur, qui aurait pu penser que les choses se compliqueraient à ce point?

Diana eut un sourire anxieux.

— Et ce n'est pas fini... Mais parlons de toi. Tout va bien?

— Oui... non! Tout va mal, au contraire.

— Et c'est pourquoi tu m'as appelée ce matin... Est-ce que je me trompe?

— Oh! Diana... j'ai honte de t'imposer mes problèmes alors que tu en as tant de ton côté.

— Je t'en prie, arrête. Sans toi, je n'aurais pas survécu ce dernier mois. Alors laisse-moi te prouver au moins que moi aussi, à l'occasion, je suis une bonne amie.

Le serveur les interrompit. Il prit les commandes, puis repartit. Stephanie s'adossa à la banquette, respirant profondément.

— J'ai beau chercher, dit-elle, il n'y a pas trente-six manières de te l'annoncer.

L'inquiétude se lisait dans ses yeux.

— En ce cas, ne cherche pas. Vas-y, dis-le.

— Je suis enceinte.

Diana en resta bouche bée. Cela méritait certainement une réponse brillante, mais les mots lui manquaient.

— Je ne sais quoi te dire, admit-elle enfin.

— Moi non plus... Figure-toi que j'ai même posé au médecin la stupide question classique : « Docteur, comment est-ce arrivé? »

— Et Stan? Il le sait?

— Bien sûr. Le pauvre chéri a beaucoup de mal à comprendre pourquoi j'en « fais tout un plat » — je le cite.

— Il veut que tu te fasses avorter.

C'était une affirmation, pas une question.

— Il a commencé par me traiter d'égoïste : « Tu ne penses qu'à toi. » Puis d'hypocrite : « Où sont passées tes belles idées sur les femmes libérées? » Enfin, il m'a accusée d'utiliser le bébé pour le prendre au piège. Selon lui, j'ai tout manigancé depuis le début, la grossesse et le reste.

— On voit bien qu'il ne te connaît pas! s'exclama Diana, outrée.

« Pas plus que Travis ne me connaît, moi », pensa-t-elle en même temps. Il ignorait tout d'elle. Ses opinions politiques, ses lectures préférées, sans parler d'une question aussi fondamentale que de mettre au monde un bébé non désiré.

— Et réciproquement, répondit Stephanie. Je croyais savoir à qui j'avais affaire... Or je m'aperçois que je n'en sais rien. Oh, si, je suis au courant de ses prouesses sexuelles, de ses restaurants favoris, des espoirs qu'il fonde sur les prochaines victoires des Vikings au football. Mais c'est tout! Quels sont les auteurs qu'il aime lire? Ses opinions sur la pollution de l'environnement, par exemple? Aucune idée. Bon sang, comment ai-je pu me croire amoureuse d'un homme aussi insaisissable?

Diana évita soigneusement de s'engager dans une telle discussion. Elle ne voulait même pas y penser.

— Je présume que le mariage est hors de question? demanda-t-elle.

— Stan n'a jamais eu l'intention de divorcer. Son épouse représente sa seule porte de sortie... « On s'est bien amusé, salut, je suis marié », ajouta Stephanie avec un rire plein d'autodérision. Et moi qui ai mordu à l'hameçon comme une idiote!

— Cesse donc de te mortifier. Tu as fait une erreur. Nous en commettons tous. Te souviens-tu de Stuart?

— Le malheur des autres ne me console pas. Diana, garde pour toi ta commisération. Ce sont tes conseils que je te demande.

— A propos du bébé?

Stephanie se redressa. Machinalement, elle mit de l'ordre sur la table, replaçant le verre, les couverts en argent, la carafe d'eau.

— Oui, lâcha-t-elle finalement. Je n'arrive pas à considérer la question avec du recul.

Diana haussa les épaules.

— Je ne suis pas sûre que tu aies intérêt à m'écouter. Il n'y a qu'à voir ce que j'ai provoqué en essayant d'aider Amy...

— Il est vrai que tout ce que l'on fait par amour n'aboutit pas toujours à une issue heureuse. N'empêche, je mets l'amour au-dessus de la raison, déclara Stephanie avec gravité. (Le serveur posa un plat de pâtes fumant devant elle.) D'ailleurs, mon petit doigt me dit que tout se terminera pour le mieux, en ce qui concerne ta sœur.

— Espérons-le, soupira Diana en picorant une crevette égarée dans sa salade calabraise.

C'était fade et caoutchouteux. Se calant dans sa chaise, elle scruta Stephanie. Celle-ci leva les yeux et surprit son regard. Elle lui sourit.

— Tu veux ma photo?

Diana lui rendit son sourire.

— J'essaie de t'imaginer dans ta peau de jeune maman.

— Ce n'est pas facile, avoue.

— Toute ta vie en sera transformée.

— Ce n'est pas ce qui me préoccupe.

Diana la considéra, étonnée.

— Non? Quoi, alors?

— Et si je me révélais être une de ces mères abusives? Non, sans blague... On peut facilement détruire un gosse, ne serait-ce que par maladresse. Regarde Amy.

— As-tu peur de ne pas pouvoir aimer ce bébé? s'enquit tranquillement Diana.

Stupéfaite, Stephanie battit des cils.

— Cette idée ne m'a même pas traversé l'esprit.

— Alors, ne t'inquiète pas. Ma mère aurait témoigné un peu d'affection à Amy, en dépit de ses erreurs, on n'en serait pas là.

Stephanie ne parut pas convaincue.

— J'ai quelques économies, bien sûr, mais je ne peux pas me permettre d'arrêter de travailler pour élever mon enfant, dit-elle. Il sera plus souvent avec des étrangers qu'avec moi. Quelle sorte de vie vais-je lui offrir?

— Je comprends...

L'unique fois où Diana avait envisagé d'avoir un bébé avec Stuart, les mêmes incertitudes l'avaient assaillie.

— Pose la question à tes collègues qui ont des enfants, reprit-elle. Ton cas n'est pas unique, tout de même.

— Es-tu en train de me suggérer de garder ce bébé?

— Non, répondit Diana avec prudence. Je suis en train de t'expliquer la chose suivante : essaie de définir ce qui te gêne dans cette situation donnée. Et quand tu auras trouvé, tâche d'adopter les bonnes solutions. Sinon, on peut discuter jusqu'au jour où tu seras installée dans la salle de travail, sans aucun résultat. Tu ne seras pas satisfaite si ton esprit ne confirme pas les souhaits de ton cœur.

— Qui sont?...

— Etant donné que tu n'as pas mentionné l'adoption et que tu refuses l'avortement, la réponse semble évidente, non?

— Mais j'ai déjà songé à l'adoption. Un couple de mes amis vient d'adopter un petit garçon. Ils ont attendu cinq ans pour l'avoir et ils en sont gâteux. C'est bien simple! Quand ils l'exhibent, on a l'impression qu'ils ont inventé les bébés.

— Mais? fit Diana, sûre de la réponse.

— Mais... voilà! Si mon bébé tombait chez des gens comme tes parents? J'en mourrais, de savoir qu'il n'est pas aimé. Et si ses parents adoptifs font partie d'une secte? S'ils sont racistes? S'ils lui disent, si c'est une fille, que ce n'est pas grave de porter des fourrures?

— Il existe plusieurs sortes d'adoptions, dit Diana, qui commençait à se piquer au jeu de la conseillère. Tu pourrais faire connaissance avec les futurs parents de ton enfant. De manière que tu puisses t'assurer qu'ils correspondent à tes souhaits.

— Pas question! Si je sais qui ils sont, je serai incapable de rester loin d'eux ensuite.

— Est-ce que tu t'entends parler? sourit Diana.

— J'ai peine à m'imaginer en tant que mère célibataire.

— La plupart des femmes, si elles avaient le choix, préféreraient élever leur enfant dans un milieu familial traditionnel.

— Sauf moi, décréta Stephanie sans une once d'humour. Mère indigne, célibataire endurcie, ennemie abhorrée des valeurs morales de toute une génération...

Diana faillit avaler de travers.

— Tu ne vas pas céder à la mode, toi aussi! Tous ceux qui débitent ce genre de balivernes sont les mêmes qui te jetteront la pierre si tu te fais avorter, qui te blâmeront si tu fais adopter ton bébé, et te condamneront si tu le gardes... As-tu jamais entendu ces gens-là évoquer seulement le père de l'enfant ou le tenir pour responsable? Eh bien, toutes ces personnes bien-pensantes sortent tout droit du Moyen Age.

— Oh! là, là! s'exclama Stephanie, tu es formidable. (Elle lui prit la main.) Je suis contente de te savoir de mon côté.

— Je n'y suis pas allée trop fort?

— Comme un bulldozer, rétorqua son amie avec un large sourire. Mais ça ne me dérange pas.

De retour, le serveur jeta un coup d'œil dépité à leurs assiettes à moitié pleines. Après quoi, il lança un regard oblique vers les clients qui s'agglutinaient au bar en attendant une table de libre.

— Il vient de perdre cinq pour cent de pourboire, fit Stephanie.

Diana éclata de rire.

— Ah, voilà la Stephanie Gorham que j'adore!

L'aire de stationnement de l'hôpital était pleine quand

Diana arriva. Elle fit le tour du bâtiment dans l'espoir de trouver une place. Sa conversation avec Stephanie lui trottait dans la tête. Elle ne la rapporterait pas à Amy. Enfin, pas tout de suite. Pour s'entendre accuser de se mêler de ce qui ne la regardait pas?... Elle ne s'en était que trop défendue.

Sa voiture garée, elle entra dans l'établissement, déboucha à l'étage par l'ascenseur et s'engagea dans le couloir, la gorge nouée. Pour la première fois de sa vie, elle avait peur de faire face à Amy.

Nul doute que leurs rapports s'étaient détériorés. D'après Travis, Amy avait besoin de temps, ce qui était vrai dans un certain sens. Mais Diana se sentait fautive. Coupable d'avoir abusé Amy. Amy, qui lui vouait depuis toujours une confiance totale.

La porte de la chambre était ouverte. Le soleil de l'après-midi inondait la pièce. Travis, assis devant la fenêtre, griffonnait quelque chose sur une feuille de papier. Amy dormait. Diana contempla ces deux êtres qui constituaient le centre de son univers... Par moments, leur ressemblance — un sourire, un regard, le port de tête, le froncement des sourcils quand ils réfléchissaient — la laissait désemparée. Ensuite, avec une sorte de sursaut, elle pensait à leurs vies, qui auraient été tellement différentes si Gus Martell n'avait pas été un jour porté disparu.

Se sentant observé, Travis se retourna. Aucune surprise ne se peignit sur son visage. Seulement une muette et intime reconnaissance. Il se leva, jeta un rapide coup d'œil vers le lit, accueillit Diana d'un baiser fugace.

— Comment était ton déjeuner avec Stephanie? demanda-t-il.

— Intéressant.

Elle le regarda dans les yeux, qu'il avait bleus, semés de pépites dorées, frangés de longs cils. Son cœur était prêt à bondir vers lui mais, d'un seul coup, sa joie de le revoir retomba. Stephanie devait éprouver la même excitation quand elle voyait Stan...

— Je te raconterai, fit-elle.

Travis lui prit la main pour l'entraîner hors de la chambre.

— Nous avons eu une bonne journée, déclara-t-il avec un sourire. Amy m'a bombardé de questions.

— Que lui as-tu répondu?

— La vérité. Je ne veux pas qu'elle soit déçue quand elle rentrera à la maison.

Le mot « maison » heurta Diana de plein fouet. Elle n'en laissa rien paraître.

— A-t-elle accepté de te suivre dans le Wyoming? articula-t-elle après un silence.

— Pas tout de suite. Elle a dit qu'il lui fallait un peu de temps pour s'habituer à cette idée.

— Et je la comprends.

— Pas moi, dit Travis. A quoi cela sert-il d'attendre, une fois que la décision est prise?

Cette déclaration déclencha chez Diana une colère incontrôlable et inattendue.

— Après tout ce qui lui est arrivé, s'écria-t-elle, crois-tu raisonnable de la parachuter au milieu d'un nouveau conflit familial?

— Ma famille est aussi celle d'Amy. Cela veut dire qu'elle doit nous accepter avec nos bons et nos mauvais côtés.

— A t'entendre, on croirait qu'elle va déménager demain.

— Je l'espère. Nous avons beaucoup d'années à rattraper. Et cela ne se fait pas par téléphone.

Diana recula de quelques pas, comme pour prendre ses distances.

— Amy ne quittera jamais le Minnesota, dit-elle, ponctuant ses mots par de vigoureux hochements de tête. Elle deviendrait folle, dans le Wyoming. Elle s'ennuierait à périr au bout d'un mois.

294

— Qui essaies-tu de convaincre, Diana? Moi ou toi?

— Qu'est-ce que tu insinues? cria-t-elle.

Tous deux avaient haussé la voix. Conscient des regards des infirmières, Travis attira Diana par la main dans l'une des salles d'attente.

— Pourquoi nous as-tu cherchés puisque, au fond, tu ne veux pas qu'Amy retrouve sa véritable famille?

— Je ne m'attendais pas à ce que tu prennes sa vie en charge aussi vite.

Terrassée par une immense fatigue, elle se laissa tomber sur une chaise — pas sur la banquette, où il pourrait la rejoindre.

Travis se pencha vers elle.

— Tu as déclenché quelque chose que tu ne peux plus contrôler, dit-il avec douceur. Oui, comme tu l'as dit, Amy est prise en charge, maintenant. Comme cela se doit.

La peur qui avait envahi Diana se muait en terreur.

— Je ne veux pas la perdre, murmura-t-elle.

— Tu ne la perdras pas.

— Je te trouve bien sûr de toi. Comment peux-tu savoir?

— Elle t'aime, dit-il en se redressant et en lui tendant la main. Viens. Je l'ai eue à moi toute la journée. A ton tour, maintenant.

— Et toi? Où iras-tu?

Il la poussa doucement vers la chambre d'Amy.

— A l'épicerie. J'adore le pop-corn. Mais pas tous les soirs.

26

Un appétissant fumet d'épices accueillit Diana lorsqu'elle ouvrit la porte de son appartement... Elle pénétra dans le vestibule. Travis apparut sur le seuil de la cuisine, brandissant une cuillère de bois.

— Tu arrives trop tôt, dit-il. Le dîner ne sera pas prêt avant une demi-heure.

— Amy était fatiguée. Je l'ai laissée dormir.

Elle se débarrassa de ses chaussures, les jeta au bas de l'escalier et accrocha sa veste à la rampe. Travis ne fut pas dupe de la bonne humeur qu'elle affichait.

— Quelque chose me dit que ta visite ne s'est pas merveilleusement bien passée...

Diana n'éluda pas la question.

— C'est vrai, convint-elle. Nous étions comme deux étrangères. Chaque fois que j'ai ouvert la bouche pour parler de toi ou de ton père, Amy m'a opposé un silence réfrigérant. J'ai voulu lui raconter mon voyage à Jackson, ce à quoi elle a répondu que ça ne l'intéressait pas.

Travis attira la jeune femme dans ses bras, posant le menton sur le sommet de sa tête.

— Voyons, ma chérie, ne te formalise pas. Elle t'en veut probablement parce que tu en sais davantage qu'elle sur sa propre famille. Amy est inquiète. Elle se fait un sang d'encre, parce qu'elle s'est mis dans la tête que nous sommes trop différents d'elle. Que ça ne marchera pas.

— Elle te l'a dit?

— Pas directement. Je suis arrivé à cette conclusion à partir des questions qu'elle m'a posées.

Il la relâcha, lui frôlant le bout du nez d'un baiser, avant de leur servir deux verres de vin.

— A un moment donné, reprit-il, j'ai failli lui avouer que j'étais au courant de ses mésaventures et que cela m'était parfaitement égal, afin de la mettre à l'aise. A la réflexion, j'ai laissé tomber. Amy a son jardin secret et je le respecte.

Il tendit un verre de vin à Diana. Un merlot. Elle préférait le vin blanc — mais comment l'aurait-il su? On apprend à connaître les goûts et les aversions de l'autre avec le temps. Elle en prit une gorgée. Pas mal... se dit-elle. Une deuxième fit éclore un demi-sourire sur ses lèvres. Pas mal du tout... Elle était donc moins rigide qu'elle ne le pensait, du moins en matière de boissons.

— Ne me dis pas que tu es connaisseur en vins aussi, fit-elle.

Travis haussa un sourcil.

— Pourquoi... *aussi*?

— C'était juste un commentaire. Je ne sais pour ainsi dire rien de toi.

— Tu n'as qu'à demander, dit-il en avançant une chaise où elle s'assit.

— Euh... quel est ton chanteur préféré?

Quelle idée! pensa-t-elle en même temps. Elle se demanda pourquoi elle lui avait posé une question aussi ridicule.

— Ce n'est pas le chanteur qui compte mais la chanson, rétorqua-t-il en ouvrant le four pour arroser consciencieusement le rôti de porc.

— Et le programme de télévision que tu ne manquerais pour rien au monde?

— Mon dernier poste m'a lâché il y a deux ans. De temps à autre, je me promets de m'acheter une télé neuve, surtout quand j'entends les gens discuter d'une émission ou d'un film formidable qu'ils ont vu la veille... Puis j'oublie. J'ai tant de choses à lire. Toute une pile de bouquins sur ma table de nuit.

Diana hocha la tête. Elle ne connaissait personne qui n'ait pas de télévision.

— Mais... que fais-tu quand ton équipe de football joue?

— Je vais regarder le match dans un bar. Ou j'allume la radio.

— D'accord. Et si tu devais vivre sur une île déserte, qui emmènerais-tu avec toi?

Il lui décocha un sourire malicieux.

— Oh... voilà qui est trop facile.

— Je parle sérieusement.

— Moi aussi.

Il jeta le gant du four sur le plan de travail et enlaça la jeune femme. Le baiser qu'il lui donna ne laissait aucun doute sur sa sincérité... Diana noua ses doigts autour de son cou.

— Combien de temps, dis-tu, nous reste-t-il avant le dîner? fit-elle d'une voix voluptueuse après un autre baiser.

— Ma chérie... je te ferai l'amour où et quand tu voudras. Et nous avons tout notre temps, ajouta Travis avec tendresse. Je ne bougerai pas d'ici.

— Je n'arrive pas à chasser l'impression que je vais te perdre.

— Tu confonds avec Amy.

Diana posa sa tête sur son épaule.

— Il lui est déjà arrivé de se fâcher contre moi. Mais jamais à ce point. Elle est furieuse.

— Mets-toi à sa place... Comment te sentirais-tu?

— Hors de moi, reconnut-elle.

— Et puis, tu surmonterais ta colère.

— Certainement. Mais je ne suis pas aussi têtue qu'Amy.

Le rire de Travis déconcerta Diana.

— Tu me trouves têtue? s'étonna-t-elle. Demande à mes amis. Ils te diront que je suis la personne la plus facile, la plus douce du monde... Je suis restée avec un homme pendant deux ans parce que je n'avais pas le cœur de lui infliger la scène qui l'aurait incité à partir.

— Alors, qui est la furie que j'ai rencontrée dans le Wyoming?

— Même les moutons réagissent quand ils se sentent en danger.

— Et qui est la femme avec laquelle j'ai fait l'amour hier soir?

— Oh... hier soir, je n'étais pas au mieux de ma forme. A vrai dire j'avais très mauvais moral.

Il la relâcha, l'air boudeur.

— Quoi? La meilleure chose qui me soit jamais arrivée n'a produit sur toi qu'un effet médiocre?

— Mais non... Je voulais dire... Je ne sais pas, tout s'est produit si vite. J'ai peine à croire que c'est vrai.

— Quand admettras-tu que notre relation est réelle, Diana? Dans six mois? Un an...? Alors j'attendrai. Comme je te l'ai dit tout à l'heure, je ne bougerai pas d'ici. (Travis se laissa tomber sur une chaise.) Mais, à ton avis, que se sera-t-il passé de plus d'ici à six mois?

— Tu en sauras plus sur moi... Et moi sur toi.

Il allongea la main, prit un carnet sur le plan de travail et le lui remit. Elle feuilleta quelques pages remplies d'une écriture large et fluide.

— Qu'est-ce que c'est? demanda-t-elle.

— Un portrait de Travis August Martell par lui-même... Je me suis douté que tu réclamerais des preuves écrites.

Diana ne put s'empêcher de sourire.

— August est ton deuxième prénom?

Il éclata de rire.

— Ne t'inquiète pas. La tradition familiale n'exige pas que mon premier fils porte ce prénom désuet.

Diana capta facilement le message... Il insinuait que ce

fils serait aussi le sien. Elle en fut inondée d'un bienfaisant flot de chaleur.

Elle demanda :

— Et si c'était une fille?

— Elle s'appellerait Marigold.

— Comment?

— C'est le nom de mon arrière-arrière-grand-mère.

— Menteur!

— Viens ici!

Elle se leva en riant, contourna la table, s'assit sur ses genoux. Il la serra dans ses bras et chercha ses lèvres.

— Nous avons tout notre temps, murmura-t-elle, répétant ses paroles.

Il l'embrassa de nouveau.

— Je sais, fit-il. Une heure... si je baisse le four.

— Je peux t'aider.

— Je ferai tout pour te rendre heureuse, souffla-t-il.

— Tout?

Elle allongea le bras pour atteindre le thermostat du four.

— Tes désirs sont des ordres, dit-il encore, tandis que ses doigts agiles faisaient sauter les boutons du chemisier de Diana.

— Impossible, dit-elle en souriant, je ne donne jamais d'ordres.

Il passa le doigt sous la bretelle de dentelle de son soutien-gorge; puis sa main glissa plus bas. La respiration de Diana s'accéléra.

— Mmmm, oui, souffla-t-elle. Sans vouloir te commander.

Deux jours s'écoulèrent. Chaque fois que sa sœur entrait dans la chambre, Amy lui tournait le dos. Le troisième jour, Diana déclara qu'elle ne sortirait pas avant d'avoir eu une explication. Les nerfs d'Amy lâchèrent. Elle commença par exploser, puis les larmes se substituèrent à sa colère. Trois heures durant, elle exposa ses griefs. Sa peine. Son sentiment d'avoir été trahie. Ce ne fut qu'après que les blessures de son âme commencèrent à cicatriser.

Il était minuit passé lorsque Diana arriva à son appartement. Mais Travis l'attendait. Il la prit dans ses bras, l'embrassa tendrement.

— A-t-elle enfin accepté de te parler? demanda-t-il.

Diana inclina la tête :

— Oui. Et pendant un instant, je l'ai regretté amèrement.

— As-tu dîné?

— Je n'ai pas faim. Je prendrais bien un verre de vin.

Enlacés, ils entrèrent dans la cuisine où Travis servit le vin accompagné d'une assiette de crackers et d'un assortiment de fromages.

— Je n'ai pas vu Stephanie ces jours-ci, dit-il. Est-ce qu'elle va bien?

— Elle a rompu avec l'homme de sa vie.

Diana prit une gorgée de vin, songeuse. Elle était partagée entre son devoir — garder le secret de son amie — et sa curiosité de connaître la réaction de Travis. En proie à ce dilemme, elle but une deuxième gorgée... La curiosité fut la plus forte.

— Elle est enceinte, ajouta-t-elle.

Travis accueillit la nouvelle par un sifflement.

— A ton avis, que doit-elle faire?

— Je n'ai ni jugement ni opinion à propos des gens, Diana. Cela ne me regarde pas.

— Je ne te demande pas de conseil. Je voudrais savoir ce que tu en penses.

— Eh bien, je crois qu'elle a un chemin rudement long à parcourir, quelle que soit sa décision.

— Elle refuse de faire adopter son bébé.

— A cause de l'expérience d'Amy?

Un rire échappa à Diana.

— Entre autres. Elle craint aussi que, si c'est une fille,

ses parents adoptifs ne l'autorisent à porter des fourrures...

— Voilà une femme de principes!

Tout en parlant, Travis avait sorti trois chaises de cuisine sur le balcon, deux pour s'asseoir, la troisième en
guise de table. A cette heure de la nuit, le rugissement du
trafic, semblable à un fleuve tumultueux dans la journée,
n'était plus qu'un bruissement continu, tel un cours
d'eau s'écoulant entre des rochers... Un son aussi étrange
aux oreilles de Travis que le cri du coyote pouvait l'être à
celles de Diana.

— Comme les étoiles sont belles, dit-elle en s'asseyant
sur l'une des chaises.

Travis regarda le ciel, si pâle en comparaison des
lumières de la ville qu'il se demanda si c'était le même
que dans le Wyoming.

— As-tu déjà vu la Voie lactée? demanda-t-il.

— Une fois, quand j'étais petite.

— Je t'emmènerai sur la montagne, derrière ma maison. Là-haut, le ciel est plus éclatant. La lune est parfois
si énorme qu'on a l'impression qu'elle est à portée de la
main.

Il voulait revoir les paysages qu'il aimait à travers les
yeux de Diana.

Celle-ci dit, après un silence :

— Amy est fâchée contre moi parce que j'ai vu Jackson
avant elle.

— Elle a besoin d'un bouc émissaire. Tu es la cible
idéale.

— Je me doutais qu'elle n'approuverait pas mes
démarches auprès de sa véritable famille, mais j'ignorais
que cela irait aussi loin, murmura-t-elle en sirotant son
vin. T'a-t-elle dit quelque chose à ce sujet?

— Elle ne prononce même pas ton nom, répondit Travis avec autant de ménagement qu'il le pouvait.

— Cela ne m'étonne pas. Elle est blessée, elle est folle

302

de rage. Dieu merci, elle ne sait rien pour nous... Tu ne lui as rien révélé, j'espère ?

— Rien du tout. Mais quand elle sortira de l'hôpital...

— Non, non, c'est trop tôt. Quand elle te fera confiance. Il faut qu'elle accepte de me partager avec toi... Travis, cela peut te paraître idiot, mais toute sa vie elle s'est sentie exclue. Comme si nous tous avions les meilleurs morceaux d'un repas, alors qu'elle devait se contenter des restes. Cette fois-ci, il faut qu'elle compte avant tout.

— Tu rêves, Diana. Cinq minutes avec nous deux lui suffiront pour tout comprendre.

— Pas si nous faisons attention. Elle a besoin de temps, c'est toi-même qui l'as dit. Du temps pour oublier. Et pour me pardonner.

— Elle a peur, tout simplement.

— Non, c'est plus que cela, répondit Diana, pensive, en cherchant soigneusement ses mots. Amy n'est plus la même. Je ne peux encore décrire cette sensation, mais on dirait qu'elle est en pleine métamorphose. Comme une enfant qui grandit... Ou une adolescente qui entre dans l'âge adulte. Je suis incapable de m'exprimer mieux, mais elle est en train de changer. Elle devient contemplative, introvertie, plutôt... Oui, c'est peut-être le mot adéquat. Elle ne ressemble plus à l'Amy d'autrefois.

Travis étira ses jambes.

— Elle a beaucoup réfléchi ces derniers temps, remarqua-t-il.

— Ce soir, en rentrant, j'ai essayé de me convaincre que j'exagérais, ce qui ne m'arrivait jamais avant.

Elle prit un morceau de fromage, le reposa dans l'assiette, se tourna vers Travis et lui sourit.

— Tu sais, il m'arrive un tas de choses dont je n'avais pas l'habitude avant.

Il lui prit la main, la serra doucement.

— Donne à Amy deux ou trois jours. Et à toi aussi. Vous avez énormément souffert, toutes les deux.

Diana, la tête renversée, cherchait du regard une étoile filante parmi les constellations, pour formuler un vœu.

— Nous avons toujours été si proches, murmura-t-elle enfin d'une voix fêlée. Et maintenant, il y a un mur entre nous. J'ai beau essayer... le mur grandit chaque jour davantage.

Et comme Travis ne répondait rien :

— Si je la perdais, je ne survivrais pas, fit-elle d'un ton presque inaudible, comme une prière. Elle est ma meilleure amie, Travis. Je ne peux pas vivre sans elle.

Lors des visites suivantes, la situation s'améliora quelque peu. Le jeudi, Amy n'arborait plus son expression morose. Le vendredi, Diana lui offrit un ours en peluche ; elle récolta un petit sourire en guise de remerciement. Mais la gêne perdurait. Une gêne sournoise, insidieuse, que ni l'une ni l'autre ne mentionnait.

Diana et Travis se relayaient au chevet de la jeune femme, qui avait pris l'habitude de les voir séparément. Stephanie lui rendait également visite, dès qu'elle avait un moment.

Diana s'était bien gardée de parler à Amy de sa liaison avec Travis. Et cela n'avait pas toujours été facile... Combien de fois ne s'interrompit-elle pas au milieu d'une phrase, juste avant de « gaffer ». Amy semblait ne pas le remarquer. En tout cas, si elle avait compris quelque chose, elle n'en laissait rien paraître.

Le lundi de la semaine suivante, les médecins commencèrent à envisager une éventuelle sortie de l'hôpital, sans toutefois mentionner le jour. Tout dépendrait des progrès de la malade. Et des progrès, elle en faisait.

Le mercredi, Diana travaillait avec toute l'équipe de *Sander's Food* dans la salle de réunion quand son assistante fit irruption. Un coup de fil urgent pour Mlle Winchester, annonça-t-elle. Diana se précipita dans son bureau, le cœur battant à tout rompre, tandis que différents scénarios catastrophe lui traversaient l'esprit. Elle saisit le combiné avant de s'asseoir.

— Oui?

— C'est moi, Travis. Désolé de te déranger en pleine réunion mais ça ne pouvait pas attendre. Le médecin vient d'annoncer à Amy qu'elle peut quitter l'hôpital à condition d'avoir une aide à domicile. Elle lui a répondu qu'elle s'installera chez toi pendant deux ou trois semaines et que je m'occuperai d'elle quand tu seras absente.

— Oui, c'était bien notre plan. Je ne...

— Attends, tu vas comprendre très vite. Je ne peux pas partir de l'hôpital sans Amy. Et une fois sur place, je n'aurai guère l'occasion d'enlever mes affaires de ta chambre sans qu'elle s'en rende compte.

— Oh, mon Dieu! Combien de temps me donnes-tu?

Mentalement, elle se mit à calculer fébrilement chaque minute : donner une bonne excuse à son patron, puis trouver un taxi, car Travis avait sa voiture...

— Je peux traîner encore un peu, répondit-il, mais je ne crois pas que tu aies plus d'une heure de battement.

— Une heure? Tu plaisantes! Ce n'est pas assez.

— Débrouille-toi pour que ça le soit. Amy s'impatiente. Elle m'a déjà menacé de partir de l'hôpital sans moi si je ne fais pas très vite.

27

Travis installa Amy à la place du passager. Il contourna la voiture, se glissa derrière le volant.

— Alors? Heureuse d'être de nouveau libre? fit-il.

Elle baissa la vitre, respira profondément l'air tiède.

— Oh, oui. J'ai du mal à le croire.

— Veux-tu faire un tour avant de rentrer? Y a-t-il un endroit ou un site que tu aimerais revoir?

Elle connaissait la ville comme sa poche.

— Non, pas aujourd'hui.

— Fatiguée?

— Un peu. La fatigue me tombe dessus d'un seul coup. Par moments, j'ai l'impression que c'est bien parti pour la journée. Et puis une minute plus tard, je peux à peine garder les yeux ouverts.

— Qu'en pense ton médecin?

— Il a dit que si je ne précipitais pas les choses, je me sentirais beaucoup mieux dans une quinzaine. (Elle coula un regard de biais vers Travis.) Pourquoi me le demandes-tu?

— Papa voudrait savoir... En fait, il ne parle pratiquement plus que de toi. Mais malgré sa hâte de te connaître, il doit s'arranger avec le ranch avant de venir.

— Il va venir ici?

Travis prit — exprès — un mauvais tournant.

— Sharon lui a expliqué qu'il ne serait pas poli de te

demander de te rendre dans le Wyoming. Ils vont arriver dès que tu seras en mesure de recevoir des visites.

— Je ne veux pas qu'ils viennent! s'écria Amy avec une véhémence pathétique. Je ne veux pas les voir ici.

Le cœur de Travis bondit.

— La prochaine fois que j'aurai Papa au téléphone, je lui dirai que tu préfères y aller, répondit-il tranquillement.

— Est-ce qu'il sera triste à cause de ça?

— Oui, sûrement. Parce qu'il faudra qu'il attende un peu plus avant de te voir. Mais ça lui passera.

— Et Sharon?

Travis sourit.

— Papa devra probablement l'attacher pour qu'elle ne saute pas dans le premier avion... Sharon n'a pas précisément une patience d'ange.

Amy ajusta la ceinture de sécurité qui lui barrait l'épaule. C'était un geste de nervosité, pensa Travis. Ensuite, elle porta la main à ses cheveux, s'assurant que la bande adhésive était bien en place sur la partie rasée de son cuir chevelu.

— As-tu parlé avec Faith ou Judy depuis leur retour? demanda-t-elle.

Elle aurait pu aussi bien demander s'il avait eu leur mère au téléphone, se dit-il. Mais elle n'osait pas encore poser cette question, redoutant la réponse.

— D'après Sharon, elles sont au ranch, dit-il. La pauvre Faith essaie de comprendre le système de comptabilité de Maman.

— J'ai suivi des cours de comptabilité au collège pendant deux semestres. Peut-être pourrais-je...

Amy s'interrompit, frottant ses paumes sur son pantalon de toile, le regard tourné vers la fenêtre.

— Et voilà! s'écria-t-elle avec un rire sans joie. Je m'incruste déjà, alors que personne ne m'a rien demandé.

Travis pensa à une bonne douzaine de lieux communs censés la rassurer... mais il opta pour la vérité.

— Je ne t'induirai pas en erreur, Amy. Ne crois pas qu'en revenant à la maison tu te glisseras tranquillement à la place que tu aurais dû occuper si... si tu avais toujours été là.

— Peut-être vaut-il mieux que je ne vienne pas du tout.

— Pour qui? Pour toi? Pour moi? Pour Papa?

— Pour tout le monde.

— On ne peut pas revenir en arrière. Que tu reviennes ou pas, plus aucun d'entre nous ne sera le même. Tu n'es pas responsable de ce qui s'est passé dans notre famille. Mais quelle que soit ta décision, nous la respecterons. Il faut que tu fasses ce dont tu as envie. Le reste importe peu.

— Que se passera-t-il si je n'arrive pas à m'assimiler aux Martell?

— Et que se passera-t-il si une météorite démolit l'aéroport au moment où ton avion va atterrir? Pourquoi t'inquiéter de ce que tu ne connais pas encore?

Un sourire malicieux joua un instant sur les lèvres d'Amy.

— Tu es vraiment habile à ce petit jeu-là, dit-elle.

— Ah oui? Quel jeu?

— Celui du grand frère.

Il laissa échapper un rire.

— Forcément. Toute ma vie n'a été qu'une longue pratique.

— Les autres sont-ils comme toi?

— Tu jugeras par toi-même.

Ils longèrent plusieurs pâtés de maisons en silence. Soudain Amy fronça les sourcils.

— Mais où vas-tu? dit-elle.

— Chez Diana, répondit Travis de son air le plus naturel.

— Tu t'es trompé de route.

— Et moi qui me demandais pourquoi je ne reconnaissais plus les immeubles!

Il n'avait pas la moindre idée de l'endroit où ils se trouvaient. Assez loin, espérait-il, pour permettre à Diana d'effectuer pendant ce temps leur petit déménagement.

— La prochaine rue à gauche, intima Amy.

Elle le guida ainsi à travers un quartier résidentiel, aux pimpants pavillons entourés de jardins que l'on entrevoyait entre les arbres. Ils dépassèrent une galerie commerciale pavoisée de fanions bleus, rouges et blancs et de guirlandes de lampions. La voiture traversa ensuite une zone industrielle pour déboucher sur l'autoroute, où elle se dirigea vers le sud.

— Papa souhaite que tu restes au ranch, quand tu reviendras chez nous, déclara Travis en se mêlant à la circulation.

— Oui, pourquoi pas? admit-elle après un silence. Nous saurons ainsi tout de suite si ça marche ou pas.

— Rien n'est aussi simple, Amy. Il y aura de bons et de mauvais jours, comme ici. Inutile de sauter dans le premier avion à destination de Minneapolis si jamais un problème se présentait.

— Ne t'inquiète pas. Quoi qu'il arrive dans le Wyoming, je ne remettrai plus les pieds ici.

Il lui jeta un coup d'œil stupéfait. Elle aurait pu aussi bien lui annoncer qu'elle partait pour l'Amérique du Sud dans une secte.

— Est-ce que Diana le sait? demanda-t-il prudemment.

— J'ai pris ma décision ce matin.

— Je vois. Peut-être devrais-tu réfléchir à deux fois avant...

— C'est tout réfléchi. Je n'ai rien, ni personne dans cette ville.

— Tu as Diana.

— A part Diana.

— Et des amis? Tu n'en as pas?

— J'en avais. Ils font partie du passé, ajouta-t-elle en redessinant de l'index droit sa ligne de vie dans sa paume gauche... Nous avons eu des goûts communs. Plus maintenant.

— Et si tu n'aimes pas Jackson? Où iras-tu?

Elle referma le poing, dans un geste symbolique signifiant que son ancienne vie était terminée.

— Je ne sais pas encore. Je n'y ai pas encore songé. (Elle se tourna vers lui en souriant.) Je crois que j'irai très loin.

Il n'y avait pas trace de menace, de défaite ni de compromis dans sa voix. On eût dit simplement une déclaration d'indépendance.

— Promets-moi que tu nous donneras une chance, dit Travis.

Elle s'efforça de continuer à sourire, mais ses lèvres tremblaient. Des larmes firent étinceler ses yeux, comme deux lacs entre ses longs cils.

— Personne ne veut retrouver une famille autant que moi, Travis, murmura-t-elle. Je ne renonce jamais sans me battre.

Diana sortit de l'appartement de Stephanie juste au moment où l'affichage lumineux au-dessus de l'ascenseur indiquait que la cabine montait du rez-de-chaussée. Elle grimpa les marches quatre à quatre, arriva à son étage hors d'haleine, tandis que les portes de l'ascenseur coulissaient sur Travis et Amy.

— Enfin, te voilà! s'exclama Diana en se forçant à sourire et en se détestant de mentir de nouveau... Je commençais à m'inquiéter.

— Nous serions arrivés plus vite si Travis ne s'était pas perdu, répondit Amy.

Elle serra sa sœur brièvement dans ses bras.

— Tu n'es pas au bureau? fit-elle.

— Je voulais t'accueillir personnellement.

Diana ouvrit la porte de son appartement et s'effaça pour laisser passer Amy. Elle chuchota à l'adresse de Travis, qui l'interrogeait du regard :

— Tes affaires sont chez Stephanie... Tu les prendras dès que tu auras trouvé un hôtel.

Il hocha la tête avant de pénétrer dans le vestibule, la valise d'Amy à la main.

— Je la dépose où ? s'enquit-il.

— Par ici, dit Amy en montrant la chambre d'ami.

— Comment te sens-tu ? demanda Diana.

— Un peu fatiguée... Mais ravie d'être sortie. Si Travis ne m'avait pas accompagnée, je crois que je serais rentrée à pied.

— Tu n'as pas faim ?

L'invisible barrière se dressait toujours entre elles ; mais Diana poursuivit courageusement :

— La maison offre du consommé froid et des sandwiches.

— J'ai déjeuné à l'hôpital, dit Amy. Mon chauffeur, lui, est affamé.

— Je mangerai quelque chose plus tard, dit Travis.

Diana consulta sa montre, puis lui demanda :

— Peux-tu rester avec elle jusqu'à ce que je revienne ce soir ?

— Je n'ai pas besoin de baby-sitter, lança Amy d'une voix cassante. Et il était inutile de partir du bureau pour m'attendre.

— Pardon, miss, intervint Travis. Si mes souvenirs sont exacts, on t'a autorisée à quitter l'hôpital à la condition expresse d'avoir constamment quelqu'un auprès de toi. (Il se tourna vers Diana.) Je reste, bien entendu.

— Ma chérie, c'est bon de te revoir à la maison, dit Diana en souriant, sans tenir compte de l'air pincé de sa sœur. Je rentrerai le plus tôt possible.

— D'accord... Merci... Moi aussi je suis contente d'être de retour, articula laborieusement Amy comme si la phrase lui écorchait les lèvres.

Diana l'enlaça.

— Je t'aime, dit-elle avec l'impression de souffler les mots à travers une boule qui lui obstruait la gorge...

Amy se dégagea de son étreinte.

— Ton patron doit s'impatienter. Dépêche-toi donc, tu as suffisamment perdu de temps à cause de moi.

Diana avança la main vers la joue de sa sœur.

— Prends soin de toi.

— Je m'en porte garant, promit Travis.

Diana partie, Amy le regarda.

— Je crois que tu lui plais, déclara-t-elle.

Il lui entoura l'épaule d'un bras protecteur, l'entraînant vers la cuisine.

— Vraiment? Et pourquoi?

— Elle te tutoie. Et puis elle t'a prêté sa voiture. Elle ne l'a jamais prêtée à personne, que je sache... De plus, elle ne t'a même pas demandé sa clé... ce qui veut dire qu'elle t'a laissé le double.

Avait-elle compris? Prêchait-elle le faux pour savoir le vrai? Ou était-ce juste une remarque anodine? Il n'aurait pas su le dire. Dans le doute, il s'empressa de changer de sujet.

— Une tasse de thé, avant ta sieste? proposa-t-il.

— Quelle sieste?

— Celle que tu feras après la tasse de thé...

— Es-tu aussi autoritaire avec tout le monde ou dois-je considérer que cela m'est réservé?

Il lui avança une chaise, où elle s'assit.

— Demande à Sharon. Elle t'expliquera que je suis pareil avec tout le monde.

— Crois-tu qu'elle m'appréciera?

Elle ne se lassait pas de lui poser cette question. Travis avait été sincère à propos de ses sœurs. Selon lui, Judy et Faith verraient l'arrivée d'Amy d'un œil peu amène. En revanche, Sharon serait une alliée.

— Hier soir, elle m'a demandé la même chose au téléphone, dit-il.

— Et quelle fut ta réponse?

— Que vous alliez vous détester au premier coup d'œil.

Amy se tassa sur son siège.

— Comment?

— Du calme. Je *plaisantais*.

Il avait aussitôt regretté ses paroles. Amy prenait tout au sérieux en ce moment. Elle avait perdu son sens de l'humour.

— Je lui ai assuré qu'elle aurait la sensation de se regarder dans un miroir, quand elle te verrait, rectifia-t-il.

Amy se leva, mit la bouilloire sur le feu, chercha deux tasses dans le placard.

— Tu m'as fait peur, tu sais! Si tu ne m'avais pas détrompée, j'aurais sauté par la fenêtre.

— Je suis désolé. Amy, je...

Elle lui fit un clin d'œil espiègle.

— Je *plaisantais*, idiot!

Travis eut un rire amusé.

— Tiens, Sharon n'aurait pas détesté non plus me rendre la monnaie de ma pièce...

En rentrant du bureau, Diana s'arrêta à la boulangerie. Elle avait commandé une tarte aux carottes, la préférée d'Amy, afin de célébrer son retour. Elle trouva l'appartement silencieux. Amy dormait. Travis, sur le balcon, tenait le téléphone sans fil dans une main et un verre de thé glacé dans l'autre. A travers la porte vitrée, il vit Diana mettre la tarte au réfrigérateur. Elle avait retiré sa veste. Il pénétra dans la cuisine, tandis qu'elle se servait elle aussi du thé glacé.

— Est-elle réveillée? demanda-t-il doucement.

Diana fit non de la tête.

Il posa le combiné sur son support, jeta un rapide coup d'œil vers la porte, puis frôla ses lèvres d'un baiser.

— La journée a-t-elle été bonne? fit-il.

313

— Epuisante, comme d'habitude. Rien ne va, on s'agite dans tous les sens. Il paraît que le chargement de marchandises du Nebraska est bloqué dans une aérogare de transit. Enfin, rien que de très ordinaire! Et toi? Comment cela s'est passé avec Amy?

— Elle s'est montrée passablement surprise en se rendant compte que je connaissais le chemin de la cuisine, et elle a voulu savoir de quel charme j'ai pu user pour te convaincre de me prêter ta voiture... A part ça, tout s'est bien passé.

— A-t-elle été satisfaite de tes explications?

— Elle est tellement anxieuse à l'idée de rencontrer la famille Martell qu'elle est incapable de penser à autre chose.

— C'était ton père, au téléphone?

Travis prit une gorgée de thé.

— Non. Un de mes employés. Il semble que l'agence de tourisme commence à pâtir un peu de mon absence.

— Un peu seulement?

Il posa sa tasse sur la table.

— D'accord, d'accord... Beaucoup. Dès qu'Amy pourra rester seule, il faudra que j'y retourne.

— Oh, Travis, je suis navrée. Je t'ai imposé de rester mais je n'ose pas prendre un congé supplémentaire. Il y a trop de problèmes au bureau, mon patron ne supporterait plus que je néglige mon travail.

— J'ai entendu des voix, dit Amy en apparaissant sur le pas de la porte et en bâillant. Tiens, tu es rentrée?

— Il y a cinq minutes, répondit Diana. Comment te sens-tu?

— Comme si j'avais un trou à la place de l'estomac, fit Amy en étouffant un nouveau bâillement. Si nous commandions une pizza?

— Excellente idée! approuva Travis.

Diana avait une autre réplique sur le bout de la langue. Lorsqu'on est en convalescence, il faut se nourrir correctement si l'on veut recouvrer la santé... Elle ravala ces paroles. Amy avait raison : par moments, elle était en effet terriblement « gonflante ». Elle s'obligea à sourire.

— Oui, formidable, dit-elle.

28

Le jeudi de la semaine suivante, Amy, remise sur pied, accompagna Travis au supermarché. Elle poussait le Caddie, tandis qu'il le remplissait. De retour à l'appartement, elle voulut préparer le repas. Puis ils nettoyèrent la cuisine, après quoi elle parut avoir encore assez d'énergie pour battre Travis deux fois de suite au gin-rami. Enfin, il jeta ses cartes sur la table en déclarant :

— Tu as autant besoin d'un garde-malade que moi d'un curé.

Elle ramassa le jeu de cartes et le remit dans sa boîte.

— Voilà des jours que j'essaie de vous persuader, Diana et toi, que je suis guérie, mais vous êtes têtus comme des mules.

— Tu n'as plus de migraines ?

— Pas une depuis lundi, triompha Amy avec un sourire resplendissant, car elle aimait que Travis s'inquiète pour elle. A mon avis, j'ai simplement fait une allergie au milieu hospitalier.

— En ce cas, je m'incline. Puisque je ne suis plus utile, je n'ai plus qu'à rentrer chez moi et à me remettre au travail.

Elle savait bien que ce jour arriverait, mais elle n'en fut pas moins triste.

— Tu me manqueras, dit-elle.

— Alors, quand ?

Elle le dévisagea, les sourcils froncés.

— Quand... quoi?

— Quand viendras-tu à Jackson?

— Je n'en sais rien. J'ai pas mal de choses à faire ici.

— Tu dois bien avoir une vague idée. Une semaine? Un mois?

— En fait, tu voudrais savoir s'il faudra que tu reviennes me chercher, n'est-ce pas?

— Quelque chose comme ça.

Elle détacha du bloc-notes le feuillet sur lequel ils avaient noté leurs points, en fit une boule et la jeta dans la corbeille à papier.

— Ne te fais pas de souci. Je ne changerai pas d'avis, dit-elle.

— Je pensais à ta décision de quitter définitivement Minneapolis... Je te prie de reconsidérer la question.

— Pourquoi?

— Tu te mets sous pression inutilement. Tu n'arrêtes pas de te demander si tu plairas au reste de la famille. Peut-être te sentirais-tu plus à l'aise si tu leur rendais visite pendant une semaine ou deux, revenais à Minneapolis, puis repartais de nouveau pour Jackson dans quelques mois.

— Partir d'ici n'est pas une idée neuve, Travis. Crois-moi, j'y ai énormément réfléchi.

Surtout depuis qu'elle était sortie du coma.

— En as-tu parlé à Diana? fit-il.

Amy secoua la tête. Elle s'était inventé mille prétextes pour remettre à plus tard l'explication. Diana avait trop de travail, elles n'étaient pas seules, bref, elle trouvait toujours une bonne excuse, de crainte de blesser la seule personne qui, après tout, lui avait témoigné de l'affection.

— Pas encore, admit-elle. J'essaierai. Bientôt.

— Je ne crois pas que cette idée l'enchantera.

Amy le savait. Mais elle savait aussi que, la surprise passée, Diana ne lutterait pas. Qu'elle la chérissait suffisamment pour lui rendre sa liberté.

— Alors? Quand est-ce que tu retournes dans tes montagnes natales? le taquina-t-elle, changeant délibérément de sujet.

— Demain soir.

— Déjà?

— Nous avons perdu l'un de nos guides. Un garçon qui a travaillé pour moi presque depuis le début. Si je ne le remplace pas, il faudra annuler le voyage dont il était responsable... Un désastre pour l'agence.

— Il est... mort?

Un rire échappa à Travis.

— Mais non, rien d'aussi dramatique. Il s'est cassé une jambe en faisant du deltaplane.

— Mais *c'est* dramatique! s'exclama-t-elle. Je m'étonne que tu autorises tes employés à prendre de tels risques. Tu ne crains pas les accidents de travail?

— Mes employés sont grands... Amy. Et ils aiment le risque, justement. Maintenant, pourquoi ne vas-tu pas faire une petite sieste pendant que j'appelle les compagnies aériennes? ajouta-t-il en mettant leurs tasses vides dans l'évier.

Elle était fatiguée, en effet, mais ne put résister à l'envie d'ironiser.

— D'abord tu me trouves en pleine forme, et ensuite tu me recommandes une sieste!...

— Pour que tu aies l'œil clair quand Diana rentrera.

— Il faut d'abord que je rédige une petite annonce. Je vends ma voiture. A ton avis, combien puis-je en tirer?

Travis avait déjà utilisé la vieille guimbarde d'Amy, quand Diana avait eu besoin de sa voiture.

— Tu devrais payer pour qu'on t'en débarrasse! s'exclama-t-il.

— Elle marche. Elle vaut quand même quelque chose.

— Pas forcément.

— Si je comprends bien, elle est bonne pour la casse?

— Et le plus tôt sera le mieux. Pourquoi crois-tu que

j'ai pris la voiture de Diana pour faire des courses, aujourd'hui?

— Je m'en débarrasserai quand je n'en aurai plus besoin.

— Je croyais que tu en avais assez des hôpitaux...

— Travis! Ce n'est tout de même pas une pièce de musée. Tu l'as déjà conduite toi-même.

— Oui, madame! Deux fois. Et j'en ai conclu que je serais plus en sécurité si je déambulais à pied au milieu de l'autoroute.

— Bon, d'accord. J'appellerai demain la fourrière.

Il la poussa gentiment vers la chambre d'amis.

— Rien que pour te faire plaisir, dit-elle en souriant.

Ce fut Stephanie qui raccompagna Diana après le travail, ce soir-là.

— Eh bien, comment se sent la future maman? demanda Diana.

— Pas trop mal. Un peu nauséeuse parfois, le matin. Rien de comparable avec le calvaire de ma cousine, quand elle attendait son premier enfant.

— L'as-tu annoncé à tes parents?

Stephanie jeta un coup d'œil à la circulation à travers le rétroviseur et changea de vitesse.

— J'attends d'abord le diagnostic médical, dit-elle. J'ai rendez-vous chez mon médecin la semaine prochaine.

— Je me demande comment ils vont réagir, murmura Diana.

— Très mal. Mon père se plaît à croire que je suis encore vierge. Pour la première fois depuis que j'ai emménagé dans cette ville, je suis contente qu'ils vivent dans un autre Etat.

— Mais ils viendront quand tu auras le bébé... Et ils vont l'adorer, l'assura Diana. Comment peut-on ne pas tomber amoureux d'un petit bout de chou? (Elle s'interrompit, stupéfiée par ses propres paroles.) Et c'est moi qui débite ces âneries! ajouta-t-elle.

319

— Je ne m'inquiète pas de leur attitude par rapport à l'enfant, expliqua Stephanie. Mais je déteste l'idée de les décevoir.

— Pas de nouvelles de Stan?

— Deux messages sur mon répondeur la semaine dernière. Je ne me sens pas d'humeur à le rappeler. (Stephanie ralentit, cependant que la circulation devenait plus dense.) Mais assez parlé de moi. A toi, maintenant. Où en es-tu avec tes parents? Leur as-tu présenté Travis?

Stephanie ignorait tout de la querelle qui avait éclaté entre Diana et les Winchester. Elle écouta le résumé succinct que lui en fit son amie, puis émit un doux sifflement.

— Oh! là, là! De mieux en mieux. Mais, selon toi, combien de temps resteront-ils fâchés?

— Jusqu'à ce que je cède, c'est-à-dire que je leur rende la totalité de la somme. Ils sont rancuniers, tu sais. Ils peuvent m'en vouloir jusqu'au jugement dernier.

— Que ferais-tu de cet argent?

— J'ai caressé le projet de le donner à Amy... Elle n'en sait rien et je n'ai rien osé lui dire. Pour le moment, ce n'est même pas la peine d'essayer.

— Alors, pourquoi le garder?

— Mais par entêtement pur et simple.

Stephanie éclata de rire.

— C'est une raison comme une autre, dit-elle. Je te fais confiance. Un jour tu trouveras bien un moyen pour le dépenser.

En s'esclaffant, elle fit pénétrer sa voiture dans le parking souterrain de leur immeuble.

— Tiens! Le vieux tacot d'Amy n'est plus là.

Diana chercha du regard l'antique Pinto vermillon.

— Exact... L'aurait-on volé? Ce serait formidable!

Diana entra dans l'appartement silencieux. Machinalement, elle jeta d'abord un coup d'œil à travers la porte entrebâillée de la chambre d'Amy. Celle-ci dormait. Elle avait pris l'habitude de faire des siestes... La voix de Travis en provenance de la cuisine brisa le silence.

— Oui, exact, disait-il. Un aller seulement. N'importe quel vol, pourvu que ce soit pour demain soir... Vingt heures quarante, fit-il après une pause. Ce sera parfait.

Le cœur de la jeune femme se mit à cogner. Ainsi, Travis se préparait à repartir... Elle entra dans la cuisine au moment où il poursuivait :

— Travis Martell. M-a-r-t-e-l-l.

Il donna ensuite le numéro de sa carte de crédit et raccrocha.

— Tu t'en vas? dit-elle.

Il l'attira dans ses bras.

— Oui. Je suis désolé. Des problèmes à l'agence...

Elle posa son index sur ses lèvres.

— Tu n'as pas à te justifier. Je sais que tu resterais si tu le pouvais.

— L'état d'Amy s'est amélioré. D'ici à lundi, elle n'aura plus aucune difficulté à se débrouiller toute seule.

— Tu vas me manquer, murmura Diana, la joue contre la poitrine de Travis.

Une note de désespoir vibrait dans sa voix. Travis la serra plus fort, restant aux aguets, croyant avoir décelé un bruit de pas dans la salle de séjour... Un bruit qui, heureusement, cessa. Tant mieux, pensa-t-il, soulagé. Ils avaient encore quelques minutes à eux. Il pressa ses lèvres contre les cheveux de Diana, humant leur parfum suave.

Les mots qu'il aurait voulu prononcer restaient comme suspendus dans les airs... Son amour pour Diana ne souffrait pas le moindre compromis, aucune séparation possible. Il désirait dormir auprès d'elle, se réveiller à son côté, à jamais, pour le meilleur et pour le pire. Il voulait avoir des enfants avec elle, voulait qu'ils vieillissent ensemble, entourés de leurs petits-enfants. Il n'avait pas le droit de lui demander de sacrifier sa carrière, mais par ailleurs, lui-même n'avait aucun avenir dans une ville comme Minneapolis. Ils devaient donc chercher le moyen de vivre sous le même ciel, avant d'envisager une suite à leur liaison. Et tant que Travis n'aurait pas cette réponse, il ne poserait pas la question qui le tourmentait.

— J'aimerais bien que tu viennes avec Amy à Jackson, lui dit-il, le visage enfoui dans la masse soyeuse de ses cheveux. J'ai tant de choses à te montrer, tant d'endroits à te faire découvrir. Des montagnes où l'on ne voit personne des jours durant... Des cascades à l'eau si pure qu'on jurerait l'entendre tinter, comme du cristal, en heurtant les rochers.

Diana recula d'un pas, renversa la tête en arrière pour le regarder, puis l'embrassa. Le désir de goûter à ses caresses la brûlait comme une flamme. Depuis le retour d'Amy, Travis avait élu domicile dans un hôtel. C'est à peine s'ils avaient eu dix minutes par jour en tête à tête. Ils avaient besoin de temps pour eux. Il leur fallait un espace, loin de la réalité qui les empêchait de mettre des mots sur leurs sentiments amoureux, sur leurs espérances encore si fragiles.

Un soupir roula dans la gorge de Travis, tandis qu'il entrouvrait les lèvres, afin de mieux savourer leur baiser.

— Viens à mon hôtel ce soir, chuchota-t-il, je t'en supplie.

C'était ce qu'elle désirait le plus au monde.

— C'est entendu. A condition que Stephanie puisse rester avec Amy.

Diana se dégagea des bras qui l'étreignaient pour saisir le téléphone mural. Elle était en train de composer le numéro de sa voisine quand Amy apparut sur le seuil de la cuisine. Elle regarda Diana et Travis d'un œil ensommeillé, en s'étirant.

— Décidément, je dors trop. Je ne t'ai pas entendue rentrer, fit-elle.

Diana raccrocha. Elle trouverait l'occasion de joindre Stephanie un peu plus tard.

— Je n'ai pas fait de bruit, expliqua-t-elle.

— Travis s'en va demain, dit Amy. Il te l'a dit ?

— Oui... Nous en parlions, justement.

— Nous pourrions peut-être organiser une petite fête pour sa dernière soirée à Minneapolis... Si tu veux, naturellement.

Diana échangea un fugitif regard avec Travis.

— Oui, bien sûr... fit-elle. (Comment pouvait-elle refuser ?) Mais... quoi, par exemple ?

— Un barbecue sur la terrasse. Il fait griller des steaks, tu nous concoctes tes fameux beignets de pommes de terre, pendant que je prépare une salade géante, expliqua Amy d'une voix animée... Et pourquoi n'inviterions-nous pas Stephanie ? Elle et Travis ne se reverront peut-être plus jamais. Ce sera l'occasion de se dire au revoir.

— Qu'en penses-tu, Travis ? s'enquit Diana en déployant un effort surhumain pour effacer la déception de sa voix... Te sens-tu d'attaque pour une petite fête improvisée ce soir ?

Travis fourra les poings dans ses poches.

— Oui, sûr... Pourquoi pas ? se força-t-il à dire.

Le lendemain, Diana devait conduire Travis à l'aéroport. Elle arriva en retard. Ce n'était pourtant pas faute d'avoir pris ses précautions. Elle avait quitté son bureau assez tôt, justement, afin qu'ils aient le temps de déjeuner, ne fût-ce que pour se faire leurs adieux en tête à tête. Mais à mi-chemin de la maison, un pneu crevé — pour la première fois de sa vie — l'obligea à s'arrêter. Elle appela le dépanneur sur son portable, qui lui promit d'être là cinq minutes plus tard. Il ne se montra pas avant une heure.

Malgré la promesse de Travis de l'appeler le lendemain, Amy eut du mal à le quitter. Elle les accompagna, lui et Diana, jusqu'à la porte de l'appartement, puis jusqu'à l'ascenseur et finalement se retrouva avec eux dans le parking.

— C'est dur de la laisser! dit Travis tandis qu'ils roulaient en direction du terminal.

— Je ne l'ai jamais vue aussi émue, répondit Diana. Je suis étonnée qu'elle n'ait pas voulu monter dans la voiture.

— Je crois qu'elle n'en avait pas la force.

— Rien n'aurait arrêté l'Amy d'antan.

— Ou alors... elle a compris que nous avions envie de rester seuls.

Diana secoua la tête.

— Je ne crois pas. J'ai fait quelques vagues allusions qui ne lui auraient pas échappé si elle s'était doutée de quelque chose.

Elle avait emprunté un itinéraire qui lui permettait d'éviter les encombrements du vendredi mais, au bout d'un moment, elle opta pour l'autoroute. Malgré ses efforts pour gagner quelques minutes dans l'espoir de rester un peu seule avec Travis, elle n'eut finalement que le temps de le déposer au terminal. Elle se gara, l'accompagna jusqu'au guichet d'enregistrement.

— Eh bien, depuis quelques jours, nous ratons tous nos plans, dit-elle, feignant une bonne humeur qu'elle n'éprouvait pas.

Elle voulait tant qu'il garde d'elle une image souriante.

Il laissa tomber son sac, la serra dans ses bras.

— Ma chérie, promets-moi que tu viendras avec Amy. Que je n'aurai pas à revenir te chercher.

— Je ferai de mon mieux, dit-elle.

Un homme en uniforme bleu s'approcha.

— Excusez-moi, monsieur. Allez-vous enregistrer votre bagage?

Relâchant Diana, Travis chercha son billet dans sa poche.

— Oui... Voilà...

L'homme jeta un bref coup d'œil à l'heure du départ puis rendit le billet à son propriétaire.

— Prenez votre sac avec vous dans l'avion, si vous

tenez à ce qu'il arrive en même temps que vous à Jackson, dit-il.

Travis consulta sa montre.

— Mon Dieu! Nous sommes vraiment en retard.

Diana hocha la tête. Elle fut submergée par le besoin impérieux de lui avouer que, sans lui, sa vie serait aussi vide qu'un ciel sans Voie lactée. Que rien ne serait plus jamais pareil... Elle lui toucha le bras mais avant qu'elle ouvre la bouche, Travis se pencha et l'embrassa.

— Il faut que j'y aille, dit-il en s'éloignant. Je t'appellerai demain.

Elle demeura immobile, tétanisée, les yeux fixés sur l'homme qui avançait vers la porte d'embarquement. Soudain, comme s'il avait senti son regard, il se retourna. Derrière lui les portes vitrées s'ouvrirent automatiquement.

— Je t'aime! cria-t-il.

— Moi aussi, je t'aime! répondit-elle.

Mais les portes s'étaient refermées sur Travis, et elle aurait juré qu'il n'avait pas entendu sa réponse.

29

Le lendemain matin, Diana et Amy dégustaient un copieux petit déjeuner accompagné de pancakes quand la sonnerie du téléphone retentit. Amy bondit pour décrocher, avant même que son aînée ait eu le temps de repousser sa chaise.

— Ah, c'est toi! As-tu fait bon voyage?

Diana se cala dans son siège, reprit sa tasse de café, fit semblant de s'abîmer dans la lecture du journal, lisant et relisant le début d'un article sur les loups de Yellowstone Park. D'une manière fugace, elle se demanda si, en bon cow-boy, Travis était pour ou contre la réintroduction des prédateurs dans la nature — et, une fois de plus, elle s'aperçut qu'elle ne savait presque rien de l'homme qu'elle aimait.

— ... oui, très bien, disait Amy, poursuivant sa conversation téléphonique. Dans deux semaines, je sens que je serai en pleine forme. Mon médecin pensait qu'il me faudrait plus de temps, mais même Diana convient que j'ai démenti son pronostic.

Même Diana. On eût dit qu'Amy évoquait une étrangère. Tout au plus une vague relation... Depuis quand Diana était-elle reléguée dans cette triste catégorie?

— Oui, d'accord... continua Amy. Toi aussi.

Puis, enfin :

— Appelle-moi dès que tu seras rentré.

Ayant raccroché, elle se tourna vers Diana.

— Travis te passe son bonjour.

— Il n'a pas demandé à me parler? s'enquit Diana en s'efforçant de dissimuler sa déception.

Amy la dévisagea, l'œil rond.

— Oh... j'en suis navrée. Je n'ai même pas pensé à le lui demander.

— Cela n'a pas d'importance. Ce n'est que partie remise... Je voulais juste savoir s'il a pu attraper son avion sans problème. Nous sommes arrivés en retard.

— Il n'a rien dit.

Diana plia son journal. Elle ne put s'empêcher de questionner Amy.

— Si j'ai bien entendu, Travis s'en va quelque part? fit-elle d'un air aussi indifférent que possible.

Amy se rassit.

— Oui, avec son père. (Le rouge lui monta aux joues et elle fit une grimace.) Décidément, je n'arrive pas à m'habituer à l'idée qu'il est mon père aussi... Enfin, ils vont dans un endroit qui s'appelle Pinedale chercher un ancien camarade de Travis — ils faisaient partie du même groupe de travail à l'université. Travis voudrait que ce garçon aide son père à la ferme, en attendant qu'il trouve à remplacer son guide.

Hochant la tête, Diana mordit dans un toast. Elle eut toutes les peines du monde à avaler sa bouchée.

— Combien de temps restera-t-il absent? réussit-elle à articuler.

— Deux ou trois jours. Il a dit qu'il m'appellerait dès qu'il serait de retour à Jackson.

Diana fit passer sa bouchée avec du café... Elle n'osait plus rien demander de crainte d'éveiller les soupçons d'Amy.

— Eh bien, que veux-tu faire aujourd'hui? fit-elle.

Amy réfléchit un instant.

— J'aimerais bien faire un tour en voiture. Remplir de victuailles le panier de pique-nique, prendre une couverture et nous diriger droit devant nous jusqu'à ce que nous ayons faim...

— ... Et passer le reste de la journée à découvrir des nuages qui ont des formes humaines, acheva Diana à sa place.

C'était l'un des jeux favoris d'Amy quand elles étaient petites.

— Si nous empruntions l'*Encyclopédie des oiseaux* de Stephanie? As-tu encore tes jumelles?

— Stuart les a embarquées... non, attends! Je les ai rangées dans ma penderie.

Diana se leva. Avant d'avoir rejoint l'escalier, elle se rappela la vieille Pinto.

— Au fait, qu'as-tu fait de ta voiture? demanda-t-elle.

— Je l'ai vendue.

— Non... vraiment? Mais qui...

Elle laissa sa phrase en suspens. Le plus surprenant, c'était encore qu'Amy ait accepté de se séparer de son véhicule préhistorique, pas qu'un acheteur se soit présenté.

— Travis a trouvé un ferrailleur, expliqua Amy. Il m'a offert vingt-cinq dollars, et il est parti avec.

Travis... évidemment! Elle aurait dû se douter qu'il était impliqué dans l'affaire...

— Parfait, conclut-elle. Au fait, nous pourrions aussi faire du shopping, avant notre excursion.

— Cela attendra. J'ai d'autres priorités.

Diana s'empêcha de demander «lesquelles» et s'en félicita : nul doute, elle était en progrès.

— En ce cas, prends la Volvo, si tu veux, dit-elle.

— Je suis impressionnée! répliqua Amy. D'abord Travis, et maintenant moi.

— Qu'est-ce que tu veux dire?

— Avant, tu n'aurais jamais prêté ta chère voiture.

— Oui, mais depuis j'ai appris qu'il existe des choses plus importantes dans la vie.

Amy sourit.

— Il était temps, fit-elle.

Il y avait des siècles qu'elles ne s'étaient pas amusées autant pendant le week-end... Elles savourèrent leur pique-nique dans une clairière — une salade de pommes de terre qu'elles mangèrent avec les doigts, parce qu'elles avaient oublié les couverts. Et tout en dévorant, elles se racontèrent des blagues idiotes, en pouffant comme des gamines. Le soir, elles versèrent des larmes d'émotion en regardant *Casablanca* à la télévision, alors qu'elles grignotaient un repas « basses calories ».

Le lundi, Amy se leva tôt pour conduire Diana au bureau. Elle déclara qu'elle avait du rangement à faire dans son propre appartement, sans s'appesantir plus sur la question. Le soir, elle repassa chercher Diana. Elle semblait beaucoup plus calme qu'à l'accoutumée et laissa le volant à sa sœur.

— As-tu passé une bonne journée? demanda Diana.

Elle se glissa à la place du conducteur, retira sa veste et ses chaussures à talons et mit à fond l'air conditionné. Une vague de chaleur humide avait transformé Minneapolis en fournaise.

— Intéressante, répondit Amy.

Fidèle à ses résolutions, Diana ne la questionna pas plus loin.

— Qu'allons-nous faire à dîner? dit-elle.

— N'importe quoi. Je n'ai pas très faim.

— Un gaspacho aux langoustines! suggéra Diana. Il fait trop chaud pour se mettre aux fourneaux.

— Va pour le gaspacho.

Le reste du trajet se déroula dans le silence. De temps à autre, Diana jetait un regard oblique en direction de sa passagère, afin de vérifier si elle s'était endormie. Chaque fois, elle n'aperçut que son profil, légèrement tourné vers la fenêtre.

Dès qu'elles furent à l'appartement de Diana, Amy disparut dans la salle de bains. Diana se servit une boisson fraîche dans la cuisine. Elle avait commencé à gravir les marches de l'escalier quand un objet dans la salle de séjour attira son attention. Soudain pétrifiée, elle le regarda longuement en s'efforçant de comprendre. Cela n'avait pas de sens... Pourtant, c'était là et il devait y avoir une raison. Elle redescendit et alla frapper à la porte de la salle de bains adjacente à la chambre d'ami.

— Dis, pourquoi ta pendule se trouve-t-elle sur ma cheminée? demanda-t-elle à sa sœur.

Une minute après, Amy apparut, en peignoir.

— Pour que tu t'en occupes, répondit-elle.

— Qui, moi? Pourquoi ne l'as-tu pas laissée chez toi?

Amy fixait ses pieds nus, évitant le regard scrutateur de Diana... La reposante légèreté du week-end avait cédé la place aux ombres menaçantes de la nuit.

— Il faut que nous parlions, déclara Amy.

Le bourgeon de la peur s'épanouit en une fleur vénéneuse dans la poitrine de Diana... Une petite voix intérieure lui intimait de se boucher les oreilles... pour ne pas entendre les paroles d'Amy. Désespérément, elle chercha au moins à gagner du temps.

— Je crève de chaud. Je vais me changer, dit-elle.

Elle se remit à monter les marches.

— Tiens il y a longtemps que nous ne sommes pas allées chez *Roberto*, cria-t-elle par-dessus la rampe. Je n'ai plus envie de gaspacho mais plutôt...

— Je crois qu'il vaut mieux que nous restions ici ce soir.

La fleur vénéneuse devint une boule, une masse dure, lourde et glacée...

— Ah, bon. C'était juste une idée...

Lorsqu'elle redescendit dans la cuisine, Amy avait préparé du thé glacé. Diana accepta le verre qu'elle lui tendait.

— Formidable! s'exclama-t-elle d'une voix beaucoup trop enthousiaste.

330

Amy s'adossa au plan de travail.

— J'ai quitté mon appartement aujourd'hui, annonça-t-elle. J'ai déménagé.

— Pourquoi? s'écria Diana. (Puis, sans attendre la réponse :) Pour où?

— Déménager n'est pas vraiment le mot adéquat. En fait, j'ai appelé une de ces associations qui logent des sans-abri et leur ai offert mes meubles. Ils sont venus; ils ont presque tout emporté. Le reste, je l'ai bradé chez le brocanteur du coin.

— Tu as... donné tous tes meubles? murmura Diana sans comprendre. (Amy aurait pu aussi bien lui expliquer qu'il venait de lui pousser des ailes.) Mais pourquoi?

Amy croisa les bras sur sa poitrine, d'un air déterminé.

— Je ne voulais pas les mettre au garde-meuble. En fait, je me suis dit que faire place nette correspondait beaucoup mieux à mon nouveau départ dans la vie.

— Mais qu'est-ce que tu racontes?

— Quand je partirai, je ne reviendrai pas.

Une fulgurante douleur coupa le souffle à Diana. Elle avait supposé qu'Amy visiterait le Wyoming. Pas qu'elle s'y installerait.

— Ce n'est pas possible! s'écria-t-elle. Tu ne peux pas faire ça.

— J'ai énormément réfléchi à cette question, Diana. Ma décision est prise.

— Mais Minneapolis est ta ville.

Amy ne répondit rien, laissant les mots flotter dans l'air à présent chargé d'une tension insoutenable.

— Et si tu ne t'entends pas avec ta nouvelle famille? reprit Diana. Que feras-tu alors?

— Je recommencerai ailleurs.

Les jambes de Diana flageolèrent. Elle s'effondra pesamment sur une chaise.

— Tu aurais pu m'en parler... avant, gémit-elle.

— Personne ne vous donne votre liberté. On doit la gagner.

— Tu as toujours été libre.

— Non, Diana!

Avec un soupir, Amy s'assit en face de sa sœur et lui prit la main, se penchant par-dessus la table ovale de la cuisine.

— Toute ma vie, j'ai compté sur toi, dit-elle. Si je veux devenir enfin adulte, il va falloir que je m'assume.

— Mais pourquoi dans un autre Etat? Pourquoi pas ici?

— Ce n'est pas un caprice, tu sais. Je me bats pour ma vie.

« Et moi pour la mienne », se retint de hurler Diana. Elles n'avaient peut-être pas de liens de sang mais Amy représentait à ses yeux sa famille — oui, sa seule famille.

— Je ne sais quoi te dire, marmonna-t-elle, au bord des larmes.

— Je n'ai pas fini, dit Amy avec douceur.

Diana leva les bras, puis les laissa retomber sur ses genoux.

— Alors, je t'écoute. Finissons-en.

— Je voudrais partir seule.

— Seule? articula-t-elle laborieusement.

Mais cette fois-ci, elle avait compris. Amy était résolue à défendre farouchement son indépendance.

— Tu veux partir seule dans le Wyoming?

— Diana, s'il te plaît, écoute-moi. Ecoute-moi avec ton cœur.

La voix d'Amy se fêla mais elle poursuivit, en clignant des yeux contre l'étincelant flot de larmes qui soudain lui brouillait la vue:

— Tu as toujours été ma force. Quand je tombais, tu étais là pour me ramasser. Sans toi, je n'existais pas.

— Mais?...

La question avait jailli. Diana n'avait nulle envie d'entendre la suite. Pourtant, semblable au spectateur horrifié d'un accident, elle n'était pas capable non plus de s'en détacher.

Amy dit finalement :

— Je ne sais pas ce que c'est que de se prendre en charge.

— Précise ta pensée, Amy.

— Je dois... partir seule pour le Wyoming. Et il me faut y rester seule. Jusqu'à ce que je sois sûre que je n'ai plus besoin de toi, je ne te verrai pas, je ne te parlerai même pas.

Un gel glacé glissa le long de l'épine dorsale de Diana, drainant toute sa chaleur hors de son corps. Amy faisait partie d'elle-même au même titre qu'une jambe, un bras, le cœur... Comment vit-on si l'on vous arrache le cœur ?

— Est-ce une punition ? demanda-t-elle. Es-tu encore fâchée contre moi ?

— Oh, Diana... bien sûr que non, dit Amy dans un sanglot. Je t'aime. J'aurais donné ma vie pour toi.

— Alors je ne comprends pas pourquoi tu fais ça.

— On me donne enfin la chance de recommencer une nouvelle vie. De devenir quelqu'un par moi-même. Quelqu'un dont tu serais peut-être fière. Sais-tu ce que cela signifie pour moi ?

— Amy, je t'aime aussi. Comment peux-tu imaginer que je te laisserai sortir de ma vie comme ça, sans lever le petit doigt ?

— Tu m'aimes, soit, mais tu ne m'estimes pas. Et je veux gagner ton estime. Je t'en prie, tâche de me comprendre. C'est une question de temps. Nous ne resterons pas séparées pour toujours. Mais j'ai envie de changer. De m'améliorer...

— Je ne vois pas comment le fait de m'exclure de ton existence te fera changer.

— Si je fais un faux pas, tu ne seras pas là pour me remettre dans le droit chemin. Je serai obligée de résoudre seule mes problèmes. Sans ton aide. Et si je me fais mal, ce sera à moi de soigner ma blessure... Si je me remets à boire, je n'aurai pas d'autre choix que m'arrêter toute seule ou me laisser détruire par l'alcool.

Diana ne ressentait plus que la sourde douleur dans sa poitrine. Son cœur se déchirait. Pourtant, il lui était impossible d'ignorer le regard de désespoir d'Amy, la lueur de conviction dans ses yeux.

— Est-ce que cela sera long? demanda-t-elle.

— Je n'en sais rien encore. Je meurs de peur à l'idée de rencontrer ma mère pour la première fois, répondit Amy, le regard tourné vers la fenêtre. Est-ce que Travis t'a dit qu'elle ne voulait pas me voir, et qu'elle n'a pas changé d'avis?

— Elle ne mérite pas que tu te tracasses.

C'était la mauvaise réponse.

— C'est à moi de juger ce qu'elle mérite ou pas, Diana.

Tout avait été dit. Amy se déplaçait subrepticement vers le centre d'un nouveau cercle, celui de sa vraie famille, d'où Diana semblait bannie. Si le chagrin qui l'envahissait n'était qu'une fugitive perception de ce qu'Amy avait enduré pendant toutes ces années, alors celle-ci avait dû vraiment connaître une solitude sans fond.

— Je suis désolée, murmura Diana, incapable d'ajouter autre chose.

— Je sais que mes exigences sont difficiles à supporter. Mais dès que je saurai que je suis capable de survivre sans toi, je t'appellerai.

— Nos rapports ne seront plus jamais les mêmes.

Amy adressa un petit sourire contrit à sa sœur.

— Non. Ils seront meilleurs, dit-elle.

— Tu vas me manquer, soupira Diana.

— Pas autant que tu me manqueras, toi.

De nouveau, le regard d'Amy dériva vers la fenêtre.

— Promets-moi que tu ne tenteras pas de me voir ou de me contacter même si tu trouves le temps long... que tu attendras mon coup de fil.

Comme un automate, Diana répéta :

— Je te le promets.

— Attends... reprit Amy. Ce n'est pas tout.

— Que veux-tu de plus?

— Promets-moi que tu ne tenteras pas non plus de contacter Travis par lettre ou par téléphone. Ni de le voir, bien sûr.

Diana se sentit vaciller comme sous l'effet d'un coup violent... Avant qu'elle ait pu répondre, Amy poursuivit :

— Je sais que vous êtes devenus bons amis. Et je me dis que si vous le restez, ce sera pour toi un moyen de me contrôler. Or la rupture entre nous doit être complète.

Comme Diana ne répondait rien, Amy se retourna vers elle.

— Promis? fit-elle.

Elle arborait une expression innocente, qui apportait la réponse à toutes les questions que Diana s'était posées... Amy n'avait aucune idée du sacrifice qu'elle exigeait d'elle.

La douleur submergea Diana au point qu'elle crut ne plus pouvoir respirer. La solitude l'enveloppa dans son morne linceul. L'amour, le bonheur auxquels elle avait tant rêvé n'étaient plus que des numéros sur la roue incertaine de la fortune. Qui tirerait le bon numéro? Travis? Amy? Elle-même? Elle ignorait le dessous du jeu. Le gagnant devait-il être le plus démuni, le plus dépouillé? Si tel était le cas, elle savait depuis bien longtemps qu'elle ne chercherait pas à changer le cours des choses.

Elle regarda sa sœur droit dans les yeux.

— Promis, affirma-t-elle.

30

Pendant les deux jours qui suivirent, Diana vécut dans le brouillard, tandis qu'Amy se félicitait de ce qu'elle ne cessait d'appeler sa « seconde chance ». Et à mesure que le jour de son départ approchait, la jeune femme semblait devenir plus forte, plus déterminée.

Diana ne pouvait que se réjouir de la voir aussi sûre d'elle-même ; mais il lui fallait aussi faire le deuil d'une vie entière. La preuve était faite qu'Amy avait raison de vouloir affronter seule son avenir : il n'y avait qu'à la regarder. Elle resplendissait. Mais à la place du repentir que Diana espérait secrètement, Amy n'exprimait que la justification de ses discours passionnés... Lentement, inéluctablement, Diana dut se ranger à l'opinion de sa sœur, qu'elle rejetait pourtant du fond du cœur. Animée d'une volonté à toute épreuve, Amy demanda à son médecin l'autorisation de voyager le jeudi suivant. Elle acheta son billet d'avion dès qu'elle fut sortie de son cabinet.

Diana la conduisit à l'aéroport, refusant d'écouter une petite voix intérieure, infantile et égoïste, qui l'incitait à rappeler à Amy qu'elle était sa sœur, que c'était elle qui l'avait aidée, cajolée, consolée, et qu'elle avait maintenant le cœur brisé à la seule pensée de la perdre. Pourtant d'une nature patiente, Diana ne pouvait s'empêcher de craindre que les délais demandés par Amy pour construire sa nouvelle existence ne soient plus longs que prévu... Les semaines se mueraient en mois, sans nouvelles. Et elle n'aurait plus qu'à barrer chaque jour qui passait sur son calendrier, comme font les prisonniers.

Elles traversèrent le terminal en silence. Toute conversation semblait impossible. Elles n'avaient plus rien à se dire, sous peine de se répéter. Seule la peur tempérait la joie d'Amy. Et seul un mince espoir tirait Diana de son abîme de tristesse.

L'hôtesse appela les passagers du vol à destination du Wyoming. Les deux sœurs s'étreignirent. Diana parvint à garder les yeux secs alors qu'elle embrassait Amy. Elle réussit même à sourire en lui souhaitant bon voyage.

Lorsque Amy eut disparu par la porte d'embarquement, Diana se plaça devant la baie vitrée qui surplombait l'aérodrome. Elle vit la file des passagers gravir la passerelle de l'avion, attendit jusqu'à ce que la lourde porte de l'appareil soit refermée. La jeune femme ne bougea pas de son poste d'observation ; il ne serait pas dit que Diana Winchester n'était pas restée sur place, dans le cas où sa sœur aurait changé d'avis au dernier moment... Mais les employés au sol retirèrent la passerelle sans qu'Amy réapparaisse sur les marches métalliques.

L'avion emprunta lentement, majestueusement, la piste de décollage. Diana restait le nez collé à la vitre, le regard fixé sur les longues ailes argentées, les puissants réacteurs, la rangée de hublots derrière lesquels les passagers devaient probablement regarder le bâtiment de l'aérogare.

Le grand oiseau d'acier se lança sur la piste... Diana ne le quitta pas des yeux jusqu'à ce qu'il prenne son envol, jusqu'à ce qu'il ne soit plus qu'un petit point brillant dans le ciel, avant de disparaître. Alors, une larme roula sur sa joue.

Amy était partie. Elle ne reviendrait pas. Elle allait commencer une nouvelle vie, ailleurs.

Diana prit le chemin du retour, cherchant un peu de réconfort dans le décor familier qui défilait derrière les fenêtres de sa voiture. Mais rien n'était plus pareil. Aucun lien ne l'attachait aux gens qui se promenaient dans les parcs, sur les trottoirs des avenues, dans les différents quartiers. Elle avait vécu toute sa vie à Minneapolis. Et tout à coup, elle s'y sentait étrangère. Là où pourtant se trouvaient ses racines depuis plusieurs générations, il n'y avait plus pour elle que vide et solitude. Et si elle ne quittait pas cette ville, c'était tout simplement parce qu'elle ne savait pas où aller.

31

Sitôt rentrée de l'aéroport, Diana rompit la promesse qu'elle avait faite à sa sœur. Elle avait su dès le début qu'elle le ferait au moins une fois. Une seule... Par la suite, elle se conformerait à leurs conventions sans jamais les enfreindre. Mais elle n'avait pas le cœur d'abandonner Travis sans un mot, sans lui dire au revoir. Rien au monde, pas même Amy, n'aurait pu l'en empêcher. Ils ne s'étaient pas parlé depuis que le jeune homme avait quitté le Minnesota. Et pas seulement à cause des circonstances. Une fois le téléphone avait sonné. Amy était sous la douche. La voix de Travis s'était fait entendre mais Diana avait laissé le répondeur enregistrer le message. Elle n'aurait pas su quoi lui dire, comment lui expliquer qu'entre lui et Amy, elle avait choisi la seconde. Ceci était d'ailleurs inexact : il n'y avait pas eu véritablement de sélection, l'une n'avait pas pesé plus lourd que l'autre dans la balance. Mais les résultats étaient là : la sensation de perte, le déchirement, la détresse de Diana. Et son impression de s'être engagée dans une bataille d'où elle ne pouvait sortir que vaincue.

Elle emporta le téléphone sans fil sur la terrasse et composa le numéro de Travis. Il décrocha à la deuxième sonnerie.

— C'est moi, dit-elle.

— Oh, mon Dieu. Que c'est bon de t'entendre. Où es-tu ?

Elle se sentit perdue soudain et éprouva le besoin de rétrécir l'espace, de se retirer dans sa coquille... Elle rentra dans l'appartement.

— A la maison, répondit-elle.

— Mais que fais-tu là-bas ? Ton avion est supposé atterrir dans deux heures.

Diana se réfugia dans la chambre du bas et s'assit sur le lit...

— Amy arrive seule, dit-elle.

Une éternité s'écoula avant que Travis demande :

— Qui a eu cette idée ?

— Elle, répondit Diana.

— Je savais qu'elle ne voulait pas revenir à Minneapolis, mais elle n'a jamais mentionné...

— Travis, coupa-t-elle. J'ai quelque chose à te dire. Cela ne sera pas facile à digérer mais je te demande de m'écouter autant avec ton cœur qu'avec ton esprit.

Le téléphone en main, Travis se dirigea vers la fenêtre d'où il jeta un regard à l'arbre qu'il avait planté le matin même. Il l'avait choisi pour célébrer l'arrivée de Diana, un petit arbuste qu'ils regarderaient pousser ensemble.

— Tu vas m'annoncer une nouvelle qui ne va pas me plaire, n'est-ce pas ? fit-il.

— Pas plus qu'à moi, répondit-elle.

Il ne lui fallut pas plus de deux ou trois minutes pour le mettre au courant, il l'écouta sans le moindre commentaire, se refusant intérieurement à admettre qu'ils ne parviendraient pas à enjamber le gouffre qu'Amy avait creusé entre eux. Mais peu à peu, phrase après phrase, la réalité s'imposa à lui. C'était vrai, Amy n'aurait jamais quitté Diana si elle n'avait pas senti dans chaque fibre de son corps que cela lui était nécessaire.

— Je ne savais pas quoi faire, finissait d'expliquer Diana. A part la laisser s'en aller seule.

— Depuis quand sais-tu ça ? demanda-t-il, sans trop savoir pourquoi c'était si important.

— Depuis deux jours.

— Pourquoi as-tu attendu aussi longtemps pour me téléphoner ?

— J'avais besoin de temps. D'ailleurs, j'ai même promis à Amy que je ne le ferais pas.

— Elle t'a demandé de lui promettre que tu ne me parlerais pas ? Pas même au téléphone ?

Il ne pouvait s'arracher à sa contemplation de l'arbre.

— Je sais à quoi tu penses, dit Diana, mais tu te trompes. Elle ne sait rien pour nous.

— Alors pourquoi...

— La rupture doit être totale. Ce sont ses propres mots.

— Mais on peut continuer à se parler. Elle n'en saura rien.

— Peut-être, mais je ne suis pas d'accord. J'ai juré, Travis. Amy ne m'a jamais rien demandé de sa vie. Pas une fois. (Sa voix se brisa.) Pas même quand ce sale type l'a agressée.

Travis laissa échapper un soupir. Il ne pouvait pas se résoudre à raccrocher. Il fallait coûte que coûte trouver le moyen de se revoir.

— Ma chérie, dit-il, tu n'auras pas à rompre ta promesse. C'est moi qui viendrai à toi.

Il regretta ces paroles sitôt qu'il les eut prononcées.

— Excuse-moi, se reprit-il. Mais je ne partage pas ton point de vue.

— Patientons quelque temps... C'est peut-être une question de deux ou trois semaines.

Il n'en crut pas un mot.

— Il a fallu des années à tes parents pour détruire Amy. Et même si ma mère n'était pas en train d'affûter ses couteaux pour lui déclarer la guerre dès qu'elle aura mis le pied à terre, elle aurait besoin de bien plus que quinze jours pour comprendre ce qu'elle veut.

— Cela ne change rien à la promesse que je lui ai faite.

— Mais tu ne crois pas plus que moi que c'est une question de semaines, avança Travis.

— Alors... quelques mois, concéda-t-elle.

Il ne la crut pas davantage.

— Pourquoi te comportes-tu comme si nous n'allions plus jamais nous revoir? fit-il.

— Probablement parce que tu es parti depuis une semaine, qui m'a paru plus longue que l'éternité, dit-elle doucement. Voilà ce qui arrive quand on tombe amoureux.

Travis s'appuya au mur, secoué par l'émotion douce-amère que cet aveu faisait naître en lui.

— Que ferais-je sans toi? murmura-t-il.

— La même chose qu'avant de me rencontrer.

Il n'eut plus la force d'argumenter.

— Ma chérie, attends-moi, supplia-t-il.

— Oui, dit-elle. Pour toujours.

— Je t'aime, Diana.

Elle marqua une pause interminable.

— Avant de te connaître, j'ignorais ce qu'était l'amour. (Elle étouffa un sanglot.) Prends soin d'Amy.

Il voulut répondre mais elle avait raccroché.

Amy se pencha sur son siège, les yeux fixés à travers le hublot sur la couronne de montagnes qui ceignaient la vallée, tandis que l'avion amorçait sa descente vers Jackson Hole. Depuis plus d'une heure, elle triturait nerveusement un paquet de cacahuètes qu'elle n'avait même pas ouvert... L'idée de grignoter l'une de ces graines grillées et salées la répugnait. Elle ne pouvait rien avaler. Elle avait eu du mal à vider son verre de soda. La peur lui nouait l'estomac.

L'appareil se posa, puis s'arrêta en bout de piste. Elle défit sa ceinture de sécurité avant d'emprunter l'allée vers la sortie. Un changement venait de se produire, réalisa-t-elle : au lieu de fuir le passé, elle avançait vers l'avenir.

Travis l'attendait devant la porte de débarquement. Il la serra fortement dans ses bras, ne lui laissant aucun doute sur le fait qu'elle était la bienvenue.

— Papa a préféré rester à la maison, dit-il. Il a pensé que tu serais vite submergée si nous venions tous à l'aéroport.

— Tu es venu seul, alors?

— Sharon nous attend dans la voiture.

Il ne demanda pas de nouvelles de Diana, confiant à Amy l'initiative de l'informer. Il prit son sac de voyage avant de la guider vers le tapis roulant où tournoyaient les bagages.

— J'ai réussi à tout mettre dans deux valises, dit-elle.

Elle lui avait annoncé au téléphone qu'elle avait donné ses meubles, le mettant devant le fait accompli. Il aurait préféré pourtant qu'elle soit moins impatiente. Qu'elle s'accorde le temps de s'installer avant de tout abandonner. Mais la patience ne faisait pas partie des qualités d'Amy. Amy était de ceux qui pourraient sauter du haut d'une falaise sans savoir nager... Et aujourd'hui, elle paraissait plus déterminée que jamais.

— Pas de regrets? s'enquit-il.

— Si, mais pas ceux que tu crois. Je savais qu'il serait dur de quitter Diana. Mais maintenant, je sais mieux encore.

— Je croyais qu'elle viendrait avec toi, dit Travis nonchalamment, jouant à contrecœur l'innocence.

— Elle a pris soin de moi toute ma vie. J'ai décidé qu'il était temps de me prendre en charge.

— Je pense qu'elle n'aurait rien contre ça...

— Peut-être, mais je ne voulais pas qu'elle m'accompagne. J'espère que, puisqu'elle n'aura plus à s'occuper de moi sans relâche, elle rencontrera enfin un type formidable avec qui elle se mariera et aura une demi-douzaine de marmots.

343

Travis allait ouvrir la bouche pour faire une remarque, lorsqu'il vit Sharon se frayer un passage dans leur direction.

— Je n'en pouvais plus d'attendre! s'exclama celle-ci, tendant la main à l'arrivante. Salut! Je suis Sharon... ta grande sœur.

Amy prit sa main.

— Je suis Amy...

— Cela se voit. Je t'aurais reconnue n'importe où.

Sharon lui encadra le visage de ses paumes et la scruta au fond des yeux.

— Tu sais que tu es la plus jolie de nous toutes?

— Mais, je ne suis pas...

— Tu perds ton temps, coupa Travis. Sharon a toujours le dernier mot. Elle est la tête de mule du clan Martell.

— Ne l'écoute pas, rétorqua Sharon. Il est furieux parce que les filles Martell comptent un membre de plus dans leur camp. Quand nous étions trois contre un, il pouvait encore placer un mot de temps à autre. Maintenant que nous sommes quatre, il n'aura plus une chance d'entendre le son de sa propre voix...

Travis avait toujours voué une profonde estime à Sharon. Il ne l'avait cependant jamais admirée autant qu'à ce moment. En une minute, avec juste quelques mots bien choisis, elle avait réussi à inclure Amy dans la famille. A présent elle entraînait la jeune femme vers la sortie.

— Nous t'attendons dans la voiture, lança-t-elle à son frère. (Elle se tourna de nouveau vers Amy.) J'ai apporté quelques photos de la famille. Bah... rien de spécial. Nous autres à différents âges. (Elle pouffa.) Attends de voir Travis à dix ans. Maigre comme un clou, tout en oreilles et genoux... Evidemment, il est devenu le plus beau garçon de Jackson. Mis à part Davis, évidemment.

— Avant de l'épouser, Davis lui a fait signer un papier

selon lequel elle s'engageait à ne pas chanter nuit et jour ses louanges... se moqua Travis.

Sharon, riant, passa son bras sous celui d'Amy.

— Ne crois pas un mot de ce qu'il dit, fit-elle.

— Mes valises sont vertes, avec une bande adhésive orange autour des poignées, cria Amy à l'intention de Travis, tandis qu'elle se laissait piloter vers les portes de sortie.

— Papa a dû user le tapis à force de piétiner en attendant que nous soyons là... reprit Sharon une fois dehors. Il a hâte de te connaître. Faith est à la maison aussi. Elle a apporté un cadeau pour toi, après quoi elle l'a trouvé ridicule. Elle l'a remporté et a acheté des fleurs à la place... Pas un mot de tout ça, bien entendu. Prends un air enchanté. Elle m'arracherait les yeux si elle savait que je te l'ai raconté.

Travis sourit en les suivant du regard, tandis qu'elles sortaient du terminal. Une étincelle d'espoir jaillit dans son cœur. Peut-être que tout irait bien, après tout. Entourée d'une famille aimante, Amy trouverait vite ses repères. Elle prendrait de l'assurance. Elle recouvrerait cette force intérieure qui lui avait permis jusqu'à présent de survivre. Alors, elle accepterait de retrouver Diana... « Tout est bien qui finit bien », se dit-il avec un regain d'optimisme.

— Tiens, Travis, qu'est-ce que vous faites ici ?

Il leva la tête. C'était Joyce Lockford, une amie de sa mère, qui s'approchait.

— Je suis venu chercher ma sœur, répondit-il.

— Ah !... Si j'avais su, je vous aurais prié de raccompagner Jack à la maison. Sa voiture est au garage et il a dû prendre hier le vol de Casper.

— Est-il toujours en train de se demander s'il va acheter ce taureau ?

Joyce eut un profond soupir.

— Oui, bien sûr... fit-elle. Tu le connais, il pèse indéfiniment le pour et le contre. Mais... Comment va ta mère? Il y a longtemps que je ne l'ai vue.

La question heurta Travis aussi violemment que la foudre. Il se rappela alors que sa mère se préparait à combattre... Comment avait-il pu espérer que le chemin d'Amy vers sa maison serait tapissé de pétales de roses?

32

Parvenue dans le hall de son immeuble, Diana extirpa son courrier de sa boîte aux lettres puis se dirigea vers l'ascenseur. Un petit cœur griffonné sur un morceau de papier par Rachel, la fille de Stephanie, fit éclore un sourire attendri sur ses lèvres... Des dizaines de ces images affectueuses recouvraient son réfrigérateur; la collection avait commencé le jour où son adorable filleule avait reçu, à un an et demi, sa première boîte de crayons de couleur. Mais alors que Diana voyait dans ces dessins un talent authentique, Stephanie prétendait qu'il ne s'agissait que des gribouillages d'une enfant dont le seul but était de créer son chef-d'œuvre sur le mur du salon...

Un éventail de prospectus publicitaires, de revues et de factures ne capta ensuite que très fugitivement son attention. Puis, dans le lot, elle aperçut deux lettres qui lui parurent intéressantes. La première contenait l'invitation à un buffet lors d'une vente aux enchères au bénéfice des refuges de femmes battues de Minneapolis et Saint Paul.

« Invitée d'honneur, Mlle Diana Winchester. »

Elle sourit, à la fois surprise et ravie. Ces manifestations obéissaient à un règlement archaïque selon lequel on ne révélait pas le nom de l'invité d'honneur avant que les bristols soient expédiés... Cette année, les organisateurs avaient présumé que tout le monde approuverait le choix du comité. Il y avait une douzaine d'autres personnes pressenties, mais pas une qui ait fait une donation de deux cent cinquante mille dollars — au nom d'une sœur disparue de la circulation depuis près de deux ans.

En vérité, c'était de M. et Mme Winchester que le comité aurait dû chanter les louanges... Diana ne leur avait jamais avoué où était passé leur argent, d'abord parce qu'ils ne lui avaient pas donné une chance de s'expliquer, mais surtout parce qu'elle n'avait pas envie de revivre la pénible scène de rupture. D'une manière ou d'une autre, ils avaient dû découvrir cependant le pot aux roses. Peut-être par les journaux, ou par des amis de sa mère? Diana n'aurait pas su le dire. La source de renseignements importait peu. Mais l'appel téléphonique qui avait suivi valait son pesant d'or... Eileen avait excellé dans le rôle du messager, tandis que Carl s'était cantonné dans celui de la majesté outragée. La décision de leur fille de leur infliger une humiliation publique ne pouvait revêtir pour eux qu'une seule signification : la fin inéluctable, irrévocable, de leurs relations.

Diana enfouit la lettre dans son sac, jeta les publicités dans la poubelle et reprit le chemin de l'ascenseur. Elle appuya sur le bouton. En attendant la cabine, elle reprit son tri du courrier. L'enveloppe couleur crème qu'elle trouva sous un formulaire de demande de carte de crédit, avec son nom et son adresse tapés à la machine, ressemblait à une invitation ou un faire-part. Pourtant, son allure fit naître un étrange émoi dans le cœur de la jeune femme. Une sensation qu'elle n'avait pas éprouvée depuis deux ans, maintenant...

Elle ne se donna pas la peine de vérifier le nom de l'expéditeur. Son pouce déchira l'enveloppe à petits coups successifs. Elle en tira un feuillet manuscrit.

Son cœur cogna lorsqu'elle reconnut l'écriture... Pendant un long moment, elle fixa le papier puis, peu à peu, distingua les mots tracés de la main même d'Amy.

Diana,

Qu'il est dur de prendre un stylo et une feuille de papier pour t'écrire, alors que, mentalement, je t'ai envoyé une lettre par jour depuis que je suis ici! Dans mon cœur, j'ai partagé avec toi mes joies, mes peines, et aussi bizarre que cela puisse paraître, je t'ai sans cesse sentie à mon côté, me poussant à résister, à avancer, et certains matins, à puiser en moi le courage nécessaire pour rester à Jackson.

Avant de partir, je t'avais dit que je ne te donnerais pas de nouvelles avant de m'être ressaisie... Mais ne t'empresse pas de déboucher le champagne! Je vais bien, encore que, certains jours, j'ai envie de m'en aller sans plus jamais regarder en arrière. Je ne suis sûre que d'une chose : je ne peux plus vivre un seul jour sans te voir. Surtout maintenant.

J'ai rencontré un homme, Diana. Il s'appelle Peter Drennan. Il prétend m'aimer et, curieusement, je le crois. Il voudrait m'épouser mais je lui ai dit qu'il doit d'abord te rencontrer.

Peux-tu — veux-tu — venir à Jackson? Le week-end prochain, ce serait parfait. Sharon va célébrer son trentième anniversaire et nous avons organisé une grande fête au ranch. Tout le monde a hâte de te connaître. Je parle de toi tout le temps.

Diana, s'il te plaît, viens. Je t'aime. Et tu me manques plus que les mots ne peuvent l'exprimer.

Amy.

C'était Amy tout craché. A peine Diana commençait-elle à s'habituer au vide, au silence, à peine la douleur de l'absence s'était-elle radoucie qu'elle réapparaissait, fraîche et dispose, prête à renouer les liens qu'elle avait elle-même brisés.

Diana regarda la lettre, en proie à des émotions contradictoires. Colère contre Amy qui avait attendu si longtemps pour lui donner signe de vie. Soulagement de la savoir heureuse. Peur qu'en se retrouvant elles n'aient plus rien à se dire. Comme de vieilles camarades de classe, se croisant par hasard lors d'une réception et se disant des banalités du genre : « Vous ici ? » ou : « Quoi de neuf ? »

Et Travis ? Amy ne le mentionnait pas. Ils avaient été amis, après tout. Du moins, sa sœur l'avait cru.

Comment survivrait-elle si elle découvrait qu'il avait trouvé une autre femme ?

La porte de l'ascenseur coulissa ; une voix fit dans le dos de Diana :

— Tu m'attends ? J'en ai pour une minute.

Elle se retourna. Stephanie lui souriait. Elle avait Rachel sur la hanche, et un énorme panier de provisions dans sa main libre. Diana fourra son paquet de lettres dans son sac, retraversa le hall en direction de son amie. Elle prit la petite fille dans ses bras, tandis que Stephanie ouvrait sa boîte aux lettres.

Rachel Gorham représentait une étoile étincelante dans le ciel obscur des deux dernières années... Il était impossible de ne pas rendre le resplendissant sourire que la remuante petite fille vous adressait de toutes ses dents de lait.

Une main dodue monta vers l'une des boucles d'oreilles de Diana, qui s'esquiva juste à temps pour sauver son anneau d'or. Le bandeau rose élastique qui ceignait la tête de Rachel glissa, libérant les touffes de cheveux bruns qui rebiquaient dans tous les sens. Diana eut un doux rire, tandis qu'elle attrapait la petite main récalcitrante et embrassait la joue de la gamine.

— Tu sais que tu es trop jeune pour avoir le cheveu triste ? fit-elle. Mais nous allons dire à ta vieille mère ce que nous pensons de ces vilains bandeaux...

— Oh ! oh ! Qu'est-ce que tu es en train de raconter à ma fille ? fit Stephanie en laissant tomber son courrier dans son sac de provisions.

— Nous avons décidé que les bandeaux doivent disparaître, dit Diana.

L'ascenseur arriva et toutes les trois entrèrent dans la cabine.

— Vraiment? reprit Stephanie. Faut-il lui mettre un écriteau autour du cou signalant que c'est une fille? Nous en avons discuté l'autre jour, n'est-ce pas, mon petit chou? Je t'ai promis que tu n'auras plus de ruban rose dès que tes cheveux auront repoussé, et tu m'as promis de ne plus les couper toute seule...

Diana enfouit son nez dans le cou de la petite fille et attendit l'inévitable glapissement d'enchantement.

— Faut-il que les gens soient bêtes pour ne pas se douter que ces grands yeux langoureux n'appartiennent pas à un garçon! s'exclama-t-elle.

La cabine s'arrêta à l'étage de Stephanie. Au lieu de sortir, celle-ci lança à Diana un regard empreint d'inquiétude.

— Ça n'a pas l'air d'aller, dit-elle. Qu'y a-t-il?

Les facultés de perception de Stephanie avaient toujours impressionné son entourage... Diana aurait juré que rien dans son expression ne trahissait son tourment.

— Je t'en parlerai plus tard, répondit-elle, évasive.

— Cela n'a rien à voir avec ton travail, non? (Stephanie n'attendit pas la réponse.) Oh... Mon Dieu! Tu as eu des nouvelles de Travis!

Diana secoua la tête.

— Non. D'Amy.

Stephanie avança la main pour empêcher la porte de se refermer.

— Elle t'a appelée au bureau?

— Elle m'a envoyé une... (Diana changea Rachel de bras, afin de pouvoir extirper la lettre de son sac.) Regarde... Tu peux la lire toi-même.

Stephanie saisit le feuillet, tandis que la porte coulissait de nouveau. Elle se déplaça devant le faisceau électronique qui commandait sa fermeture.

— Viens! Nous allons...

— Pas maintenant, dit Diana. J'ai besoin de rester seule un moment. Je dois penser à un tas de choses.

— Je te donne une heure. D'ici là, Rachel dormira et nous pourrons bavarder sans être dérangées.

— Peut-être demain.

— Il faut que tu manges. Je vais préparer...

— Stephanie, n'insiste pas.

Stephanie écarquilla les yeux.

— Comment? Mais je n'insiste jamais!

Diana, qui s'était résolue à monter chez elle à pied, escorta son amie jusqu'à sa porte.

— Je te ferai savoir si, après tout, je change d'avis, dit-elle en lui mettant la petite Rachel dans les bras.

— J'ai scrupule à te laisser partir dans l'état où tu es.

Avoir une amie comme Stephanie relevait à la fois de la bénédiction et du cadeau empoisonné... Personne ne la connaissait mieux que Stephanie. Sauf peut-être Amy. Mais il y avait si longtemps... C'était dans une autre vie.

— Je vais bien, assura-t-elle.

La petite Rachel s'échappa des bras de sa mère et disparut au fond de l'appartement comme une flèche.

— Seigneur, fit Stephanie. Je n'aurai pas une chance de lire la lettre. Est-ce qu'elle parle de Travis?

Diana secoua la tête.

— Pas un mot. Elle voudrait que j'aille à Jackson le week-end prochain. Pour différentes raisons.

— Et tu vas y aller?

— Je ne sais pas. Je n'ai pas encore décidé.

Elle sut soudain qu'elle venait de prendre sa décision, au moment même où elle avait prononcé cette phrase. Cela dut apparaître sur son visage, car Stephanie rétorqua immédiatement:

— Je suis sûre que si.

— Tu as raison...

— Alors?

— Comment pourrais-je refuser?

Diana eut alors l'impression qu'après avoir passé deux

ans à pousser vainement une porte qui ne voulait pas s'ouvrir, elle y parvenait tout à coup.

— Dire que je me suis cru la personne la plus compréhensive du monde, dit-elle. J'étais convaincue d'avoir compris les raisons pour lesquelles Amy voulait couper les ponts. Mais je viens de m'apercevoir que sous mon masque altruiste, je n'ai jamais accepté un mot de ce qu'elle m'expliquait.

Secouée par cette prise de conscience, elle s'interrompit, incapable de poursuivre.

— Ce qui prouve que tu es humaine, après tout, déclara Stephanie.

— Sa lettre m'a prise de court. J'ai ressenti une douleur, une colère dont j'ignorais jusqu'à l'existence... Amy m'a blessée. Mais il est temps à présent de faire la paix avec elle... La vraie paix, ajouta Diana en fronçant les sourcils.

— Et Travis?

— Quoi, Travis?

— Vas-tu aller là-bas, sans nouvelles de lui?

— Je ne suis pas idiote! Aucun homme ne m'attendrait deux ans. Surtout que je lui ai renvoyé son courrier sans l'ouvrir et que je lui ai raccroché au nez une centaine de fois...

A l'instar d'une alcoolique, elle s'était dit qu'une seule gorgée suffirait à provoquer une rechute... Elle s'était crue perdue si elle répondait à un coup de fil ou à une seule lettre. Elle serait alors incapable de tenir la promesse qu'elle avait faite à Amy. Et quand les semaines s'étaient changées en mois, elle s'était rendu compte que la séparation n'était pas temporaire, comme ils l'avaient pensé. Elle était définitive. Travis avait cessé de l'appeler. Et Diana, persuadée qu'il l'avait remplacée dans son cœur, ne l'avait pas relancé. S'il avait poursuivi son chemin sans elle, tant mieux pour lui. Mais elle ne voulait pas le savoir. Elle s'était contentée des songes qui la berçaient chaque nuit.

— Fais attention... dit Stephanie d'une voix sévère. Je sais aussi bien que toi que tu es amoureuse de ce garçon. La preuve, tu n'as pas regardé un autre homme depuis deux ans.

— Peut-être que le voir avec une autre m'aidera à recommencer à vivre, moi aussi.

Si toutefois c'était possible... Elle avait lu et relu le bloc-notes qu'il lui avait laissé. Grâce à ce qu'il y avait écrit, elle avait réussi à mieux le cerner. Et au fil du temps, au lieu de décroître, son amour pour lui n'avait fait que se renforcer.

Un bruit de vaisselle cassée en provenance de la cuisine, suivi d'un cri perçant, fit sursauter Stephanie.

— Ne t'en va pas! cria-t-elle en se précipitant à l'intérieur de l'appartement. Je reviens tout de suite.

— Occupe-toi de Rachel, répondit Diana. Et moi, je m'occuperai de moi-même.

Elle poussa la porte de l'escalier et se mit à gravir les marches vers l'étage du dessus. Ses propres mots résonnaient dans sa tête. Amy n'avait-elle pas souhaité la même chose, finalement? S'occuper d'elle-même?

33

Au lieu de se diriger tout droit vers le ranch, après avoir été chercher Diana à l'aéroport, Amy prit plus au nord, vers un site qui surplombait la route. Là un cours d'eau, autrefois bordé d'arbres et peuplé de castors, cheminait tranquillement vers la Snake River. Une paix millénaire descendait sur les montagnes environnantes et jusque dans la vallée. Le temps paraissait suspendu, ne laissant plus aucune place aux soucis quotidiens. Amy venait souvent y trouver refuge, lorsqu'elle avait besoin de réfléchir.

Le trajet s'était déroulé dans un calme peu naturel... Les deux sœurs semblaient avoir perdu leur ancienne complicité. Certes, elles auraient pu parler de l'économie du pays ou de la future campagne électorale, mais pas du nouveau vernis à ongles d'Amy ou du diamant de deux carats — cadeau de Stuart — que Diana avait offert à une association caritative.

— Pourquoi sommes-nous venues ici? demanda-t-elle.

— Pour que tu puisses me dire tout ce que tu as sur le cœur, répondit Amy en ouvrant la portière de la voiture. Allons faire quelques pas près de la rivière. Tu dois en avoir assez de rester assise.

Elles empruntèrent un sentier en silence. Au bout de quelques mètres, Diana explosa enfin :

— Je suis furieuse contre toi, Amy!

— Je le sais et je ne t'en blâme pas.

— Oh, non. Tu n'en sais rien. Comprendre les autres n'a jamais été ton point fort. (Elle mit ses mains dans ses poches, puis les ressortit dans un geste de rage impuissante.) Dans ta lettre, tu donnais l'impression que, malgré tes fiançailles prochaines, tu n'étais pas encore sûre de toi. Que tu luttais toujours pour te faire accepter par ta nouvelle famille. J'arrive... et que vois-je? L'image même de l'épanouissement et du bonheur... C'est vrai, je ne t'ai jamais vue aussi resplendissante.

— Merci... Je le crois aussi.

— Ce n'était pas un compliment.

Diana, qui avait pris un peu d'avance, se retourna pour dévisager sa sœur. De nouveau, la colère flamba dans ses yeux.

— Pourquoi as-tu attendu aussi longtemps avant de me donner de tes nouvelles? reprit-elle. Ne me dis pas que tu n'avais pas une minute à toi. Que tu n'as pas trouvé un instant de libre pour me passer un coup de fil.

Amy baissa les paupières. Les accusations de Diana dissimulaient une peine immense qui lui brisait le cœur.

— Je suis désolée, murmura-t-elle. Je ne voulais pas te blesser.

— Tu ne m'as pas appelée, pas une seule fois. Pourquoi?

— Parce que, jusqu'au mois dernier, pas un jour ne s'est écoulé sans que je souhaite partir d'ici... Si je t'avais téléphoné, tu m'aurais incitée à rentrer, et j'aurais sauté dans le premier avion.

Chez Diana, l'inquiétude remplaça aussitôt la colère. L'air soucieux, elle revint sur ses pas.

— Pourquoi? fit-elle. Que s'est-il passé? As-tu eu des problèmes?

Amy la regarda longtemps avant de répondre :

— Ah, ma douce, ma merveilleuse sœur chérie, toujours prête à voler à mon secours, à prendre ma défense au lieu de me tordre le cou... Tu vois maintenant pourquoi je ne t'ai pas appelée ? J'avais besoin de quelqu'un qui m'écoute, pas de quelqu'un qui arrive en courant pour m'aider.

Avec une lucidité brutale, Diana saisit soudain ce qu'Amy avait tenté de lui faire comprendre depuis longtemps.

— Oui... dit-elle. Tu avais besoin d'une amie plutôt que d'une sœur.

— Mais ce n'était pas ta faute. Je t'ai laissée t'occuper de moi, mettre de l'ordre dans ma vie et tout à coup, quand j'ai décidé que j'étais assez grande pour me prendre en charge toute seule, j'ai changé les règles du jeu. Je t'ai mise devant le fait accompli.

— Je suis fière de toi, déclara Diana. (Elle eut du mal à prononcer la suite :) Et je suis jalouse... avoua-t-elle.

— Jalouse ? s'étonna Amy. Mais pourquoi ?

— J'aimais m'occuper de toi. Je souhaitais que tu aies besoin de moi.

— J'ai toujours besoin de toi.

— Mais pas de la même manière.

— Et cela te dérange ? s'enquit Amy avec prudence.

— Non. Il faudra simplement que je m'y habitue.

Diana réfléchit un instant avant d'ajouter :

— Je crois que j'aimerais être ton amie.

Amy essuya du revers de la main les deux sillons brillants qui lui mouillaient les joues.

— Oh, flûte ! fit-elle. Je m'étais juré de ne pas pleurer.

Diana voulut prendre son sac où elle avait rangé un paquet de mouchoirs en papier, puis se rendit compte qu'elle l'avait laissé dans la voiture.

— Navrée, dit-elle. Il va falloir que tu utilises ta manche.

A travers ses larmes, Amy sourit.

— Je t'aime, dit-elle.

— Je t'aime aussi, répondit Diana, prenant sa sœur dans ses bras.

Enlacées, elles revinrent vers la voiture. Leurs têtes se touchaient, leurs semelles glissaient avec aisance sur les cailloux.

— Et maintenant, dit Diana, raconte-moi tout.

— Es-tu sûre de vouloir savoir?

— Certaine! décréta-t-elle en tapotant l'épaule de sa sœur. Après tout, il faut que j'apprenne à t'écouter sans rien dire.

Elles reprirent la voiture. Pendant le trajet en direction du ranch, Amy narra par le menu l'attaque que Dorothy avait orchestrée contre elle, avec la minutie d'un stratège. Fidèle à sa nature, Mme Martell n'avait pas fait amende honorable. Elle n'avait pas cherché le dialogue. Au contraire, elle avait tout tenté pour discréditer aux yeux de l'opinion publique la fille qu'elle avait jadis abandonnée. Comme si en ruinant la réputation d'Amy, elle pouvait justifier sa conduite passée. D'après Sharon, Dorothy avait réussi à se persuader qu'en sacrifiant Amy elle sauvait le reste de sa famille.

Dorothy avait embauché un détective; il était remonté jusqu'à l'adolescence d'Amy... Mais au lieu d'utiliser toutes ses informations en même temps, Mme Martell avait distillé subtilement le poison à ses amis et à ses filles cadettes.

La rumeur avait fait le tour de la ville, provoquant une série de réactions allant de la curiosité à l'indignation. La sympathie qu'Amy s'était attirée au départ se volatilisa. Les amis de la famille se divisèrent en deux camps, selon leur âge et leur loyauté vis-à-vis de Gus ou de sa femme...

Bientôt, cette dernière s'afficha comme la championne des valeurs familiales. Elle prétendait voir en Amy une force destructrice. Les braves gens de Jackson compatissaient. Elle ne leur avait rien épargné de ce qu'elle appelait le passé sordide d'Amy. L'alcool, la drogue, les cures de désintoxication, son arrestation pour prostitution... Elle la dépeignait comme une intrigante, une intruse, uniquement intéressée par la fortune des Martell. Gus, quant à lui, passait pour un naïf, aveuglé par la joie de découvrir qu'il avait une fille de plus.

La guerre entre les deux époux prit fin le jour où Gus annonça à qui voulait l'entendre que l'un de ses enfants allait enfin lui succéder à la tête de son exploitation agricole. Alors seulement, Dorothy baissa les bras. Elle boucla ses bagages et s'en alla chez sa mère, dans l'Ohio. Judy la suivit d'abord, puis revint quelques mois après. Elle loua un appartement en ville et commença à travailler à mi-temps avec Sharon au magasin.

Des formulaires de divorce arrivèrent chez Gus deux mois après le départ de Dorothy. Il mit son avocat sur l'affaire. Les deux hommes proposèrent alors un arrangement à l'amiable, afin d'éviter la vente d'une partie du ranch... Mais il y avait peu de chances pour le moment que Dorothy accepte.

Diana écouta ce récit attentivement. Elle posa quelques questions mais déploya un effort considérable pour s'abstenir du moindre commentaire... « Elle a bien appris sa leçon », pensa Amy avec un sourire.

La voiture prit un tournant, emprunta une allée de graviers.

— C'est par là, expliqua Amy.

— Rien n'a changé, dit Diana.

Amy lui jeta un rapide coup d'œil, puis sourit.

— Il est vrai que tu es venue ici avant moi, dit-elle. (Elle ralentit pour laisser traverser un lièvre.) Qui eût cru que j'apprécierais la vie au grand air? ajouta-t-elle.

— Pas moi, en tout cas, répondit Diana en pouffant.

— J'ai hâte de te présenter le petit Carter, fit soudain Amy.

— Qui est-ce?

— Mon neveu. Le fils de Sharon. Un bébé adorable.

Amy ne connaissait rien aux bébés et semblait fascinée par celui-ci.

— Ah! oui... fit Diana. J'avais oublié qu'à l'époque Sharon était enceinte.

Elle songea à Rachel, mais décida d'annoncer plus tard la nouvelle à sa sœur.

— Veux-tu connaître la dernière de Travis? demanda celle-ci.

— Non, répondit Diana très vite. (Trop vite... Elle chercha à se rattraper :) Je suppose qu'il sera de la fête, ce soir... On se verra à ce moment-là...

Amy se cala dans son siège, surprise, presque stupéfaite en découvrant qu'elle ne s'était donc pas trompée au sujet de Travis et Diana... Au début pourtant elle n'avait rien compris, et là résidait pour elle le mystère.

— Il a appelé hier, dit-elle. Il arrivera en retard.

— Est-ce qu'il... sait que je serai là?

Impossible de ne pas remarquer combien ces mots étaient difficiles à prononcer pour Diana.

— Non, répondit Amy. Personne n'est au courant. Ce sera une surprise pour tout le monde.

Diana se tourna vers le paysage qui défilait derrière la fenêtre. Elle était donc prise dans le piège dont elle avait elle-même mis au point le mécanisme. Pieds et poings liés par ses mensonges... Par son acharnement à garder secrète sa liaison avec Travis... Et par ces deux longues années de séparation.

Diana se fraya un passage dans la pièce bondée, souriant à une femme qu'on lui avait présentée un peu plus tôt — Mandy, ou Sandy, elle ne savait plus — et saluant d'un signe de tête un adolescent qui portait un ceinturon orné d'une énorme boucle. C'était la première fois qu'elle assistait à une réception aussi gaie, où tout le monde semblait bien se connaître et s'apprécier. Le plus remarquable, c'était qu'elle ne se sentait pas étrangère au milieu des invités. Ceux-ci considéraient « la sœur d'Amy » comme une Martell, nullement déroutés par la complexité de leur lien de parenté.

Elle avait été accueillie quelques heures plus tôt au sein de la famille avec un enthousiasme général, auquel seule

Judy avait fait exception. La jeune fille s'était montrée polie mais réservée. Gus, quant à lui, après un moment de surprise, s'était joyeusement emparé de ses bagages, les avait déposés dans la chambre d'amis en déclarant qu'elle était ici chez elle et pouvait rester autant qu'elle le souhaitait. Si elle avait pensé un seul instant que c'était pure politesse de sa part, elle ne serait pas restée. Mais elle crut immédiatement à la sincérité de Gus Martell.

Ç'avait été pareil avec Sharon. A peine s'étaient-elles fait la bise que Diana avait eu l'impression de la connaître depuis toujours. En revanche Faith, comme Judy, avait commencé par lui témoigner une certaine réticence. Mais la jeune femme fut conquise pendant le déjeuner. Entre la poire et le fromage, elle avait bombardé Diana de mille questions sur son métier à *Sander's Food*. La vérité était que Diana incarnait tous les rêves de Faith... Cette dernière mourait d'envie de connaître l'excitation des grandes villes, de travailler dans une société internationale, de découvrir tout un monde dont elle avait seulement entendu parler par les riches touristes qui visitaient Jackson Hole.

Diana sortit de la salle de séjour noire de monde et déboucha dans le hall presque désert. Elle remonta légèrement la manche de son chandail pour consulter sa montre. Travis avait deux heures de retard.

Elle alla se placer devant la fenêtre, à côté de la porte d'entrée, et observa l'allée vide. « Peut-être ne viendra-t-il pas », songea-t-elle avec un mélange de soulagement et d'amertume. Elle aurait dû interroger Amy, afin de s'épargner la crainte de le voir arriver au bras d'une autre femme... Elle serait incapable de cacher ses sentiments. Il saurait exactement ce qu'elle éprouvait dès l'instant où il poserait le regard sur elle.

Du moins, elle ne se donnerait pas en spectacle. Personne d'autre ne se douterait de sa détresse.

Elle ouvrit la porte d'entrée, jeta un regard circulaire

afin de s'assurer que personne ne la voyait, puis se glissa au-dehors.

— J'aurais dû insister, dit Amy au même moment. (Elle l'observait depuis la salle de séjour.) Ce n'est pas juste qu'elle endure cette attente, ajouta-t-elle.

Peter saisit Amy par les épaules et la fit pivoter vers lui.

— Ma chérie, si Diana voulait savoir comment va Travis, elle te l'aurait demandé.

— Je sais. Mais...

— Mais tu aimerais qu'elle soit aussi heureuse que toi, dit-il tendrement en l'attirant dans ses bras. Tu sais, je la trouve très sympathique. Nous avons eu l'occasion d'échanger quelques propos tout à l'heure. Elle est exactement comme tu me l'avais décrite.

Amy posa sa tête sur l'épaule de Peter.

— Tout serait parfait si Diana et Travis étaient amoureux l'un de l'autre, soupira-t-elle.

Tant qu'elle n'était pas tombée amoureuse de Peter Drennan, Amy n'avait pas été capable de reconnaître les signes impalpables que Travis et Diana avaient laissé transparaître... Un regard appuyé pendant une fraction de seconde, un sourire exprimant la joie d'être dans la même pièce que l'autre, un mot gentil... puis le déchirement causé par la séparation, et le vide terrifiant que seule la personne aimée pourrait combler.

Amy avait alors pris conscience qu'elle était la cause de leur séparation. Et cela l'avait accablée. Il fallait coûte que coûte qu'elle répare son erreur... Elle s'était confiée aussitôt à Peter. Elle voulait appeler Diana tout de suite, ôter l'obstacle qu'elle-même avait posé sur son chemin et celui de Travis. Mais Peter avait écouté la voix de la raison. Rien ne servait de se précipiter, disait-il. Il n'appartenait qu'à Diana et à Travis de se réconcilier; de se retrouver. Amy ne devait pas se substituer au destin. Tout au plus pouvait-elle se contenter de donner un coup de pouce à la fatalité. Et sans rien savoir, Sharon y avait contribué, en acceptant de donner une fête pour ses trente ans, idée qu'elle n'aurait jamais eue toute seule.

Peter posa son menton sur le haut de la tête d'Amy.

— J'ai peur que tu ne coures à l'échec, ma pauvre chérie.

Il avait peut-être raison, mais cela n'avait pas d'importance. Deux ans plus tôt, Amy n'aurait jamais imaginé un bonheur qui lui fût accessible. Une famille où elle aurait eu sa place. Un homme qui l'aurait aimée telle qu'elle était sans lui reprocher son passé. C'était pourquoi elle avait hâte de voir Travis et Diana heureux...

Elle noua ses mains autour de la nuque de Peter, se hissa sur la pointe des pieds et lui donna un baiser.

— Je reviens, fit-elle.

— Où vas-tu?

— Sur la véranda.

— Tu ne le feras pas arriver.

— Je sais.

Il lui prit la main.

— Je t'accompagne, dit-il.

Leurs doigts s'entremêlèrent et Amy leva sur Peter un regard plein de tendresse. Il serait toujours à ses côtés, pour le meilleur et pour le pire.

— Je t'aime, chuchota-t-elle.

Il se pencha pour l'embrasser.

— Comment suis-je devenu aussi chanceux, moi?

Elle lui adressa un sourire malicieux.

— La chance n'a rien à voir, cow-boy. Ce qui a joué en ta faveur, c'est quand je t'ai vu longer la rue dans ton jean moulant.

Il rit.

— La semaine dernière, tu prétendais que tu avais été séduite par mon after-shave!...

Ils s'éclipsèrent. Peu après, accoudée à la balustrade de la véranda, Amy cherchait Diana du regard.

— Est-ce que tu la vois? demanda-t-elle à Peter.

— Oui, là-bas.

Il se tenait derrière Amy et l'enlaçait par la taille.

Dans la lumière poudreuse du crépuscule, Diana errait du côté de l'étable... Elle était en train de jeter un bâton au labrador doré de Peter. Le chien se lança et rapporta le morceau de bois, tout frétillant de joie, puis le jeu recommença.

— Tiens, le voilà! s'écria soudain Amy.

Le pick-up de Travis remonta l'allée dans un nuage de poussière. Elle le regarda arriver, une boule au fond de la gorge.

— J'aurais dû lui dire qu'elle serait là. J'espère qu'il est seul, dit-elle.

— C'est trop tard, maintenant, dit Peter.

La panique s'empara d'Amy pendant que la camionnette traversait la cour. Et si Travis avait amené une amie? Les yeux fixés sur la voiture, elle ne put distinguer l'intérieur, masqué par les reflets pourpres du couchant sur les vitres. Amy ferma les yeux. Elle les rouvrit lorsqu'elle entendit le coup de frein. Travis émergea de la voiture. En voyant le jeune couple sur la véranda, il agita la main.

De l'autre côté de la cour, Diana s'était figée. Le chien attendait en vain qu'elle continue à jouer. Mais elle regardait Travis.

Durant les deux dernières années, elle avait vécu dans le souvenir du jeune homme. Elle croyait l'avoir idéalisé... Elle se trompait. Travis était plus grand, plus beau, plus fort encore que dans son souvenir. Comment avait-elle pu oublier l'aisance avec laquelle il se déplaçait? Son pas élastique? Avait-elle été trop préoccupée par le silence d'Amy pour se rappeler le délicieux pincement qu'elle ressentait au cœur chaque fois qu'elle voyait Travis?

Elle essuya nerveusement les paumes de ses mains sur son pantalon en attendant qu'il s'aperçoive de sa présence. Il était venu seul. Et tant mieux. Elle n'aurait pas supporté qu'il soit accompagné par une autre femme. A présent elle en avait la certitude. Cet instant, elle en avait rêvé pendant deux ans... Elle n'avait pas eu d'autre choix. Elle l'aimait. Elle l'aimerait toujours.

Le labrador, l'ayant aperçu lui aussi, s'était élancé vers Travis en jappant. Travis se pencha et le gratta derrière les oreilles.

— Tu es un brave chien! Un bon chien de garde! Un...

La fin de sa phrase expira sur ses lèvres. Il demeura parfaitement immobile, comme pour se convaincre qu'il ne s'agissait pas d'une apparition.

— Diana?

De crainte que sa voix ne la trahisse, elle se contenta d'incliner la tête. Travis s'avança vers elle. Le chien, sentant sans doute qu'il se passait quelque chose d'important, resta à sa place.

Aucune phrase. Aucun mot. Ce n'était pas nécessaire. Tout ce que Diana voulait savoir, elle le lut dans les yeux de Travis. Il l'avait attendue. Il ouvrit ses bras. Avec une soif farouche, une soif ardente, il attira la jeune femme contre son cœur.

— Es-tu vraiment là? fit-il d'une voix étranglée.

— Oui... enfin...

Il se recula pour la scruter au fond des yeux.

— Dis-moi que je ne rêve pas.

— Je t'aime.

— Tu me dis toujours que tu m'aimes dans mes rêves.

— Je te veux.

— Cela aussi...

— Tais-toi donc. Embrasse-moi.

Il ne demandait pas mieux. Leur baiser, brûlant, dépassait le simple désir physique. En s'embrassant, ils s'efforçaient d'effacer le passé. De vivre le plus intensément possible cet instant tant désiré.

— J'avais peur de venir, confia-t-elle.

— Pourquoi? s'étonna Travis.

— Je me demandais si tu avais trouvé quelqu'un d'autre...

Il lui frôla de baisers la tempe, le front, le bout du nez.

— Impossible. Tu es la femme de ma vie. Il n'y en aura jamais d'autre.

Il la souleva dans ses bras comme une plume, se mit à tournoyer allègrement.

— J'ai l'intention de passer le restant de mes jours à te prouver que nous étions destinés l'un à l'autre.

— Est-ce une proposition honnête, monsieur Martell?

— Tout à fait. (Il la remit sur ses jambes, posa un genou à terre.) Acceptez-vous de m'épouser, mademoiselle Winchester?

Avec un rire, Diana se jeta à son cou.

— Oui. Mille fois oui.

— Pourquoi pleures-tu? demanda Peter à Amy.

— Je n'avais pas compris combien Diana m'aimait, jusqu'à aujourd'hui.

Elle se tourna pour le dévisager, les yeux brillants de larmes.

— Je dois être une personne exceptionnelle pour mériter un si grand amour.

Elle sut qu'elle avait reçu un merveilleux cadeau — un cadeau pour toute la vie.

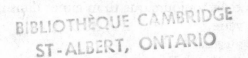

Achevé d'imprimer en décembre 1999
sur presse Cameron
par **Bussière Camedan Imprimeries**
à Saint-Amand-Montrond (Cher)

N° d'édition : 6787. N° d'impression : 995670/1.
Dépôt légal : décembre 1999.
Imprimé en France